LOUISIANE

Tome II

Maurice Denuzière est né le 29 août 1926 à Saint-Etienne. Après des études de lettres à Lyon, il choisit de faire carrière dans l'aéronautique navale mais il est réformé. Il se lance alors dans le journalisme et ses premiers articles paraissent dans les quotidiens de Lyon et de Saint-Etienne. Pierre Lazareff l'invite à monter à Paris en 1951 où il devient reporter, puis chroniqueur à France-Soir *et au* Monde.
Ecrivain en même temps que journaliste, à seize ans il correspondait avec Charles Morgan, l'inoubliable auteur de Sparkenbroke *et de* Fontaine, *il écrit des romans depuis 1960. Citons entre autres :* Comme un hibou au soleil *(1974),* Un chien de saison *(1979),* Pour amuser les coccinelles *(1982),* Louisiane *(Prix des Maisons de la presse),* Fausse-Rivière, Bagatelle, *sa saga du vieux Sud américain, qui ont eu un succès considérable.*

Louisiane est la chronique d'une famille de planteurs, les Damvilliers, dominée par Virginie, une femme belle et ambitieuse, dont le destin va se confondre avec celui de Bagatelle, un domaine cotonnier au bord du Mississippi. Immigrants, esclaves, aristocrates d'origine française, des dizaines de personnages font revivre par la diversité de leur vie quotidienne, de leurs passions, de leurs ambitions, l'apogée puis le déclin du Sud, dans une fresque magistrale qui nous fait entrer de plain-pied dans l'Histoire. Maurice Denuzière, qui fut grand reporter au journal *Le Monde*, a mené une longue et minutieuse enquête à La Nouvelle-Orléans, où il a eu notamment accès à des archives ignorées des historiens. Hormis quelques personnages, tout ce qu'il retrace dans *Louisiane* est authentique. La famille qui a inspiré cette fresque existe toujours, et ses descendants exploitent encore les mêmes terres. Le moindre chiffre, la plus petite citation ou l'anecdote historique la plus anodine ont été vérifiés. Prix des Maisons de la presse, traduit en quinze langues, *Louisiane* a été adapté pour le cinéma et la TV par Philippe de Broca avec Margot Kidder, Ian Charleson, Andréa Ferréol, Victor Lanoux...

ŒUVRES DE MAURICE DENUZIÈRE

Dans Le Livre de Poche :

UN CHIEN DE SAISON.
POUR AMUSER LES COCCINELLES.
COMME UN HIBOU AU SOLEIL.

MAURICE DENUZIÈRE

Louisiane

Tome II

ROMAN

J.-C. LATTÈS

DEUXIÈME ÉPOQUE
(suite)

13

Pour revenir à Bagatelle, en février 1835, les Damvilliers prirent le chemin des écoliers. Ils avaient vu, à La Nouvelle-Orléans, les aménagements de la cité : le nouvel hôpital, avec ses trois étages et ses deux ailes, pouvant accueillir cinq cent quarante malades; l'infirmerie Franklin; l'orphelinat de l'association charitable des pompiers; les sièges des banques les plus prospères : Banque du Canal, des Carrolitos, de la Bourse, de la Louisiane, d'Orléans, des Artisans et Commerçants, de l'Union, de l'Atchafalaya, dont les actifs se montaient au total à soixante-cinq millions de dollars. On leur avait montré aussi le grand collège Jefferson, tout juste achevé, le canal du lac Pontchartrain au Mississippi et le chemin de fer, long de cinq miles, qui reliait le lac à La Nouvelle-Orléans, trajet que des « chars à vapeur parcouraient en vingt minutes ». Ils voulurent se rendre compte aussi des progrès réalisés en basse Louisiane, et sur le chemin de leur maison, de détour en détour, leur confiance dans l'avenir du Sud se trouva renforcée.

Quittant la ville, ils firent en carrosse le tour du lac Pontchartrain pour visiter à Madison (paroisse de Tamany) les élevages de bestiaux. Puis, en allant sur Baton Rouge, où ils devaient reprendre le vapeur, ils s'arrêtèrent à Springfield (paroisse de Livingston). Au milieu de la forêt de cyprès, des cultivateurs faisaient pousser du blé, du maïs, des oranges et même des figues. Près de cette petite ville, ils entrèrent dans une manufacture où l'on fabriquait, avec la graine du cotonnier, une huile meilleure que l'huile de baleine et ne coûtant qu'une piastre le gallon. Avec les résidus de la graine, on engraissait vaches et chevaux.

« Ainsi, rien n'est perdu », observa, pratique, Adrien.

A Baton Rouge, les belles casernes du gouvernement, protégées par des fortifications, leur permirent d'apprécier la valeur du bras séculier de l'Union et la hauteur des murs du pénitencier, qu'on venait d'achever, les convainquit que les malfaiteurs et les esclaves punis ne s'en évaderaient pas facilement.

A travers le pays, des villes naissaient d'une rue tracée dans des clairières, qu'élargissaient sans cesse défricheurs et bûcherons, au milieu des forêts de chênes, de frênes, d'érables, de peupliers. De lourds chariots, attelés de quatre ou six bœufs, transportaient au long des pistes le matériel et les produits indispensables à la vie de ceux qui, chaque jour, arrachaient à la nature vierge des arpents de bonne terre que leur sueur féconderait. Déjà, le coton devenait de si bon rapport, dans ces zones nouvellement conquises, que les esclaves achetés neuf cents dollars deux ans plus tôt avaient gagné deux tiers de leur valeur. Les émigrants nouveaux venus, des Allemands surtout, travailleurs obstinés et méthodiques, nettoyaient rivières et bayous, labouraient de l'aube au crépuscule, conscients, comme le fermier du bon La Fontaine, qu'un trésor était caché dans cette terre qu'aucune bêche n'avait jamais entamée.

Toute cette activité remplissait Adrien d'allégresse.

« Voilà la force du Sud, c'est la mise en valeur de nos territoires. Plus il y aura de bras occupés à ces travaux, plus il y aura d'abondance et de biens pour tous. Contre cela, les politiciens ne peuvent rien. Toujours les producteurs l'emporteront sur les oisifs et les spéculateurs. »

A La Nouvelle-Orléans, le marquis de Damvilliers avait été informé d'un incident qui n'était pas de nature à diminuer le mépris que lui inspiraient les mœurs politiques, même sudistes.

M. Alicée Labranche, président de la Chambre des représentants, ayant reçu au moment de prendre place dans son fauteuil des coups de canne d'un nommé Grymes, brandit un revolver et tira à bout portant sur son agresseur. Fort heureusement, l'épaisse doublure de la redingote de M. Grymes arrêta la balle. Rendu furieux, le rescapé sortit à son tour un pistolet d'arçon chargé de quatre balles. Il en mit deux dans la main du président et effleura d'une troisième la tête du législateur qui, saisi de terreur, tomba sans connaissance. La quatrième balle s'enfonça dans un mur en passant entre les oreilles de deux honorables représentants ! Le président prit la fuite, poursuivi hors de la Chambre par M. Grymes qui, muni d'une deuxième arme, manifestait hautement l'intention d'en finir avec son adversaire. M. Labranche n'était parvenu qu'avec peine à se soustraire à la fureur de M. Grymes, qui n'avait reçu de ses pairs qu'une petite réprimande.

« Ce sont des mœurs de bandit de grand chemin, avait commenté le marquis, et vous voudriez que je me fasse élire pour fréquenter des gens pareils ? »

Après ce voyage instructif, Adrien et Virginie retrouvèrent avec joie le calme de Bagatelle, leurs enfants et leurs champs de coton, qu'il faudrait bientôt ensemencer. Le printemps 1835 fut extraordinairement pluvieux. Les paroisses de Pointe-Coupée et de West Feliciana devinrent de véritables cloaques. Certains petits fermiers du « poulailler » durent évacuer leur maison, Fausse-Rivière menaçant de recouvrir leurs terres. Les dames de la bonne société hésitaient à se déplacer d'une plantation à l'autre, tant les cabriolets, même les plus légers, couraient le risque de s'embourber.

Mais un homme était toujours sur les grands chemins, son grand manteau ruisselant d'eau recouvrant à demi la croupe de son cheval, son feutre gris ramolli et déformé : le marquis de Damvilliers. Adrien aimait la pluie, que Virginie détestait. S'il acceptait de demeurer sur la galerie à regarder tomber les fortes averses, dès que celles-ci diminuaient d'intensité, il annonçait :

« Je vais faire une petite trottade... »

Et rien ne pouvait le retenir. Résigné, son cheval s'ébrouait au sortir de l'écurie, puis pataugeait sur les levées d'où Adrien aimait voir le fleuve vibrer de milliers d'ondes circulaires, sous les grosses gouttes. Parfois Dandrige, pour plaire à son ami, participait à ses chevauchées. Protégé par un poncho, coiffé d'un vieux panama qu'il secouait par moments pour l'alléger de l'eau qui en alourdissait les bords relevés, il galopait botte à botte avec le marquis, le visage fouetté par l'ondée. Leurs silhouettes d'apocalypse, se profilant entre les bosquets, inspiraient aux enfants des esclaves une sainte terreur.

« Z'attraperont la mort à couri' comme ça sous l'eau, pronostiquait, en secouant la tête, la grosse Anna. Je vas leu' fé un grand café à l'eau-d' vie... »

Et le vieux James bougonnait, imaginant déjà les bottes crottées qu'il faudrait sécher et lustrer pour l'équipée suivante. C'est au retour d'une de ces trottades que le maître fut pris d'un malaise. Les joues en feu, les tempes battantes, il porta la main à son cœur.

« J'ai comme une brûlure, là », dit-il à Virginie penchée sur lui, alors qu'il reposait dans un fauteuil du salon.

Murphy, prévenu par un esclave, vint ausculter Adrien. Le médecin donna un avertissement.

« Attention, par un temps pareil on peut gagner un bon refroidissement. Passé la quarantaine, on ne court plus les chemins sous la pluie que si l'on est obligé ! »

Trois jours plus tard, redevenu gaillard, le maître de Bagatelle se remit en selle. Entre-temps, la pluie avait cessé. La terre gorgée d'eau fumait sous le soleil déjà chaud. Dans les champs, les cotonniers, qui semblaient n'attendre qu'un signal, pointaient leurs dards verts dans les sillons. Tout paraissait rentré dans l'ordre naturel. On oublia le malaise du maître et le mauvais temps.

C'est au moment où l'on s'apprêtait à la cueillette qu'une nouvelle inquiétante parvint à Bagatelle. Dandrige, observateur plus attentif que le marquis, avait remarqué chez les esclaves occupés dans les champs des conciliabules qui cessaient brusquement à son approche. Il lui sembla que les Noirs chantaient moins, lançaient peu de quolibets, paraissaient, malgré leurs sourires, inquiets et méfiants. A l'hôpital de la plantation, il posa quelques questions d'un air indifférent, pour savoir si la fièvre jaune ou le choléra n'avaient pas fait leur apparition dans les cases. Ce fut à Sainte-Marie, chez Armand et Clovis, les deux Noirs émancipés devenus forgerons, qu'il sut la raison de cette tension à peine perceptible.

Par des voies mystérieuses, les esclaves avaient appris, avant tout le monde, ce que les journaux de La Nouvelle-Orléans ne révélèrent que le

16 août, au lendemain du troisième anniversaire de Marie-Adrien : une conspiration d'esclaves avait été découverte, justifiant l'arrestation à Baton Rouge de quatorze Noirs accusés d'y avoir participé. Le journal *L'Abeille* faisait état de l'inquiétude qui régnait à La Nouvelle-Orléans : *Le Conseil de ville s'est assemblé*, lisait-on dans ses colonnes, *pour sa séance ordinaire. Après la lecture du procès-verbal de la dernière séance, M. Farlane déposa une motion pour procéder à huis clos à la prise en considération de quelques mesures d'intérêt général. Cette motion ayant été adoptée à l'unanimité, les portes du Conseil furent fermées et ne se rouvrirent que vers huit heures et demie du soir. Nous avons appris que cette séance secrète avait pour but d'employer les moyens convenables pour maintenir la paix et l'ordre, en dépit des tentatives faites par les abolitionnistes et leurs agents.* Le quotidien rappelait à cette occasion une proclamation faite par le gouverneur du Mississippi, M. Runnel, le 18 juillet 1835, ainsi conçue :

« Attendu qu'il est représenté au gouverneur qu'il y a une bande de Blancs sans aveu qui traversent le pays dans le but de soulever les esprits;

« Attendu qu'il a aussi été représenté au gouverneur que quelques-uns de ces individus ont fait des aveux de nature à exciter les craintes les plus sérieuses de l'existence d'une conspiration fort étendue et qui demande de notre part une surveillance infatigable et toute l'énergie dont nous sommes capables,

« Le gouverneur invite tous les citoyens à supprimer les mouvements insurrectionnels et à s'assurer des suspects. Au besoin, l'Etat délivrera des armes au peuple. »

Clarence prévint Adrien.

« C'est pourquoi nos nègres sont peureux. Il ne manque pas d'excités pour voir partout des comploteurs. Il serait bon qu'aucun de nos esclaves ne sorte seul de la plantation. »

Et il envoya un contremaître accompagner Bobo, qui devait se rendre à Bayou Sara prendre livraison de quelques marchandises.

Dans les jours qui suivirent, on dit avoir découvert à La Nouvelle-Orléans un dépôt clandestin de mille cinq cents fusils ! Du coup, la population se mit en état de défense sans avoir pu vérifier l'exactitude d'une information que les gens raisonnables et de sang-froid ne prirent pas au tragique. « Notre réveil sera celui du lion », proclamait le belliqueux *Courrier de la Louisiane*. Un journaliste qui « avait mal parlé », des miliciens, dont les excès de zèle contribuaient à affoler les Orléanais, faillit être pendu sans autre forme de procès ! On se mit à chasser les sympathisants de l'abolitionnisme comme au Moyen Age on chassait, en Espagne, les hérétiques. Une parole exprimant quelque pitié pour les Noirs injustement soupçonnés, le mot « liberté » entendu dans la conversation la plus innocente, devenaient autant de crimes sur l'appréciation desquels il était inutile de recourir à l'avis des magistrats !

Bientôt, le complot n'ayant pas eu de suite, la tension retomba et les travailleurs reprirent leurs chants.

Les Damvilliers, loin de toute cette excitation, s'étaient davantage émus de la découverte au bureau de poste de Charleston d'un important stock de brochures anti-esclavagistes envoyées par les abolitionnistes du Nord. Aussi, quand, à la fin de l'année, le président Andrew Jackson, qui, onze mois plus tôt, avait échappé de justesse à un attentat perpétré par le peintre Richard Lawrence, interdit aux services postaux de distribuer le matériel de propagande anti-esclavagiste, furent-ils, comme tous les planteurs du Sud, satisfaits par un abus d'autorité qu'en bons démocrates ils auraient dû désapprouver.

Le jour où les journaux annoncèrent qu'un immense incendie avait détruit, entre le 16 et le 18 décembre, à New York, six cent soixante-quatorze maisons, Virginie réclama avec enthousiasme une deuxième portion de porc aux navets. Adrien, qui s'apitoyait sur le sort des victimes de l'incendie, s'interrompit et jeta à sa femme un drôle de regard. Elle laissa fuser un petit rire du bout des lèvres et revint à son assiette bien garnie.

Quand, à la fin du repas, elle reprit du gâteau et demanda que l'on remplace pour elle le café par un verre de madère, Adrien haussa les sourcils. Il connaissait ces symptômes, deux fois constatés.

« Dois-je comprendre que vous attendez un troisième enfant ? »

Elle fit au marquis une moue câline.

« Exactement... J'ai toutes les raisons de penser qu'il naîtra au mois de juillet prochain... Si c'est un garçon, Clarence consentira peut-être à le tenir sur les fonts baptismaux ?

– J'en serai fier.

– Ce sera un bon moyen pour vous attacher définitivement à Bagatelle », dit le marquis, que la nouvelle comblait d'aise.

Il fit apporter du vin de Champagne et l'on célébra l'événement.

Ce fut un garçon. Il vint au monde avec un à-propos patriotique admirable, le 4 juillet 1836, jour du soixantième anniversaire de l'indépendance des Etats-Unis. Adrien lui trouva un crâne disproportionné, déjà pourvu de quelques cheveux roux et soyeux, mais il déclara qu'un garçon né ce jour-là ne pouvait faire qu'un Américain exemplaire. Virginie lui donna la vie sans difficulté, avec l'assistance désormais admise de Planche, qui fit observer que « l'enfant avait le signe de l'eau ».

« Ce sera donc un marin. Il s'en ira porter en Europe le coton de Bagatelle que Marie-Adrien fera pousser ! » se réjouit Adrien.

Murphy et Clarence échangèrent un regard rapide par-dessus le berceau. Ils n'aimaient guère, l'un et l'autre, les mystérieuses appréciations de la sage-femme grise.

Pierre-Adrien, second fils donné au marquis, comme une assurance supplémentaire de voir se perpétuer son nom, venait au monde dans un temps où le Sud connaissait de nouvelles inquiétudes. Le Texas était en effervescence et dans les Florides les Indiens se montraient peu disposés à émigrer en Arkansas, où le gouvernement fédéral entendait les expédier. Depuis que les colons américains, attirés par les conditions faites à ceux qui voulaient mettre en valeur les terres fertiles du Texas, s'étaient installés, à la suite de Stephen Austin, sur les anciens territoires espagnols, beaucoup de citoyens du sud des Etats-Unis considéraient que ceux-ci devaient revenir à l'Union.

En 1835, les colons, déjà nombreux, s'étaient rebellés contre les autorités mexicaines et avaient entrepris, les armes à la main, de conquérir leur indépendance. En 1836, à Fort Alamo, cent quatre-vingt-sept Texans assiégés par quatre mille soldats mexicains résistèrent du 23 février au 6 mars, avant de succomber sous le nombre. Leur chef, le colonel William Basset Travis, dans une proclamation exemplaire, avait fait savoir que ses hommes n'accepteraient que « la victoire ou la mort ». Parmi les victimes de ce siège se trouvaient le déjà célèbre David Crockett et Jim Bowie, qu'on ne tarda pas à considérer comme des héros. Devenus maîtres, malgré cette défaite, des territoires où poussaient maintenant maïs, patates et canne à sucre, les colons demandèrent leur rattachement à l'Union. Les Nordistes, peu soucieux de renforcer l'influence du Sud esclavagiste, refusèrent. Les Texans constituèrent alors une république indépendante, dont l'existence risquait d'être précaire, la France et l'Angleterre convoitant ses richesses et les Mexicains se disant prêts à reconquérir une région qui leur avait été enlevée de vive force.

Stephen Austin, venu à La Nouvelle-Orléans pour acheter des armes, avait facilement recruté une centaine d'aventuriers dont il entendait faire des soldats-paysans. Le Sud tout entier approuvait la courageuse attitude des Texans, dont les domaines, sans ces satanés Nordistes, auraient constitué l'embryon d'un nouvel Etat... esclavagiste !

Les conflits ouverts avec les Indiens des Florides troublaient par contre quelques consciences. Chasser de leurs terres ancestrales des gens qui ne demandaient qu'à vivre en paix paraissait à quelques esprits éclairés une action peu conforme aux principes de la Constitution. Par des traités dans lesquels la ruse avait été opposée à une confiance due à l'ignorance, les Indiens se trouvaient frustrés de leurs droits. L'ayant compris, ils s'étaient révoltés et au début de l'année 1836 les Séminoles avaient enlevé Fort King, battu les troupes fédérales et ravagé les Florides. Leur chef Oceala avait tué de sa main le général Thompson et invité les Creeks à se joindre aux Séminoles pour combattre l'Union.

Le gouvernement de Washington prit les moyens de mater la rébellion et, tandis que Pierre-Adrien de Damvilliers vivait ses premiers jours, la bonne société de La Nouvelle-Orléans visitait, comme une curiosité, un camp installé près de la ville où deux mille quatre cents Creeks se trouvaient parqués comme du bétail. Les belles dames s'y faisaient conduire en carrosse pour tenter d'apercevoir le chef Neah Emath, un vieillard de quatre-vingt-dix ans, fier comme un aigle. Il avait autrefois donné pas mal de fil à retordre au général Jackson. L'armée devait accompagner ces guerriers, apparemment résignés, et leurs familles de l'autre côté du Mississippi, où des territoires leur étaient réservés. En attendant, leur rassemblement « sur une plage fangeuse » constituait une attraction estivale appréciée des Orléanais.

Six mois plus tard, au début de l'année 1837, les mêmes dames dénuées de charité chrétienne qui s'étaient procuré d'équivoques émotions en allant voir les Indiens nus accueillaient avec de grandes démonstrations de piété Mgr Blanc, nommé évêque de La Nouvelle-Orléans, en remplacement d'un primat belge emporté par la fièvre jaune. Débarqué de la *Joséphine,* brick en provenance du Havre, l'évêque trouva ses ouailles fort émues par la faillite de la maison Hermann, Briggs et Cie dont le passif atteignait la somme fabuleuse de sept millions de piastres, soit trente-cinq millions de francs. Il constata également que tous ces bons catholiques se livraient aux spéculations les plus éhontées, suivant en cela l'exemple de la municipalité, qui avait revendu un million de piastres un domaine acheté six mois plus tôt quarante-cinq mille. A des miles autour de la ville, on se disputait à coup de millions de bank-notes des marais où il y avait constamment trois pieds d'eau – qu'on promettait d'assécher – divisés en lots.

Sur les plans tracés par des architectes, au service des spéculateurs fonciers, on voyait de magnifiques rues, des squares, des bâtiments, des quartiers entiers, ce qui donnait à penser que cette Nouvelle-Orléans imaginaire pourrait accueillir un million d'habitants. La multiplication des banques, la valeur fictivement gonflée des produits créaient un climat d'intense excitation. Ceux qui gardaient la tête froide, comme les frères Mertaux, avocats « à l'ancienne mode », conseillaient à leurs clients et à leurs amis de s'abstenir d'engagements mirobolants. Le consul de France, observateur impartial, écrivait à son gouvernement : *Il n'est pas nécessaire d'avoir fait un long séjour aux Etats-Unis pour s'apercevoir que l'esprit de conquête et d'envahissement travaille déjà cette société; une cupidité insatiable et l'orgueil, ce vice de tous les parvenus, font que chacun se trouve à l'étroit même au milieu de mille acres de terre. Il rêve d'en posséder ailleurs de meilleures et c'est pour cela que l'on voit aujourd'hui le Kentucky et le Tennessee désertés pour le Texas.*

Tous ceux qui disposaient de fonds semblaient pris d'une véritable frénésie d'achats. Les négociants ne pouvaient plus suffire à la demande. Leblanc et Haydel écoulaient des quantités incroyables de porto, de madère, d'absinthe, de moselle, de champagne Hock. Tode et Barrière – 20, rue de Chartres – proposaient de nouvelles flanelles pour l'été, arrivées de France. Des médecins, comme le docteur Théophile Gaillardet, de la faculté de Paris, ouvraient des cabinets; on manquait d'arpenteurs et de maçons; l'encanteur Dutillet, installé à l'angle des rues de Chartres et Saint-Louis, ne pouvait fournir des esclaves à tous ceux qui voulaient en acquérir pour augmenter leur domesticité.

Les douaniers ne se laissaient pas berner pour autant. Au mois de juin, ils avaient saisi deux bricks, le *Vaillant*, de Bordeaux, et le *Zampa*, de Nantes, qui transportaient clandestinement soixante-huit caisses d'eau-de-vie. La crise de moralité qui sévissait alors dans les affaires allait jusqu'à corrompre les sentiments des individus.

N'avait-on pas vu un certain Joseph Brémond, de Nice, en Piémont, épouser une créole le plus légalement du monde alors qu'il était déjà marié dans son pays...

Le résultat de toutes ces folies ne se fit pas attendre. Soudain des négociants suspendirent leurs paiements et le bruit courut que les dettes des planteurs de coton s'élevaient à vingt-cinq millions de piastres. Les commissionnaires, dont la plupart consentaient des avances de douze mois sur la future récolte, avouaient collectivement un découvert de soixante-quinze millions de piastres. La dépréciation subite du coton sur les marchés d'Europe causait à ces gens des pertes considérables et les planteurs voyaient brusquement leurs revenus diminuer de 50 p.100. Les banques de La Nouvelle-Orléans n'osaient avouer qu'elles ne disposaient pas, pour balancer les soixante millions de billets émis, de plus de douze ou quatorze millions de dollars. La farine, qui valait quatorze dollars le baril en janvier, ne valait plus que six dollars en mai. Des spéculateurs ruinés ne résistèrent pas à l'attrait du suicide, comme le consul de Suisse, M. Théodore Nicolet, qui se tira un coup de revolver dans la tête.

En août, alors que la fièvre jaune faisait son apparition, l'argent était devenu si rare qu'il fallait donner cent quatorze dollars en billets pour en recevoir cent en espèces, les seize banques de La Nouvelle-Orléans ayant cessé leurs paiements.

Les Nordistes avaient beau jeu de se moquer d'une ville qui prétendait drainer toutes les affaires de l'Union et d'un Etat qui croyait détenir toutes les richesses. Ils citaient avec orgueil les statistiques prouvant la solide prospérité de l'Etat de New York où l'on comptait cent une banques, dix-sept caisses d'épargne, deux mille cent soixante et un hommes de loi, mille sept cent quarante-six bureaux de poste, deux mille huit cent soixante-seize médecins et chirurgiens, quinze compagnies d'assurances, deux cent cinquante-sept journaux (soixante-deux pour la seule ville de New York) et onze lignes de chemin de fer.

Ces chiffres auraient dû inciter les Louisianais à la modestie. Ils ne faisaient que les irriter. La plupart d'entre eux mettaient leurs difficultés au compte du président Jackson, qui avait supprimé la Banque des Etats-Unis et avantagé ainsi les banquiers de Wall Street. L'arrivée au pouvoir de Martin Van Buren, huitième président de l'Union, ne permettait pas d'entrevoir une attitude plus favorable au Sud, le nouveau locataire de la Maison-Blanche ayant annoncé son intention de poursuivre la politique de son prédécesseur. Dans le même temps, les abolitionnistes développaient leur propagande, si bien qu'il ne se trouva personne, dans le Sud, pour déplorer l'assassinat de Elijah P. Loveloy, un directeur de journal antiesclavagiste, tué par un propriétaire d'esclaves d'Alton, Illinois.

Car on craignait à nouveau les révoltes de Noirs. Le bateau à vapeur *Briah Bervinmes* avait apporté la nouvelle qu'une insurrection très étendue devait éclater au cours de la nuit du 7 octobre à Bayou Rapide, à quelques miles d'Alexandria, dans le centre de la Louisiane. Fort heureusement, des esclaves avaient dénoncé ce projet, deux jours avant la date fatidique. *Une cinquantaine de nègres ont été arrêtés,* annonçait le journal officiel de la Louisiane, *neuf des principaux chefs ont été pendus, parmi lesquels étaient des hommes libres. Il y en a environ quarante à la geôle qui attendent leur jugement.* Dans son édition suivante, le même quotidien complétait ainsi ses informations : *Onze nègres ont été exécutés le 10 octobre à Alexandria et quatorze autres doi-*

vent l'être demain. Soixante-trois nègres suspects restaient en prison pour subir un nouvel interrogatoire. On affirmait que deux Blancs impliqués dans cette affaire avaient réussi à s'échapper, mais qu'ils étaient poursuivis de près ! On sut plus tard que la révolte devait éclater d'abord à Alexandria, puis à Natchitoches, avant de descendre à La Nouvelle-Orléans « pour en finir une fois pour toutes avec les Blancs » !

Sur l'un des Noirs condamnés au supplice on avait trouvé une lettre du philanthrope Arthur Tappan, ce qui ne pouvait manquer de faire tort au parti abolitionniste.

A peine l'émotion retombée à La Nouvelle-Orléans, où l'on s'efforçait avec un sang-froid retrouvé de conjurer les conséquences de la crise, née des folles spéculations du début d'année, un autre événement mit en effervescence le quartier français et, partant de là, de nombreuses plantations. La seconde municipalité de la ville venait de demander au maire « de ne plus rédiger ses messages que dans la langue légale, c'est-à-dire l'anglais ». Aussitôt, une polémique éclata dans la presse, agitant les salons, comme les boutiques. *Le Courrier de la Louisiane,* porte-parole traditionnel des intérêts français, ne fut pas le dernier à s'engager dans la querelle linguistique. *Les hommes du Nord, les Yankees,* put-on y lire, *veulent déposséder les Louisianais de la langue de leurs pères... Mais les Louisianais ne céderont pas !* La motion de la seconde municipalité, celle du quartier dit « américain », suscita tant d'opposition qu'elle fut finalement retirée.

A Bagatelle, ces nouvelles diverses parvenaient atténuées par l'écoulement du temps. Elles fournissaient à Dandrige et au marquis des sujets de conversation d'après dîner. M. de Damvilliers, qui vendait son coton et sa mélasse au comptant, ne redoutait pas les conséquences de la crise; les esclaves dans la paroisse de Pointe-Coupée ne manifestaient aucune tendance à la révolte, ni même à la désobéissance; le Texas était loin, les Indiens aussi. Seule l'outrecuidance des élus de La Nouvelle-Orléans proposant que l'anglais soit la seule langue officielle avait mis le marquis de méchante humeur.

« L'anglais est une langue de commerçants, commode pour les affaires; mais le français demeure la langue des sentiments désintéressés, la langue des diplomates, de tous ceux qui s'opposent aux mercantis et aux barbares, c'est la langue des gens qui pensent ! »

Dandrige, qui avait appris à parler simultanément les deux langues, le français avec sa mère, l'anglais avec son père, ne partageait pas l'avis d'Adrien.

« Vous pensez que l'anglais est la langue du commerce parce que vous avez appris le commerce avec les Anglais et vous estimez que le français est la langue des sentiments parce que vos parents vous ont appris en français à voir, à aimer et à sentir. Vous ne pouvez tout de même pas dire que Shakespeare, Milton, Byron ou Shelley s'expriment comme des marchands !...

– Citez-moi un poète ou un prosateur yankee ! clamait le marquis, déviant la question. La langue qu'ils veulent nous imposer n'est pas celle de Shakespeare ni de Milton; c'est celle des banquiers de la Cité et des débardeurs du port de Londres ! »

Quand on atteignait ce point de la discussion, Clarence jugeait préférable de changer de sujet. Il savait M. de Damvilliers persuadé de l'universelle supériorité de la langue de ses pères. Tous les écrivains anglais réunis ne le feraient pas changer d'avis.

Un soir d'octobre pluvieux et venteux, alors que Clarence évoquait avec Barthew, de passage à Bagatelle, la nomination d'un Louisianais comme ministre plénipotentiaire des Etats-Unis près la République du Texas, l'ouragan s'annonça, la vieille maison se mit à gémir de toutes ses encoignures. On entendit les fauteuils culbuter sur la galerie, on sentit vibrer les cloisons fouettées par la pluie. Les grands chênes, furieusement ébouriffés, lâchèrent des touffes de mousse espagnole que l'on vit s'envoler vers le fleuve. Mic et Mac, les dalmates de Dandrige, devenus vieux, dressèrent des oreilles inquiètes. Il fallut rabattre contre les fenêtres les épais volets de bois qu'on ne fermait pas d'habitude. Bagatelle, comme un vaisseau à la cape, se mit à faire le gros dos sous la tourmente. Le marquis offrit l'hospitalité à Barthew.

« Vous n'allez pas prendre la route avec un temps pareil et le bac pour Bayou Sara a dû interrompre son service. Restez donc avec nous. »

Virginie, qui attendait son quatrième enfant, donna des ordres pour qu'une chambre soit préparée et l'on passa la soirée à écouter les éléments se déchaîner sur la plantation. A l'aube, l'ouragan, poursuivant sa course dévastatrice, laissa Bagatelle moulue, comme un homme roué de coups. Quand le marquis sortit pour constater les inévitables dégâts, il piétina un tapis de feuilles et de branches hachées. Les pigeonniers avaient perdu quelques tuiles, la toiture de l'écurie où Bobo avait passé sa nuit à calmer les chevaux se soulevait comme un couvercle, une bonne douzaine de cases d'esclaves s'étaient couchées, repliées sur elles-mêmes comme des boîtes qu'un géant aurait écrasées. On avait vu pire.

« Nous n'avons eu que la queue de l'ouragan », commenta M. de Damvilliers quand Barthew prit congé.

La Nouvelle-Orléans montrait ce matin-là d'autres plaies que Bagatelle. Plusieurs édifices avaient été renversés, la colonnade de la Banque des Citoyens s'était écroulée. On donnait pour complètement perdus cinq bateaux à vapeur et l'un d'eux, poussé par la violence du vent jusque dans les terres, demeurait vautré dans la boue comme une baleine morte jetée au rivage. Un autre vapeur avait sombré au milieu du fleuve agité de tourbillons. Les maisons qui bordaient le chemin de fer de la ville au lac Pontchartrain se trouvaient réduites à des tas de bois et de briques. Refoulées sur plus de six miles, les eaux du lac Pontchartrain couraient dans les faubourgs. Le cimetière offrait l'aspect d'un vaste marais sur lequel flottaient une quinzaine de cadavres, enlevés au dépositoire où ils attendaient d'être inhumés. On comptait un million de dégâts. Adrien eut une peur rétrospective.

« Heureusement que nous ne sommes pas allés en ville cette année, sinon j'aurais tremblé pour l'enfant que vous portez! Une frayeur suffit, paraît-il, à compromettre une naissance.

– Il faut plus qu'un ouragan pour m'effrayer, Adrien. Souvenez-vous de nos émotions quand nous sommes revenus d'Europe, j'attendais Marie-Adrien et il n'en a pas souffert!

– C'est vrai, reconnut le marquis. Vous êtes une femme courageuse et chaque jour je remercie Dieu de vous avoir choisie pour épouse. »

Virginie chercha le regard de Dandrige, qui dégustait son café à petites gorgées, et le trouva. Ils échangèrent un sourire, qu'Adrien ne vit pas. La même pensée leur était venue à tous deux : ce n'était pas Adrien qui avait choisi. Ils le savaient l'un et l'autre.

« Mais qu'importe, pensa Clarence en vidant sa tasse, elle a su prendre son bonheur, lui a su recevoir le sien. Le mariage de l'ambition et de l'amour donne parfois de bons résultats! »

Longtemps ce soir-là, avant de s'endormir, Dandrige agita la question de savoir si Virginie était réellement amoureuse de son mari. Rien dans son attitude ne pouvait laisser supposer le contraire et cependant le fait qu'elle osât rappeler à un autre, même intime, par un seul regard, tout un passé de roueries indiquait la permanence de sa lucidité. Il en arriva à la conclusion que le marquis ne possédait de Virginie que ce qu'elle avait choisi de donner. Cela suffisait sans doute à satisfaire pleinement Adrien, mais lui, Dandrige, aurait voulu connaître ce qu'elle retenait par-devers elle et que son orgueil lui interdisait peut-être à jamais de livrer. Pour l'intendant, l'amour profond supposait une sorte d'abdication inconsciente de soi-même. Or Virginie n'avait pas abdiqué.

14

AU contraire des deux premiers rejetons des Damvilliers qui, pleins de santé, poussaient allégrement, le filleul de Dandrige, né malingre, se révélait sans appétit et dormeur invétéré. Amalia, la nourrice qui l'avait pris en charge, pleurait de le voir aussi maigre. Imilie, qui ne pouvait rassasier ses aînés, disait souvent à voix basse à sa compagne :

« Tu l'élèveras pas. Un coup de froid et pftt, il sera parti... Le p'tit ma'quis et sa sœu' sont solides comm' le maît'e; lui, il est tout pâle, comm' m'ame maît'esse, ce qui n'est pas bon du tout pou' un ga'çon. »

Le bébé franchit cependant tous les caps difficiles et on le considérait comme tiré d'affaire quand, le 28 novembre 1837, il fallut en toute hâte préparer le vieux berceau en forme de nef des Damvilliers, Virginie étant sur le point d'accoucher d'un quatrième enfant.

Celui-ci vint au monde moins aisément que les précédents.

Planche s'était enfermée dans la chambre de la parturiente. Adrien, comme toujours angoissé et nerveux, incapable de tenir en place, faisait les cent pas sur la galerie et regardait derrière un rideau de brouillard tomber la pluie. La nuit s'annonçait. Il guettait l'arrivée de Murphy, que Dandrige était allé chercher à Sainte-Marie, Bobo étant retenu aux écuries par une jument prête à mettre bas. La concomitance des deux événements choquait le marquis. Que sa femme soit, au même moment, dans une situation identique à celle d'une jument lui paraissait vulgaire. Il ressentait cette communauté de douleur comme une humiliation.

« C'est le lot de tous les mammifères », avait dit Dandrige, et le mot lui déplaisait. Traiter Virginie de mammifère équivalait à ses yeux à abaisser cet être exceptionnel au rang de l'espèce la plus banale. En refléchissant, il se demanda, en bon chrétien, si Dieu n'avait pas voulu mortifier la plus belle de ses créatures en l'obligeant à mettre ses enfants au monde comme les bêtes.

L'apparition sous les chênes du cabriolet de Dandrige le tira opportunément de ses réflexions déprimantes. En apercevant le docteur Murphy au côté de l'intendant, il respira soudain plus aisément et la petite douleur qu'il ressentait sous le cœur, chaque fois qu'il était ému ou en colère, s'atténua.

« Enfin vous voilà, Murphy!

– Rien ne presse, marquis; Planche est là, j'imagine. Vous devriez avoir l'habitude d'être père! »

Alors que Dandrige se dirigeait vers les écuries, les deux hommes pénétrèrent dans le salon. Murphy se laissa tomber dans un fauteuil et posa sa trousse à ses pieds.

« ... Boirais bien quelque chose... en attendant. »

Avec un peu d'humeur, Adrien fit signe à James d'apporter le whisky. Le médecin était occupé à se servir quand Planche apparut.

« C'est fait? » interrogea brusquement Adrien.

La femme grise négligea de répondre. Elle

regarda Murphy et lui fit signe de la suivre. Le médecin vida son verre et ramassa sa trousse.

« Ah! on dirait qu'on a besoin du bon docteur... »

Et, sans tenir compte des questions inquiètes du marquis, il se hâta vers la chambre de Virginie.

D'un geste, Planche lui désigna Mme de Damvilliers, ruisselante de sueur, mâchonnant l'herbe anesthésiante de la sage-femme, une bave verdâtre aux lèvres. Elle paraissait, les yeux clos, le visage crispé, faire des efforts prodigieux pour expulser l'enfant dont une partie du corps visqueux émergeait entre les cuisses.

« Le cordon..., hein », fit le médecin.

La Noire hocha la tête. Il jeta sa redingote sur le parquet, retroussa les manches de sa chemise, se trempa vivement les mains dans l'eau chaude et se pencha sur le lit.

Les gémissements étouffés de Virginie, alternant avec de petits cris, se mêlèrent à la forte respiration du médecin, s'activant pour dégager le cordon ombilical qui, mal placé, serrait le cou du bébé et menaçait de l'asphyxier.

« C'est... une... fille, encore », dit Murphy sans interrompre ses efforts, car le corps du bébé blêmissait.

Planche, les yeux écarquillés, suivait le travail du praticien, appréciant ses gestes assurés et son sang-froid. Un moment s'écoula. Les plaintes de Virginie diminuèrent, puis cessèrent.

« Et voilà, à toi de finir, ma bonne, fit le médecin en tendant à Planche le bébé délivré. Fais-le crier un bon coup, que ses poumons s'emplissent d'air, coupe le cordon qui a failli l'étrangler..., enfin, hein, fais ce qu'il faut! »

En se lavant les mains, Murphy se tourna vers Virginie. Elle paraissait exténuée.

« Tout va bien. Reposez-vous. »

Le bébé que Planche tenait par les pieds, la tête en bas, se mit à brailler.

« Vous entendez, la petite colère avant même d'ouvrir les yeux », dit le médecin.

Il enfila sa redingote en conseillant à Planche de faire servir à l'accouchée un café fort, puis, après avoir jeté un regard sur la délivrance, il quitta la chambre.

Virginie, encore incapable de parler et occupée à discipliner sa respiration, lui jeta un regard de remerciement. Murphy grommela une phrase inintelligible. On avait frôlé la catastrophe.

Au salon, Murphy retrouva le marquis et Dandrige, adossé à la cheminée. Adrien se retint de se gratter la tête.

« Que s'est-il passé, Murphy, ça va mal ?

– Ça va bien, Adrien, c'est une fille.

– Mais...

– Rien, vous dis-je, une petite difficulté que Planche aurait aussi bien pu résoudre elle-même.

– Mais Virginie...

– Fatiguée, normalement fatiguée... On dirait que vous ne savez pas ce que c'est qu'un accouchement ! »

Le médecin retrouva son verre, le remplit.

« Donnez-m'en aussi, fit le marquis, j'ai eu peur !

– C'est ainsi que les affres de la paternité conduisent à l'alcoolisme », énonça Dandrige, volontairement sentencieux.

Au cours de la nuit, la marquise, veillée par Rosa, fut soudain prise d'une forte fièvre. Affolé, le marquis envoya quérir le médecin.

« C'était le risque, fièvre puerpérale », dit laconiquement Murphy, et il se rendit au chevet de Virginie.

Pendant deux jours, Bagatelle vécut dans les transes. Adrien harcelait Murphy, sans même jeter un regard à sa seconde fille.

« Rassurez-vous, je n'ai pas l'intention de mourir comme ma mère », disait l'accouchée d'une voix lasse en voyant l'inquiétude augmenter sur le visage de ceux qui l'entouraient.

Quand la fièvre disparut et que Mme de Damvilliers retrouva son teint de magnolia, Adrien se mit à pleurer comme un enfant, la tête sur la courtepointe.

« Nous n'aurons pas d'autre enfant, Virginie. J'ai eu trop peur de vous perdre... »

Puis il se redressa, passa une main nerveuse dans ses cheveux bouclés et s'en fut donner des ordres pour que l'on ajoutât une aile à l'hôpital qu'il avait fait construire à Sainte-Marie après la naissance du « petit marquis ».

Planche s'abstint de définir « le signe » de Julie. Elle dit simplement, quelques jours plus tard, à Anna, toujours curieuse, que la petite « aurait le cœur transparent ».

Dandrige aussi respira plus librement quand la jeune mère fut hors de danger. Il mesura à cette occasion, en homme capable d'évaluer la force de ses sentiments, l'attachement qu'il avait conçu, au cours des années, pour cette femme. A vingt-cinq ans et après quatre maternités rapprochées, Virginie lui apparaissait sans faiblesses, capable d'assumer avec aisance le rôle qu'elle avait choisi et d'affronter toutes les difficultés que l'existence pouvait réserver à une famille dans un monde en pleine évolution. Non seulement il émanait de sa beauté intacte et de sa grâce inaltérable un charme auquel on ne restait pas insensible, mais elle donnait aussi à Bagatelle, par sa seule présence, confiance et sécurité. Mme de Damvilliers appartenait à cette catégorie d'êtres peu communs auprès desquels les faibles devinent qu'il ne peut rien leur arriver de mal.

De toute la paroisse, cadeaux et félicitations affluèrent à Bagatelle.

« Quelle chance, Virginie, par deux fois le choix du roi; des garçons et des filles... Que vous devez être heureuse, lui dit Isabelle, la femme de Percy Tampleton, qui, elle, après trois accouchements, ne semblait savoir faire que des enfants du sexe féminin.

– Oui, je suis heureuse. Avec eux quatre, Bagatelle est assurée de durer. Je saurai en faire des hommes et des femmes dignes des Damvilliers. »

Puis elle ajouta, connaissant les critiques dont son père avait pu faire autrefois l'objet :

« Vous voyez, Isabelle, que le sang des Trégan n'est pas aussi faible que certains l'ont dit! »

Les sœurs Barrow, qui espéraient secrètement que l'une d'entre elles, Adèle probablement, se verrait proposer le rôle envié de marraine, furent dépitées quand Virginie annonça qu'elle aurait volontiers choisi Mignette, si son ancienne suivante avait été là. Sans nouvelles du forgeron et de sa femme, elle offrit le marrainage de Julie à Minnie Forest, la fille d'un magistrat de Bayou Sara, Ed Barthew n'ayant pas osé refuser d'être parrain, pour la première fois de sa vie.

Commentant ces choix, jugés inattendus, et la fécondité, surprenante à ses yeux, de la dame de Bagatelle, Adèle Barrow se répandit dans les plantations en disant : « Cette Virginie, c'est un ventre. »

15

Tandis qu'au mois de mars suivant Marie-Adrien, du haut de ses cinq ans et demi, flanqué de Gratianne qui en comptait quatre, regardait Pierre-Adrien, son frère, faire ses premiers pas sur la galerie ensoleillée en tournant, soutenu par sa nourrice, autour du berceau de Julie, Mignette Schoeler était cahotée dans un chariot militaire qui, de l'Ouest, la ramenait en Louisiane.

A côté d'elle vagissait un enfant fiévreux, jaune et maigre. Le forgeron, père de cet avorton, reposait avec quelques autres pionniers sous un petit monticule de terre dans le pays des Chicachas, dits « Courtes Jambes », près de la source d'une rivière, que les émigrants avaient baptisée non sans raison « Purgatoire », au pied des monts Sang-du-Christ. Le campement, déjà devenu village, à l'avant-garde de l'Ouest, avait été attaqué par les Indiens. Les hommes, et le forgeron le premier, s'étaient défendus comme des lions, mais les « Courtes Jambes » semblaient naître de la terre même, au fur et à mesure que tombaient leurs frères. Mignette, qui, au moment de l'attaque, lavait du linge dans la rivière, son fils reposant sur la berge à l'ombre d'un buisson, avait échappé au massacre et à l'incendie des chariots et des cabanes. En pleurant, elle avait remonté le cours de la rivière, portant son enfant et son petit sac, dont elle ne se séparait jamais. Elle se souvenait avoir vu, les jours précédents, un détachement de fédéraux escortant un géographe en mission d'exploration. Pendant plus d'une semaine, grignotant des baies amères, buvant de l'eau, elle avait marché. Ses seins vides ne pouvaient plus fournir de subsistance à l'enfant. Elle regrettait, par moments, de ne pas s'être montrée aux Indiens. Les Chicachas ne passaient pas pour des tortionnaires, simplement pour des voleurs. Ils tuaient de manière expéditive, s'emparaient des chevaux, du bétail et des fusils, puis disparaissaient dans leurs montagnes. C'est en tout cas ce qu'avait dit un vieux coureur de prairie.

La jeune veuve exténuée avait fini par retrouver le groupe de soldats. Soignée, restaurée, elle avait voulu revenir avec eux sur les lieux du combat, pour donner une sépulture décente à Albert. Les soldats avaient creusé une grande fosse et enseveli profondément les dix-huit morts qu'ils avaient trouvés, déjà à demi dévorés par les charognards et les lynx. Un officier ayant lu deux versets de la Bible, le détachement bien aligné avait tiré une salve d'honneur et le convoi, sur ses gardes, s'en était retourné, abandonnant les morts à la terre qu'ils avaient foulée, vivants, avec tant d'espérance.

Le bébé, qu'elle appelait Jean pour plaire à Albert, dont c'était le deuxième prénom, avait paru se remettre. Puis il était devenu jaune comme une coloquinte, lâchant une urine couleur de café et des selles blanches comme du sable.

« C'est la jaunisse, madame, avait diagnostiqué le géographe. Il faudrait du lait, beaucoup de lait. »

Les soldats forçaient Mignette à manger des choses nourrissantes, espérant ainsi la rendre capable de mieux alimenter son enfant. Elle était devenue jaune à son tour et malade à ne plus tenir debout.

« C'est la frayeur, avait dit le géographe, qui a provoqué un ictère chez la mère et son lait corrompu l'a communiqué à l'enfant, chez lequel la jaunisse est apparue d'abord. On ne les sauvera ni l'un ni l'autre. C'est dommage, cette Mme Schoeler en bonne santé devait faire une assez jolie fille. »

Le savant connaissait peut-être la trigonométrie et savait identifier les roches, mais il ignorait tout des ressources d'une femme décidée à vivre. Quand le convoi, après plus d'un mois de route, arriva à Natchitoches, Mignette vivait toujours et son maigre rejeton aussi. Les militaires voulurent la confier à une famille, mais elle les supplia de les conduire, elle et son enfant, à Pointe-Coupée. Mignette avait peur de mourir au milieu d'étrangers. Ses seuls amis se trouvaient à Bagatelle, c'est là qu'elle voulait arriver. Elle usa du nom du capitaine Tampleton et on détacha un chariot avec un sergent et deux hommes pour la conduire à destination, après qu'elle se fut engagée à rembourser à l'armée des Etats-Unis les frais de ce voyage.

C'est ainsi qu'un soir d'avril on vit s'avancer, sous les chênes de Bagatelle, un cavalier en uniforme, précédant un chariot bâché. Clarence et Adrien, qui devisaient sur la galerie, appelèrent les chiens, irrités par cette intrusion, et s'avancèrent vers le sergent.

« On est bien à Bagatelle, ici ? fit le militaire.

– Et je suis le maître de la plantation, répondit Adrien.

– On vous amène une dame très malade, qui a voulu venir chez vous. Elle est là dans le fourgon. Elle est pas brillante et son enfant non plus. On les a ramassés dans l'Ouest. »

La conversation, les pas des chevaux et les grincements des roues avaient alerté Virginie. Devant une aussi charmante apparition, le sergent daigna se découvrir.

« Mais, cria-t-elle en dévalant l'escalier, c'est Mignette, vous ne comprenez pas que c'est Mignette qui est là-dedans ! »

Le sergent mit pied à terre, tandis que Clarence et Adrien couraient derrière Virginie. Celle-ci avait déjà atteint le chariot, soulevé la bâche et reconnu son ancienne suivante.

« Mon Dieu, ma pauvre Mignette, que vous a-t-on fait ? »

Allongée sur une paillasse, la veuve du forgeron ne pouvait parler, étouffée par les larmes. Elle dit seulement avant de s'évanouir :

« Mademoiselle Virginie, comme... je suis contente... d'être arrivée... jusque-là... »

C'est au moment où les hommes retiraient la mourante du chariot, pour la transporter dans la maison, que Virginie aperçut un paquet informe. Elle écarta la couverture. C'était un bébé décharné, dont la peau ressemblait au cuir des vieilles selles. Elle le toucha et poussa un cri au contact de cette chair froide. Le bébé de Mignette était mort.

Les soldats, gavés de bonnes choses par Anna, abondamment fournis en vins par Adrien, reprirent la route le lendemain matin, avec un viatique qui ne leur fit pas regretter d'avoir joué les ambulanciers. Le sergent, qui venait de Philadelphie et se disait anti-esclavagiste, reconnut aux Sudistes le sens de l'hospitalité. Il demanda à saluer Mme de Damvilliers avant son départ, ce qui lui fut accordé.

« Quelle belle femme, hein, dit-il aux deux autres alors qu'ils s'éloignaient de Bagatelle. Elle sent bon comme un bouquet de roses et sa peau est aussi douce que les naseaux de mon cheval !

Le marquis doit pas s'ennuyer. M'est avis que si je repasse par là je viendrai prendre des nouvelles de la malade!

– Elle va mourir, comme son gosse, fit un soldat; quand nous reviendrons, sergent, la belle dame vous enverra au cimetière! »

Il est bien connu que les pronostics des militaires sont rarement exacts. Mignette se remit lentement et, à la fin de l'été, le sergent amateur de belles femmes aurait pu marquer quelque hésitation entre la dame de Bagatelle et la veuve du forgeron!

Le docteur Murphy portait grand intérêt à Mme Schoeler. Il sut la guérir de sa jaunisse. La gentillesse de Virginie, l'affection du marquis et de Clarence firent le reste. Mignette, dont le fils fut enterré dans le cimetière de Sainte-Marie, à deux pas du grand tombeau des Damvilliers, retrouva ses couleurs et reprit goût à la vie.

« Je devrais peut-être retourner en France, maintenant, dit-elle. Je suis sans nouvelles de ma mère depuis plus de deux ans et, si ce n'est vous, personne ne me retient dans ce pays. »

Virginie lui représenta que Bagatelle était une lourde charge pour une maîtresse de maison mère de quatre enfants. La présence d'une femme de confiance pouvait alléger ses soucis. Mignette ne demandait pas mieux que de se laisser convaincre. Elle demeura donc à Bagatelle, dont l'ambiance chaleureuse convenait à sa nature et où les enfants de la marquise lui apportaient le plaisir mélancolique de pouponner.

Au jour du baptême de Julie, Mignette revit avec plaisir Edward Barthew. L'avocat, informé des malheurs de Mme Schoeler, avait fait remettre à celle-ci le reliquat de la somme versée par la compagnie d'assurance, après l'incendie de la forge, mais il s'était abstenu de venir à Bagatelle pendant la convalescence de « sa cliente ».

Autour du berceau du dernier des Damvilliers, leurs retrouvailles donnèrent l'occasion à Mignette de conter par le menu les tragiques aventures qui l'avaient ramenée à Pointe-Coupée. Barthew en fut ému et assura la jeune femme de son dévouement en toute circonstance.

« J'ai quelque chose à vous remettre », finit par dire Mignette alors qu'elle se trouvait en tête-à-tête avec l'avocat.

Elle ouvrit son sac et tendit à Barthew un étui à cigares en peau de serpent qu'il connaissait bien.

« Je l'ai perdu il y a bien longtemps, fit-il, confus, en relevant d'un mouvement de tête la mèche rebelle qui, toujours, lui cachait à demi l'œil droit.

– Mon mari l'avait trouvé près de la forge, le soir de l'incendie, monsieur Barthew. Cet objet m'a permis de comprendre quels risques vous avait poussé à prendre l'amitié que vous nous portiez. Il ne m'a jamais quittée et je m'étais promis de vous le rendre, un jour...

– Il m'est donc plus précieux aujourd'hui, madame, balbutia le juriste. J'aurais voulu vous savoir heureuse dans l'Ouest, avec votre famille. Mais, puisque le sort en a décidé autrement et me donne l'occasion de vous revoir, sachez que je referais volontiers pour vous ce que je fis le jour... où je perdis cet étui ! »

Mignette prit affectueusement la main de l'avocat. Sous ses boucles rousses, un sourire, le premier vrai sourire depuis son douloureux retour, illuminait son regard. Son visage constellé de taches de rousseur rosit légèrement. Dans sa robe noire, elle parut à Barthew plus jolie qu'autrefois, moins primesautière, plus femme, en somme. Et cet homme dur, qui se méfiait des mouvements de son cœur, déposa sur la main de la jeune veuve un baiser peut-être un peu plus appuyé qu'il ne convenait. Le lendemain, il fit porter à Bagatelle un plant de scabieuse. Mignette le mit sur la fenêtre de sa chambre, en prit grand soin. Quand la campagne et le fleuve disparaissaient, dans la fluidité mauve du crépuscule, souvent elle respirait ces fleurs de deuil, auxquelles elle trouvait un parfum consolant.

16

Un après-midi de l'automne 1838, Clarence, qui lisait, sur la galerie de Bagatelle, dans *L'Abeille* que le *Great Western* avait mis quinze jours seulement pour traverser l'Atlantique, fut brusquement tiré de sa lecture par le galop d'un cheval. Il leva les yeux de son journal et vit arriver à bride abattue, sous les chênes, la marquise de Damvilliers. « Quelle cavalière! » pensa-t-il, imaginant une galopade pour le plaisir. Il fut détrompé quand Virginie, arrêtant son cheval au pied de l'escalier, lui lança, un peu essoufflée, mais autoritaire :

« Vite, Clarence, prenez une arme et suivez-moi, des nègres sont en train de battre un Blanc. »

Le temps d'aller décrocher sa carabine et d'enfourcher le cheval amené par Bobo à l'injonction de sa maîtresse et le couple filait sur la levée. Virginie entraîna l'intendant jusqu'à une clairière hors du domaine, puis lança son cheval sur un petit chemin.

« Nous sommes sur les terres de Patrick O'Neill, cria Dandrige tout en galopant, il n'aime pas qu'on entre chez lui sans être annoncé! »

Sa voix se perdit dans le vent de la course.

Virginie ne se retourna même pas pour lui répondre.

Les Damvilliers ne fréquentaient pas Patrick O'Neill, un Irlandais sale et mal embouché, propriétaire de la plantation Olivia. Personne n'invitait jamais ce petit planteur et il ne recevait jamais personne. Il vivait en concubinage notoire avec deux ou trois Noires et s'enivrait en leur compagnie. On le disait irascible et brutal. « S'il nous voit, il est certain qu'il se montrera grossier », pensa Clarence. Après un coude du chemin, les cavaliers tombèrent enfin sur le spectacle que Virginie voulait montrer à l'intendant. Scène curieuse en vérité et, de mémoire de planteur, jamais vue en Louisiane. Un Blanc, couvert d'ecchymoses, gisait ficelé comme un jambon, sur un minuscule chariot que tiraient deux Noirs, riant et se moquant de leur victime.

Clarence dépassa, sans ralentir, l'étrange convoi et mit son cheval en travers du chemin. Les Noirs s'arrêtèrent, surpris.

« Libérez cet homme tout de suite, dit-il sèchement.

– On l'emmène à m'sieur O'Neill, m'sieur..., tenta d'expliquer l'un des Noirs.

– Libérez cet homme tout de suite. »

En répétant son ordre, l'intendant avait armé son Infield. Il n'avait pas à entendre d'explication. Rien n'autorisait, en quelque circonstance que ce soit, un Noir à porter la main sur un Blanc. Un tel acte, devant n'importe quel jury du Sud, méritait la peine de mort.

Le prisonnier, descendu de la charrette, fut débarrassé de ses liens. Il avait quelque peine à se tenir debout. Virginie et Clarence reconnurent tout de suite qu'il s'agissait d'un de ces « cous-rouges », coureurs de bois. Au visage et aux mains maculés de l'individu, sans doute peu recommandable, ils devinèrent que c'était un charbonnier. L'homme, maintenant, jurait dans une langue inintelligible aux gens de bonne éducation.

Comme il levait le poing pour frapper un des Noirs, Clarence lui cria :

« Ne les touchez pas ! Liez-leur les mains dans le dos, le jury de Sainte-Marie s'occupera d'eux !

– Prêtez-moi votre fusil, m'sieur, que je leur fasse leur procès tout de suite, fit l'homme.

– Non, intervint Virginie, nous les livrerons au shérif, c'est la loi. La justice sait traiter les nègres qui s'attaquent à un Blanc..., quel qu'il soit... »

L'homme consentit enfin à faire le récit de l'aventure qui l'avait conduit à la position déshonorante où Clarence et Virginie l'avaient trouvé.

« Ces deux fils de porc m'ont sauté dessus alors que je coupais du bois, en criant que la forêt appartenait à leur maître. J'avais laissé mon fusil au pied d'un arbre. Ils devaient guetter le moment où je serais désarmé.

– Il ne ment pas, dit Mme de Damvilliers, c'est ce que j'ai vu.

– Oui, m'sieur, osa dire un des agresseurs du charbonnier, il coupait le bois de m'sieur O'Neill et m'sieur O'Neill y veut pas qu'on laisse les cous-rouges couper son bois. »

Virginie et Clarence firent comme s'ils n'avaient pas entendu. L'intendant pointa sa carabine sur le Noir, ce qui suffit à le faire taire.

« Allez chercher votre fusil, fit-il à l'homme du bois, et conduisez ces nègres à Sainte-Marie, chez le shérif. Vous lui raconterez ce qui est arrivé et lui direz que Mme la marquise de Damvilliers et M. Dandrige sont prêts à témoigner de ce qu'ils ont vu. Mais surtout ne les touchez pas », ajouta-t-il en fixant le charbonnier de son œil froid.

L'homme disparut en bougonnant.

« M'sieur O'Neill, y sera pas content », fit le Noir qui avait déjà pris la parole.

Comme si rien n'avait troublé le silence de la forêt, Clarence fit avancer son cheval pour bavarder avec Virginie, tournant résolument le dos aux deux Noirs attachés à la charrette et convenablement entravés. Derrière les deux cavaliers, les esclaves échangeaient des mimiques inutiles, se persuadant de leur bonne foi, dans cette sale affaire.

Deux jours plus tard, le juge Clairborne envoya un messager à Bagatelle pour solliciter les témoignages promis. Il prit soin de préciser dans sa convocation que, le cas des « nègres rebelles » étant simple, la présence de l'intendant suffirait. Il n'était pas utile de déranger Mme la marquise de Damvilliers.

« J'irai, dit Virginie, vous n'avez pas vu comment ces nègres ont traité ce pauvre charbonnier. »

Au jour de l'audience, Mme de Damvilliers, portant une robe gris-perle, ample dans le bas comme l'exigeait la nouvelle mode, un spencer noir et un minuscule chapeau à voilette, orné d'un chou de tulle mauve, se présenta devant le jury, accompagnée de Mignette, venue en curieuse, dans un manteau puce ouvert sur un corsage blanc. Elle avait posé sur ses boucles de cuivre clair un chapeau à la Pamela, un peu démodé, mais convenant à la modestie d'une jeune veuve. M. Dandrige arborait une jaquette gris-brun sur un gilet de soie d'un ton plus clair et un pantalon à sous-pied faisant paraître ses jambes minces encore plus longues qu'elles ne l'étaient. Quand il ôta son feutre gris-perle à larges bords, en entrant dans le tribunal, les demoiselles admirèrent ce beau Cavalier, son profil de faucon, son regard direct, sa chevelure légèrement ondulée et la distinction qui émanait de toute sa personne. Plus d'une pensa que la marquise de Damvilliers avait bien de la chance d'être escortée par un tel intendant.

M. Patrick O'Neill se tenait au premier rang du public, rubicond, mal fagoté dans un carrick fatigué, botté de cuir comme un postillon et roulant des yeux injectés de sang. Il avait annoncé son intention de défendre ses esclaves. Les jurés de la Cour criminelle saluèrent tous d'un signe de tête les témoins importants, s'étonnant peut-être que le marquis de Damvilliers n'accompagnât pas sa ravissante épouse. Ils ignoraient qu'Adrien se trouvait, pour affaires, à Natchez, dans le Mississippi.

Le procès fut rondement mené. Le charbonnier, un nommé Van Haslen, Hollandais, ancien marin – probablement déserteur – raconta sa mésaventure. Sa colère tombée, il s'exprimait plus posément que prévu. L'attorney lui fit préciser la façon dont les Noirs s'y étaient pris pour s'emparer de sa personne, combien de coups il avait reçus et s'ils avaient montré à son égard des intentions homicides.

« Si j'avais résisté, ils m'auraient tué, pour sûr, fit le charbonnier. Ils étaient comme des dogues après moi et ils riaient en disant que leur maître serait heureux de me fouetter comme un pauvre nègre ! »

Un murmure d'indignation parcourut l'assistance. Patrick O'Neill haussa les épaules.

Virginie, invitée à s'asseoir dans le fauteuil des témoins, confirma point par point la déclaration du charbonnier, sans accorder un regard à celui-ci. Clarence et Mignette remarquèrent qu'elle ne paraissait nullement impressionnée par l'appareil de la justice. L'attorney, avec une surabondance de formules polies, lui posa une seule question :

« Quand vous les avez vus se saisir du charbonnier, madame la Marquise, avez-vous eu le sentiment que la vie de celui-ci était en danger? »

Virginie parut réfléchir un moment :

« Je n'ai pas eu ce sentiment, car les nègres devaient, si je compris bien leurs propos, ramener leur prise vivante à leur maître. Mais un accident est toujours possible quand un nègre porte la main sur un Blanc! »

La salle approuva ce commentaire, que le juge aurait, normalement, dû récuser.

M. Dandrige fut bref, sobre et clair. Il raconta comment, prévenu par Mme de Damvilliers, il avait délivré le charbonnier.

« Vous étiez armé, monsieur l'intendant, remarqua l'attorney, c'est donc qu'à vos yeux il y avait danger?

– J'ai suivi Mme de Damvilliers sans trop savoir de quoi il s'agissait. Elle m'a dit : « Prenez une arme. » J'ai emporté ma carabine. »

L'avocat de M. O'Neill, silencieux jusque-là, car il savait la cause mauvaise et il lui déplaisait de plaider pour des Noirs en faisant valoir les droits de son client, demanda à poser une question :

« M. Dandrige savait-il qu'il se trouvait sur les terres de M. O'Neill lors de son intervention?

– Je le savais », répondit Dandrige.

L'avocat hésita, puis, sur une injonction de l'Irlandais, compléta sa question :

« M. l'intendant ne pense-t-il pas qu'au lieu d'intervenir directement il eût été préférable de prévenir M. O'Neill de ce qui se passait chez lui?

– Vous pouvez ne pas répondre à cette question, monsieur Dandrige, coupa le juge.

– Je répondrai, dit Clarence, qu'il y avait urgence et que, même si je m'étais trouvé sur les terres du président des Etats-Unis, j'aurais agi de la même façon! »

Le public approuva chaudement.

« Parce qu'un Blanc était en danger, n'est-ce pas ? fit l'attorney.

– Parce qu'un homme était en danger, oui », compléta le témoin.

Le distinguo échappa à beaucoup de gens, mais Barthew, qui, dans le fond de la salle, suivait les débats, eut un sourire satisfait.

M. O'Neill fut catégorique.

« J'ai dressé mes nègres comme des chiens de garde, dit-il. J'en ai assez de voir les jeunes arbres de mes forêts transformés en charbon de bois par des voleurs. Ces deux-là – il désigna les accusés enchaînés dans le box – n'ont fait que m'obéir. Je n'ai pas, moi, les moyens de me payer des contremaîtres et un intendant pour surveiller mon domaine. Je suis maître à Olivia et je n'admets pas qu'on se mêle de mes affaires.

– En agissant ainsi, en envoyant vos nègres contre un Blanc, ne saviez-vous pas que vous incitiez vos esclaves à braver la loi ? demanda l'attorney. Il fallait vous saisir vous-même du charbonnier.

– Si je l'avais surpris moi-même à couper mes arbres, fit O'Neill avec colère, il ne serait pas là aujourd'hui, le charbonnier, croyez-moi ! »

Le public ne manifesta aucun sentiment. Les « cous-rouges » pillards, ivrognes et paresseux ne méritaient aux yeux des planteurs aucune indulgence.

« Le procès n'est pas là, fit le juge Clairborne. Si M. Van Haslen, sur lequel le tribunal n'a pas de mauvais renseignements, veut engager la responsabilité de M. O'Neill, il devra faire un autre procès.

– Et moi, je ne pourrais pas lui en faire un, à ce voleur, pour avoir coupé mes arbres ? fit l'Irlandais, furieux.

– Vous pouvez et c'est même par là que vous auriez dû commencer. »

Il y eut un brouhaha indiquant que le public appréciait peu ces digressions, que les deux accusés entendaient sans les comprendre.

« On va les pendre, vous croyez? fit Mignette à Barthew, venu s'asseoir près d'elle.

– Probable.

– C'est cet O'Neill qui est responsable!

– Sachez, madame Schoeler, que lorsqu'il y a un nègre dans une affaire le responsable est tout trouvé. Si Mme de Damvilliers n'avait pas été témoin, les débats eussent duré cinq minutes. Ces nègres avaient porté la main sur un Blanc, c'était suffisant pour les faire condamner. »

L'avocat de l'Irlandais plaida, sans conviction, que les accusés n'avaient fait qu'agir conformément aux ordres de leur maître, puis il ajouta que ces esclaves étaient de bons travailleurs, ayant coûté chacun à M. O'Neill mille huit cents dollars chez M. Faller, l'encanteur de Bayou Sara.

« C'est pour l'indemnité, fit à voix basse Barthew à Mignette. Si on pend les nègres, M. O'Neill aura droit à un dédommagement. A moins que le jury ne veuille le punir pour sa stupide conduite. »

Les débats touchaient à leur terme, quand le charbonnier se leva, demandant au juge la permission d'ajouter quelque chose. En d'autres circonstances, M. Clairborne lui eût imposé silence, mais la présence de la marquise de Damvilliers rendait l'audience exceptionnelle. Soucieux, devant la dame de Bagatelle, de montrer à la fois son autorité et une sagesse bienveillante, il autorisa le charbonnier à parler.

« Ça m'embêterait, dit l'homme en triturant son chapeau de paille effrangé, qu'on pende ces nègres!

– Cela ne regarde que la justice, monsieur Van Haslen, fit le juge sèchement.

– Peut-être, fit le charbonnier, mais ça m'embêterait qu'on les pende... »

Il y eut dans le public des rires et des commentaires ironiques. Décidément, ces « cous-rouges » méritaient bien le mépris qu'on leur marquait !

Mignette regarda Barthew.

« C'est un brave homme, dit-elle à l'avocat.

– Ou un imbécile », fit Barthew.

Le juge Clairborne, du haut de sa chaire, sourit à la marquise de Damvilliers comme pour montrer qu'entre gens de la bonne société on pouvait s'amuser de la naïveté d'un homme de la basse classe, dans une paroisse où l'on ne comptait qu'un Blanc pour soixante Noirs, ce qui justifiait la rigueur de la loi.

Mignette, qui avait remarqué la mimique du magistrat, se pencha vers Virginie.

« Que diriez-vous, madame, si le juge vous demandait votre avis ?

– Qu'on les pende », fit Mme de Damvilliers d'une voix sèche.

Et on les pendit.

17

L'ENFANT jouit d'une merveilleuse ignorance, il ne soupçonne pas la fugacité de ses privilèges. Il se nourrit de découvertes, marche à l'appel de l'envie, se repose dans le rêve. Dispensé de la charge, qui ira s'alourdissant, des souvenirs, des regrets et des remords, il avance guidé par l'imagination instinctive. Il conjugue la vie au présent. Il n'a nul besoin d'illusions, puisque rien ne lui paraît impossible. Les causes et les conséquences lui échappent. Pour lui, le Bien est l'agréable, le Mal la douleur. Il est comme Adam et Eve dans la plénitude de l'Eden.

La première différence, entre les pauvres et les riches, tient à la durée, plus ou moins longue, de cette période d'insouciance. Les uns, quittant leur berceau, font tôt l'apprentissage de cette ennemie de l'Enfance qui a nom Réalité; les autres ne la rencontrent que plus tard, derrière les écrans protecteurs de la famille et de la fortune.

Marie-Adrien, bel enfant aux boucles brunes, bénéficiait des privilèges communs, augmentés de tous ceux que lui conférait le milieu où il était né. Traité comme un prince héritier du trône, il prit très vite conscience de son importance. Sa nourrice Imilie l'appelait « le petit marquis » et quand, à sept ans, il sut ce que cela signifiait, il s'appliqua à se comporter en maître. Un père jésuite, vieil érudit à la barbe jaune et à la soutane verdie, venait chaque jour de Sainte-Marie, pour lui enseigner le français et le latin. M. de Damvilliers avait demandé à Dandrige de lui apprendre l'anglais et, à travers l'histoire des Damvilliers, celle de la Louisiane.

L'enfant gagna à ces études précoces une assurance faite de gravité consciente. Sa mère, lui enseignant, de son côté, le maintien que son rang le contraignait à observer, transforma adroitement sa vanité en orgueil. Il déclara un jour à son père, béat d'admiration, en parlant de lui-même à la troisième personne :

« Marie-Adrien est le second par le rang à Bagatelle. »

Pour Dandrige, qui n'avait jamais fréquenté d'enfants, ces derniers constituaient une caste à part. Il apprit vite cependant à apprécier l'intelligence et la curiosité de Marie-Adrien, s'adressant à lui avec les mots des adultes. Cela valut au petit marquis un vocabulaire purgé des termes bêtifiants, que se croient obligés de fabriquer les nourrices et les gens simples. L'attitude hors d'âge du garçonnet masquait des spontanéités que d'aucuns eussent trouvées inquiétantes.

Il venait tout juste d'avoir cinq ans et jouait, étroitement surveillé par Imilie, autour du pigeonnier, quand il déclara à sa mère :

« Je sais faire dormir les pigeons ! »

Virginie accompagna le bambin dans le bâtiment et vit quatre pigeons blancs couchés immobiles sur le sol.

« Comment fais-tu ?

– Comme ça. »

Il se saisit sans crainte d'une tourterelle qui roucoulait dans un alvéole, lui caressa la tête puis, de ses mains, lui serra le cou, l'empêchant de se débattre.

« Et voilà, elle dort », fit-il triomphant.

Imilie, qui assistait à la scène, fut atterrée :

« Le petit marquis étouffe les pigeons, m'ame. »

Virginie imposa silence à la nourrice et emmena l'enfant dans la maison. Elle lui expliqua, sans le réprimander, que le sommeil qu'il donnait aux oiseaux était définitif et qu'il s'appelait la mort. Que, par sa faute, due à l'ignorance, jamais ces beaux pigeons ne reprendraient leur vol et que personne n'avait le droit d'ôter la vie à quiconque, sauf aux animaux nuisibles et malfaisants. Les mains au dos, Marie-Adrien écouta le discours maternel avec attention, mais trois jours plus tard James, en allant porter des graines aux pigeons, en trouva encore deux autres « endormis ».

« Maintenant, je sais ce que je fais, répondit l'enfant quand on le questionna. Je suis le maître des pigeons ! »

Deux ans plus tard, il répudia sa nourrice et exigea un valet. Son père approuva ce choix viril et Imilie fut remplacée par Brent, un jeune esclave d'une extrême douceur, qui secondait James les jours de réception.

Marie-Adrien savait déjà que tous ceux qui avaient la peau noire étaient propriété de son père. Il entraîna Brent à l'écurie et demanda à Bobo de mettre à chauffer un fer à marquer le bétail. L'enfant avait assisté, en compagnie de son père, au marquage des bœufs de la plantation. Il entendait donc marquer son valet afin que l'on sache qu'il lui appartenait.

« Mais, m'sieur petit marquis, fit Bobo, on fait ça qu'aux bêtes ! C'est pas bien de vouloi' fai' ça à un nègre ! »

Marie-Adrien, impassible, tenant par le poignet le pauvre Brent qui riait, car il ne voyait là qu'une lubie d'enfant, répondit :

« On m'a donné Brent, j'en fais ce que je veux. Je peux même le faire dormir pour toujours, comme les pigeons... »

L'arrivée de Clarence Dandrige, qui réclamait son cheval, tira les Noirs de l'embarras où ils se trouvaient.

« M'sieur Dand'ige, le petit marquis veut ma'quer Brent au fer, comme un bœuf ! fit Bobo.

– Ça, c'est une bonne idée, fit Dandrige le plus sérieusement du monde. Ce matin M. de Damvilliers me disait justement qu'il voulait faire marquer Marie-Adrien, afin que nul n'ignore qu'il lui appartient... »

L'enfant blêmit et quitta l'écurie en courant. De ce jour, il détesta l'intendant.

Quelques mois plus tard, le marquis rejoignant Dandrige sur la galerie lui dit :

« J'aimerais, Clarence, que vous expliquiez... scientifiquement, si je peux dire..., à mon fils ce qu'est l'esclavage. Il est en âge d'avoir une idée nette à ce sujet.

– Très sincèrement, Adrien, je crois que ce genre d'enseignement ne peut venir que de vous.

– Et pourquoi, mon Dieu ?

– Parce que je ne saurais comment m'y prendre et que votre autorité est nécessaire pour former un esprit à ce problème. Car il est probable que votre fils aura à combattre les théories abolitionnistes qui se développent.

– Mais, voyons, vous savez tout cela aussi bien que moi, que vous manque-t-il ?

– La conviction », fit Clarence.

M. de Damvilliers haussa les sourcils, étonné, se frictionna le crâne rageusement :

« Parce que vous ne croyez pas au maintien de l'esclavage dans le Sud, hein; vous pensez que les abolitionnistes l'emporteront et nous forceront à émanciper nos nègres, c'est cela que vous croyez ?

– Je crois, Adrien, qu'une autre civilisation est

en marche; que ce qui était bon hier ne le sera plus demain et qu'il faut s'y préparer. Elle ne sera peut-être pas meilleure que celle que nous connaissons, mais elle sera différente.

– C'est bon, conclut le marquis, j'apprendrai à Marie-Adrien ce qu'est la civilisation que nous avons apportée à ce pays. C'est la seule que je connaisse et Dieu m'est témoin que je ferai tout pour la maintenir. Si l'on s'en écartait, le Sud sombrerait dans le chaos ! »

C'est donc de son père que le petit marquis apprit tout ce qu'un propriétaire d'esclaves, bon chrétien et conscient de ses responsabilités, devait savoir.

On lui enseigna qu'en Egypte les prisonniers de guerre étaient, dans l'Ancien Empire, esclaves des pharaons, employés dans les mines et les carrières; qu'à Babylone l'esclave appartenait à son maître qui le faisait tatouer, tondre et l'obligeait à porter au cou une tablette distinctive. Le Babylonien avait des droits sur les enfants de ses esclaves, il était indemnisé en cas de mort accidentelle d'un de ceux-ci, mais l'esclave pouvait acheter sa liberté en se constituant un pécule ou en empruntant au temple la somme nécessaire à son émancipation. La loi interdisait de disperser les familles serves. Adrien expliqua encore à son fils que chez les Hittites la personnalité juridique de l'esclave était reconnue, mais que son insubordination était sévèrement châtiée. Que chez les Hébreux les débiteurs insolvables étaient réduits en esclavage, pour une durée maximale de six ans; que chez les Grecs et les Romains la guerre fournissait, avec les prisonniers, main-d'œuvre et domesticité serviles.

Puis le marquis cita Aristote – « L'esclave est un instrument animé, fait pour exécuter ce que le maître commande » – qui reconnaissait l'esclavage comme un « rapport naturel » supposant la participation au moins passive de l'esclave aux volontés du maître.

Si le philosophe ajoutait : « Il peut arriver que des âmes d'esclaves habitent des corps d'hommes libres et inversement », ne proclamait-il pas aussi : « L'utilité des animaux privés et celle des esclaves sont à peu près les mêmes. Les uns comme les autres nous aident, par le secours de leurs forces corporelles, à satisfaire les besoins de l'existence. » Enfin, M. de Damvilliers fit appel aux maîtres spirituels. A saint Paul qui s'était prononcé pour « l'esclavage doux » de type patriarcal; à saint Augustin admettant que l'esclavage est « une punition imposée aux pécheurs »; à saint Thomas affirmant que les relations de maître à esclave se situent en dehors des rapports de justice et que l'esclave est un bien privé. Puis le planteur prit sur un rayon de la bibliothèque *De Re rustica*, de Caton, et lut à son fils, attentif comme un chevalier à la veille de l'adoubement, les considérations sur le travail et la nourriture des esclaves : « Cinq livres de pain depuis l'instant où les esclaves commencent à bêcher jusqu'à maturité des figues. Pour le reste, la ration sera réduite à quatre livres. »

Il termina par un commentaire du « Code noir », promulgué en France par une ordonnance de mars 1685, qui fixait ainsi les châtiments à appliquer aux esclaves : « A la première évasion, si celle-ci dure plus d'un mois, oreilles coupées et marquage à la fleur de lis; à la deuxième évasion : jarret coupé; à la troisième : mise à mort. »

« Comme vous le voyez, ajouta le marquis en s'adossant à son fauteuil, toutes les grandes civilisations, celles qui ont laissé quelques traces dans l'histoire de l'humanité, ont admis l'esclavage comme une chose naturelle. Certes, il y eut des temps barbares où les esclaves étaient maltraités, mal nourris. Nos mœurs se sont affinées et vous voyez qu'à Bagatelle on ne fouette pas les esclaves, qu'on ne disperse pas leurs familles, qu'ils ont des maisons, des bouts de terre, des animaux de basse-cour, un hôpital et une église. Car, devant Dieu, nous sommes responsables de leur existence et de leur bonne conduite.

– Et pourquoi ne les marque-t-on pas, comme à Babylone ?

– Parce qu'un bon maître connaît ses esclaves et que ces esclaves le connaissent. Il n'est donc pas besoin de marques.

– J'ai voulu, il y a longtemps, marquer Brent, que vous m'avez donné. M. Dandrige est arrivé pour m'en empêcher. Il avait même dit que vous me marqueriez aussi.

– C'est probablement ce que j'aurais fait !

– Et pourquoi, s'il vous plaît ?

– Parce que, voyez-vous, Marie-Adrien, Dieu a décidé dans sa bonté que les Blancs et les nègres partageraient deux choses : la douleur et la prière. Cette égalité voulue par le Créateur, il faut la respecter. Souvenez-vous que Balthazar, le Roi Mage, était noir de peau et qu'on l'a laissé entrer dans l'étable de Bethléem... Quant à l'histoire de Cham, je vous la conterai plus tard. »

Marie-Adrien se mit dès lors à considérer les esclaves d'un œil différent. Brent, qu'il houspillait souvent avant le « cours d'esclavage » du marquis, s'aperçut le premier du changement. Le garçon, contrairement à ce qu'on aurait pu imaginer, ne calqua pas son attitude sur celle de son père, mais sur celle de Dandrige, dont il admirait secrètement l'aisance et la distinction.

Poli, courtois, mais bref, l'intendant n'extériorisait pas ses sentiments et n'encourageait pas les confidences ancillaires. Il n'avait pas à faire sentir une supériorité qui s'imposait d'elle-même. Son majordome Iléfet ne l'avait jamais entendu prononcer un mot inutile. Il savait, par contre, que M. l'intendant ne le dérangerait pas pour rien, comme le faisaient souvent les demoiselles de plantation auxquelles manquait toujours un éventail ou un châle. Le Noir, qui supportait chez lui une épouse d'une loquacité exaspérante, voyait dans le manque de familiarité de son maître une forme de respect. Chaque mois M. Dandrige lui remettait un « quart d'aigle[1] » et, souvent, lui donnait des vêtements en très bon état. De tous les domestiques de Bagatelle, Iléfet était certainement le mieux vêtu et celui dont la cagnotte aurait fait le plus d'envieux.

Marie-Adrien, à l'exemple de Dandrige, se montra donc économe de ses paroles vis-à-vis de Brent et des autres esclaves. Il ne s'adressa plus à eux que pour donner des ordres, en s'efforçant de prendre un ton à la fois grave et désinvolte. On lui trouva très vite une certaine arrogance. Conscient de ses prérogatives de fils aîné, l'enfant, même dans ses jeux avec Gratianne, de deux ans sa cadette, une grosse fille placide et gourmande, faisait sentir son autorité. Il exigeait d'être servi avant elle à table et l'obligeait à marcher derrière lui, quand Brent et Imilie les emmenaient en promenade. Il ne craignait pas d'affirmer : « Les filles, ça ne compte pas dans nos familles. »

Il désignait Julie, à qui l'on apprenait à mettre un pied devant l'autre, comme « le bébé de maman ». Son attitude paraissait un peu différente à l'égard de Pierre-Adrien qui, à quatre ans, demeurait d'une fragilité particulière. L'aîné observait son cadet avec parfois un air de commisération qui amusait Virginie.

« Il est petit, faisait-il observer à son père, et tombe tout le temps. »

On devinait derrière ces mots une certaine satisfaction, presque du mépris.

1. Pièce d'or de 2,5 dollars, frappée à La Nouvelle-Orléans.

« Quand vous serez grand, disait Adrien de Damvilliers, on ne verra pas de différence entre vous, les petites différences d'âge s'estompent avec le temps.

– Mais il y aura toujours une différence, répliquait vivement Marie-Adrien, puisque je suis l'aîné et qu'on m'appellera comme vous : marquis ! »

Seul Dandrige voyait dans ces manifestations enfantines d'orgueil et ce souci des préséances un penchant inquiétant, que les domestiques encourageaient inconsciemment.

Autre chose intriguait Dandrige : l'attrait que semblait exercer la mort sur le gamin, qui n'en était plus à « endormir » les pigeons, mais que l'on devinait attentif à tous les décès.

Ainsi, quand Mac mourut de vieillesse et qu'il fallut abattre Mic, devenue d'une insupportable méchanceté, il suivit l'inhumation des chiens, que l'on enterra dans un coin du parc comme tous ceux qui les avaient précédés à Bagatelle.

« Ça vit combien de temps, un chien ? demanda-t-il à Dandrige.

– Dix ou douze ans, quelquefois plus.

– Et un homme ?

– Il y en a qui viennent jusqu'à cent ans, dit-on.

– Alors, vous mourrez avant moi ?

– C'est probable.

– Et maman aussi ?

– Si tout demeure dans l'ordre naturel, on peut le penser.

– Qu'est-ce que ça veut dire, l'ordre naturel ?

– Ça veut dire le déroulement normal de la vie, sans maladies dangereuses et sans accidents. »

L'enfant se pencha pour caresser les deux nouveaux dalmates, issus de ceux que l'on venait d'enterrer et que Clarence avait élus dans l'une des dernières portées de sa chienne.

« Comment allez-vous les appeler ?

– Mic et Mac, comme leurs parents.

– Et comment les avez-vous choisis ?

– J'ai pris les deux plus beaux.

– Et les autres ?

– On les a noyés; une chienne ne doit pas s'épuiser à nourrir des chiots que l'on ne veut pas garder ou offrir.

– On pourrait faire la même chose avec les bébés; garder les plus beaux et faire mourir les autres !

– Les enfants, c'est bien différent des bêtes, Marie-Adrien. Ils ont une âme et toute vie humaine est sacrée. Ce serait un crime de sélectionner les bébés !

– Oui, bien sûr, fit l'enfant, pensif. Mais c'est bien commode qu'on puisse le faire avec les bêtes...

– Ce n'est pas commode, c'est nécessaire et cela ne signifie pas qu'on ne les aime pas, conclut Dandrige.

– Mais les gens, monsieur Dandrige, on peut pas tous les aimer ! »

18

PENDANT que grandissaient les enfants Damvilliers, le Sud avait de plus en plus tendance à s'opposer au Nord dans tous les domaines. Les élections de 1838 à La Nouvelle-Orléans avaient assuré le succès des whigs en leur attribuant huit sièges sur neuf à la Chambre des représentants. La lutte électorale avait connu une intensité jamais atteinte, en raison de la crise commerciale, et les candidats démocrates, rangés sous l'étendard fédéraliste de l'exécutif, s'étaient vus rejetés au profit des conservateurs.

La ville se modernisait chaque jour et l'on venait d'y créer un établissement de « bains flottants » sur la levée du Mississippi, vis-à-vis de la rue Mandeville, où l'on pouvait apprendre à nager. « Propreté, plaisir, santé », annonçaient les journaux. L'abonnement, pour vingt-cinq entrées, coûtait cinq dollars. L'établissement, où l'on fournissait serviettes et vestiaire, était ouvert de quatre heures le matin à dix heures le soir. Toute la bonne société orléanaise voulait connaître les joies de l'eau.

Abraham Mosley, qui, cette année-là, vint séjourner à Bagatelle, avait fait l'expérience de ces bains hygiéniques. Il en était enchanté, au moins autant que d'une loi récente promulguée

« pour mettre un terme aux accidents multiples causés par les vapeurs circulant sur le Mississippi ».

Le texte officiel, qu'il s'était procuré afin de le montrer au marquis de Damvilliers, grand amateur, comme tous les planteurs, de courses de steamboats, indiquait qu'il y aurait dorénavant, dans chaque port, des inspecteurs chargés d'examiner « les bateaux, leurs bouilloires et leurs machines ». Que, toutes les fois que les vapeurs s'arrêteraient, les soupapes de sûreté devraient être ouvertes. La nouvelle loi prévoyait encore : « Toute perte de propriété ou de vie résultant de l'explosion d'une bouilloire ou d'un tuyau ou de tout autre effet de la vapeur sera en elle-même une preuve suffisante pour servir de base à une accusation de négligence contre les propriétaires ou les officiers du bateau. » Partant de là : « Tout capitaine, ingénieur, pilote ou toute autre personne qui, par négligence ou inconduite, occasionnera la mort d'un ou plusieurs voyageurs sera censé être coupable d'homicide et, en cas de conviction, condamné au pénitencier pour un terme n'excédant pas dix années. »

« Si cette loi avait existé en 1831, commenta Mosley s'adressant à Dandrige, cette pauvre Corinne Tampleton et, avec elle, des milliers d'autres personnes vivraient encore ! »

Le courtier anglais, dont on fêta à Bagatelle le quarante-cinquième anniversaire, vanta aussi le confort d'un nouvel hôtel capable d'enlever des clients au vieux Saint-Charles. Il s'agissait de l'hôtel de la Baie Saint-Louis qui proposait chambres spacieuses, chambres « à bains », billards, buvettes, jardin potager, quai pour bateaux, écuries et remises. Le prix élevé de la pension – soixante dollars par mois pour un adulte et vingt-cinq dollars pour un domestique – fit pousser les hauts cris au marquis de Damvilliers, qui déclara péremptoirement son intention de continuer à descendre au Saint-Charles, l'hôtel de la Baie lui paraissant plus accessible aux nouveaux riches et aux gens du Nord qu'aux planteurs du Sud.

De ses malles Abraham Mosley tira quantité de cadeaux : une épée à lame colichemarde pour le petit marquis, des chaussettes de soie pour Clarence, une écharpe d'hermine pour Virginie, une pièce de dentelle pour Gratianne et Julie, un fifre pour Pierre-Adrien et, pour le marquis, des boutons de chasse en argent. Ignorant la présence de Mignette, M. Mosley s'excusa de ne pas l'avoir prévue dans la distribution. Il eut beaucoup de mal à lui faire accepter un flacon d'eau de Guerlain extrait de sa propre trousse de toilette.

« Quel homme charmant que cet Anglais! dit Mignette en aidant Virginie à se déshabiller. C'est dommage qu'il mange autant, il va compromettre sa santé et devenir rond comme une barrique!

– Il n'est pas vraiment gros, Mignette..., il est... bombé! »

Les deux femmes s'amusèrent de cette plaisanterie facile et, entre elles, n'appelèrent plus désormais M. Mosley que « le Bombé ».

Le joyeux courtier de Manchester se faisait, malgré son coup de fourchette héroïque, beaucoup de soucis cette année-là. Il craignait de ne pouvoir trouver en Louisiane assez de coton pour fournir ses pratiques dont les usines, après la dépression de 1837, connaissaient une activité accrue. Il envisageait sans plaisir d'avoir à se rendre en Alabama où, sur les terres hautes et sablonneuses, des planteurs produisaient un coton vendu dans la catégorie « beau et fin » de 13,5 à 14,5 *cents* la livre.

Car un spéculateur dont on avait peu entendu parler depuis dix ans, Vincent Otto Nolte, associé à un banquier de Philadelphie, Nicolas Biddle, président de la Banque de Pennsylvanie, tentait de rafler tout le coton disponible à La Nouvelle-Orléans. Biddle – d'une famille de quakers – qui passait pour le meilleur expert financier des Etats-Unis, avait envoyé une circulaire aux planteurs, leur proposant « des avances libérales sur tout le coton qu'ils voudront bien lui consigner », promettant d'ailleurs « de garder ce coton jusqu'à l'été suivant, afin qu'ils puissent en obtenir le meilleur prix possible ». Le commerce de La Nouvelle-Orléans ne pouvait que souffrir de cette spéculation concertée et la presse louisianaise ne ménageait pas Biddle, « un vampire financier ennemi des Etats du Sud, un véritable pacha d'Egypte, qui aspire à une suprématie industrielle, fatale à la prospérité et à l'indépendance du pays ». La Banque de Pennsylvanie offrait aux planteurs soixante dollars par balle de quatre cents livres, ce qui mettait le coton à quinze *cents* la livre, donc impossible à vendre aux courtiers européens.

M. Mosley, ayant ses informateurs à Washington, révéla aux planteurs de Pointe-Coupée, réunis par M. de Damvilliers, qu'il s'agissait d'une opération organisée en sous-main par le gouvernement. Il expliqua que Biddle avait calculé qu'il serait possible de couvrir le déficit commercial des Etats-Unis si l'on réussissait à faire monter d'un ou deux *cents* par livre le prix du coton. Il s'apprêtait à engager dans ce gigantesque plan tous les moyens financiers dont il disposait. Nolte, qui venait de regagner l'Amérique et dont la réputation d'infaillibilité demeurait intacte, malgré sa retentissante faillite de 1825, venait de se voir ouvrir un crédit illimité à La Nouvelle-Orléans, pour acheter par très grosses quantités tous les cotons qu'il pourrait trouver.

« J'ai vu les statistiques de la production cotonnière de Nolte portant sur vingt-quatre années, dit un planteur. Elles lui permettent de prophétiser une montée des prix pour les dix années à venir.

– Un bon conseil, monsieur, fit Mosley, continuez à traiter au comptant sur des marchandises disponibles. Vous profiterez de la hausse, si hausse il y a, et vous ne livrerez pas votre avenir à la spéculation, par le jeu de la vente à terme. »

Au cours de cette conférence improvisée, le courtier réussit à convaincre assez de planteurs de ne pas céder aux offres alléchantes des financiers du Nord, pour réunir les quantités de coton réclamées par ses clients.

Avant que M. Mosley regagne l'Angleterre, les événements lui avaient donné raison. Les circulaires de Biddle et Nolte avaient été répandues en mars 1839. En novembre de la même année, leur défaite était consommée et le courtier anglais faisait figure, à Pointe-Coupée, de grand économiste, dont il était bon de suivre les avis.

Nolte, comme tous les financiers, savait par expérience que le prix du coton – allez donc expliquer ça... – montait ou baissait en sens inverse de celui du pain ! Or la récolte de blé aux Etats-Unis fut cette année-là catastrophique. Pour la première fois, l'Union dut importer des céréales. Le prix du pain grimpa et les cours du coton s'effondrèrent. Le Sud tout entier applaudit quand Nolte fut mis en prison pour dettes[1] : ses victimes, parce qu'elles se voyaient ainsi en partie vengées, et ceux qui n'avaient pas succombé à la tentation de ses offres, parce qu'ils avaient échappé aux manœuvres du spéculateur.

« Le Bombé est tout de même rudement intelligent, reconnut Virginie, et les planteurs qui l'ont

1. Après sa libération, Nolte quitta définitivement les Etats-Unis et devint plus tard rédacteur, à Hambourg, d'un petit journal commercial soutenant les thèses du libre-échange.

écouté et ont suivi l'exemple de mon mari lui doivent une fière chandelle ! »

Ce n'est pas une chandelle que lui offrirent les amis d'Adrien, mais une canne, dont le pommeau d'or pesait trois cents grammes. Elle lui fut remise au cours d'une réception, par Julie, qui venait d'avoir trois ans, tandis que Gratianne lui débitait un compliment rédigé par Adèle Barrow, qui se piquait de poésie.

La vieille demoiselle n'avait pas perdu tout espoir de pêcher un époux. Dans ses strophes boiteuses, elle n'hésitait pas à comparer Mosley à Mercure, le dieu du Commerce.

19

Les Tampleton attendaient Willy pour les fêtes de fin d'année. Le capitaine s'était illustré contre les Indiens des Florides, qui venaient enfin de se soumettre. M. Alexander Macomb, du quartier général de l'armée des Etats-Unis, annonçait par un communiqué daté de Fort King que les Séminoles et les Mickasuckies déposaient les armes et acceptaient de se rendre dans les réserves. Le chef de la révolte indienne, Ar-Pi-O-Kee, aussi appelé Sam Jones, avait été remplacé par Chitto-Tuste-Nugge, auquel on pouvait, semble-t-il, faire confiance.

Cependant, un bon millier d'Indiens continuaient à se battre dans les forêts, refusant le traité et contestant la légitimité de leur nouveau chef. Pour venir à bout de ces guerriers agiles, autrement à l'aise dans la guérilla sylvestre que les militaires, le gouvernement des Etats-Unis envisageait de faire l'acquisition, à l'île de Cuba, « d'une meute de ces chiens dont l'intelligente férocité poursuit les nègres marrons avec tant d'acharnement ». On espérait à l'état-major que ces animaux pourraient être dirigés avec le même succès contre les sauvages des Florides.

Willy Tampleton, la peau cuite comme un boucanier, se retrouva pour la première fois en présence de Virginie au jour du Nouvel An. Il la trouva plus belle que jamais, au milieu de ses quatre enfants, mais c'est Mignette qu'il sollicita le plus souvent pour danser. L'empressement du capitaine auprès de la veuve du forgeron suscita quelques commentaires chez des demoiselles sensibles au prestige d'un uniforme si bien porté et déplut à Barthew.

« Ce grand flandrin pourfendeur d'Indiens m'a l'air d'avoir bon goût, fit l'avocat; je ne vous ai jamais vue aussi belle, madame Schoeler.

– Seriez-vous jaloux, monsieur Barthew ? »

S'il n'avait pas déjà bu un nombre appréciable de verres en compagnie de Murphy qui, à quatre pattes, servait pour l'heure de cheval à Pierre-Adrien, Barthew n'eût jamais osé répondre ce qu'il répondit :

« Oui, je suis jaloux », avoua-t-il en détournant la tête.

Aucune réponse ne vint. Au milieu du brouhaha de la fête, l'un et l'autre demeurèrent silencieux, puis l'avocat, ne sachant quelle attitude adopter, prit le parti de retourner au buffet. Mignette le rattrapa.

« Vous avez assez bu pour le moment, j'aimerais que vous me fassiez danser.

– Je danse comme un ours, madame Schoeler.

– J'aime bien les ours, monsieur Barthew. »

Elle l'entraîna dans le grand salon, où l'on se préparait pour un quadrille. Comme ils croisaient Willy Tampleton, l'avocat dégagea brusquement de son bras la main de Mignette.

« Je vous cède ma place, capitaine, fit-il, vous êtes bien meilleur danseur que moi... »

Puis il s'inclina devant Mignette, interloquée par cet abandon, et disparut.

Un instant plus tard, Barthew galopait vers le bac de Bayou Sara.

Clarence Dandrige avait vu l'avocat quitter Bagatelle, depuis la galerie où il fumait en compagnie de quelques invités. Il retrouva à la fin de la soirée le docteur Murphy discourant, suivant son habitude, un verre de whisky à la main.

« Savez-vous pourquoi Barthew nous a quittés si tôt, docteur ?

– Une affaire urgente.

– Un Jour de l'An ? s'étonna Dandrige.

– Une affaire de cœur, mon vieux.

– Ah ! c'est ce qui explique..., fit en souriant l'intendant, ce départ précipité...

– Ce n'est pas un départ, c'est une fuite... L'ami Barthew est amoureux de Mme Schoeler...

– Elle l'a éconduit ?

– Non, elle l'a invité à danser !

– Alors, je ne comprends pas !

– Lui non plus, il n'a pas compris... Peut-être lui faudrait-il un avocat ! »

Les deux hommes tombèrent d'accord qu'il ne fallait pas se mêler des affaires de cœur des autres et Murphy confessa à Dandrige que, s'il n'avait pas été aussi vieux, ivrogne et revenu de toutes les illusions, il se serait porté lui-même candidat à la main de la veuve du forgeron.

Cette dernière s'ouvrit, quelques jours plus tard, à Clarence de ce qui l'avait étonnée dans la conduite de Barthew, au soir de la réception du Jour de l'An. La jeune femme accompagnait l'intendant dans une promenade matinale. Ils avançaient au pas, sur la levée, par un temps froid et sec. Les sabots des chevaux sonnaient sur le sol durci. Le fleuve charriait des squelettes d'arbres. Dans l'air flottaient ces odeurs d'humus qui indiquent le réveil prochain de la nature.

« M. Barthew est votre ami ?

– Il l'est, fit Clarence.

– La vie ne doit pas avoir été tendre avec lui ! »

Clarence comprit que la jeune femme souhaitait peut-être connaître le passé de Barthew, sur lequel couraient tant de bruits confus. Sa discrétion naturelle l'empêchait d'en révéler ce qu'il en savait.

« Je crois qu'il s'est trouvé à certains moments dans des situations difficiles, mais je puis vous affirmer qu'il en est toujours sorti avec honneur.

– On dit qu'il a tué sa femme, fit Mignette brusquement. Est-ce vrai ? »

Clarence arrêta son cheval, croisa les mains sur le pommeau de la selle et regarda Mignette. Sous le bord du chapeau, les yeux de l'intendant paraissaient aussi froids et brillants que la surface du Mississippi.

« C'est exact. Il a tué sa femme, et ce fut un acte de courage dont peu de gens sont capables. Atrocement brûlée dans un incendie, elle souffrait le martyre. Il a délibérément, et à sa demande, abrégé une vie qui ne pouvait durer. »

Les yeux de Mignette s'emplirent de larmes. Clarence crut bon de lui donner des détails :

« A l'époque, Edward Barthew passait pour le premier avocat de Boston. Il avait épousé une jeune Anglaise, d'une beauté éblouissante. Tout le monde enviait le bonheur de ce couple. Après... l'accident, il comparut devant le jury criminel, qui l'acquitta parce que ses beaux-parents eux-mêmes témoignèrent en sa faveur. Aussitôt, il liquida son cabinet, rompit avec toutes ses relations et vint s'installer à Bayou Sara, renonçant ainsi à la brillante carrière qu'il était en droit d'espérer. Voilà l'histoire d'Ed Barthew, Mignette. Puisque vous semblez lui porter de l'intérêt, sachez que je le considère comme un homme estimable, même s'il lui est arrivé de mettre le feu à une forge pour procurer à une dame sentimentale de quoi payer l'émancipation de deux nègres !

– Vous aviez deviné ?

– Ce n'était pas difficile », conclut Clarence en remettant son cheval au pas.

Puis il ajouta en détournant son regard de la cavalière :

« Pas plus qu'il n'est difficile de deviner, Mignette, qu'il voit peut-être en vous une compagne capable de lui apporter ce dont tout homme a besoin, quels que soient ses souvenirs – de la tendresse et de la compréhension. Car, dans votre cas à tous deux, il est trop tôt sans doute pour parler de bonheur !

– Merci, monsieur Dandrige, de m'avoir parlé ainsi. Albert était le premier homme que j'aie jamais aimé. Avec aucun autre ce ne pourrait être la même chose.

– Ce pourrait être différent. »

Ils n'échangèrent plus un mot jusqu'à leur retour à Bagatelle, où, en descendant de cheval, ils apprirent qu'on avait envoyé d'urgence chercher Murphy à l'hôpital des esclaves, le marquis ayant eu un nouveau malaise.

M. de Damvilliers, revenant de l'atelier d'égrenage, s'était jeté sur le canapé du salon, en proie à une crise d'étouffement.

« J'ai déjà eu ça, une fois. Une espèce de brûlure dans la poitrine, vous vous souvenez, après une galopade sous la pluie... J'ai dû prendre froid ! »

Murphy parut rassurant :

« Un petit point de congestion, peut-être. Il faut garder la chambre, ne pas allumer de cigare et vous reposer trois jours au chaud. On posera des sangsues, si ça ne va pas mieux demain ! »

Virginie parut tranquillisée, mais Dandrige, qui connaissait bien Murphy, vit que l'indifférence bourrue du médecin paraissait forcée. Il l'accompagna jusqu'à son cabriolet.

« Alors ?

– C'est le cœur, Dandrige; il ne faudrait pas

que ce genre de malaise le reprenne trop souvent. Le marquis n'a plus vingt ans! »

L'intendant n'en sut pas davantage, mais il se promit d'inviter Adrien à plus de retenue. Le marquis appartenait à cette catégorie d'hommes puissants qui font tout avec fougue. A cheval, dans les champs, quand il dirigeait les travaux, à la chasse aussi bien qu'au bal ou à table, il engageait toute sa vitalité avec une sorte d'emportement. Dandrige imagina qu'il devait en être de même dans l'alcôve.

On ne put tenir le marquis au lit plus de deux jours. Quand l'intendant lui fit observer qu'il devait ménager ses forces, il se fit rabrouer :

« Vous me prenez pour une vieille fille, Dandrige! La mécanique humaine peut avoir des faiblesses, mais il ne faut pas y attacher plus d'importance qu'il convient! »

Et, comme on venait de livrer une petite carabine commandée pour Marie-Adrien, il partit avec son fils, pour l'initier au plaisir de la chasse.

Le jour de son neuvième anniversaire, le petit marquis tua deux tatous édentés. Le marquis lui promit, le printemps venu, d'autres gibiers plus dignes de ses coups de fusil.

Pendant que l'héritier de Bagatelle se préparait ainsi aux plaisirs futurs du parfait gentilhomme de plantation, Clarence Dandrige découvrait l'intelligence et la subtilité de son filleul Pierre-Adrien. L'enfant, qui n'avait pas encore cinq ans, se révélait un poseur de questions d'une insatiable curiosité. Quand il ne jouait pas, surveillé par sa nourrice, Clarence le voyait s'avancer sur la passerelle de bois qui reliait la demeure principale à son appartement. Iléfet asseyait Pierre-Adrien sur une grande chaise, en face de l'intendant, contraint par son visiteur à fermer ses livres et à abandonner sa plume, et aussitôt le petit garçon se mettait à poser des questions banales et redoutables.

« Pourquoi les gens qui commandent ont la peau blanche et ceux qui obéissent la peau noire ? D'où vient le vent ? Où va le fleuve ? A quoi servent les boules blanches et douces qu'on appelle coton, dont on parle toujours à la maison et qui disparaissent emportées dans de grands sacs ? Est-ce que la pluie tombe des arbres et pourquoi on ne comprend pas ce que disent les chiens ? »

A ces interrogations et à bien d'autres, Dandrige s'efforçait de répondre avec une patience dont personne à Bagatelle ne l'eût cru capable. Ce fut l'intendant qui, au fil des mois, devint ainsi l'initiateur aux choses de la vie du second fils des Damvilliers, auquel une chevelure blond-roux, un teint pâle, de grands yeux extasiés et un corps gracile donnaient parfois des airs de petite fille.

« Il vous ennuie, Clarence, à toujours questionner, dit Virginie. Cet enfant est curieux, il ne sait pas jouer autrement que seul et passe des heures à se raconter des histoires inintelligibles.

– J'ai découvert, grâce à lui, que les enfants n'étaient pas préoccupés par les rapports compliqués des adultes, ni intéressés par les problèmes quotidiens; ils vont directement aux questions essentielles, que nous n'osons plus nous poser. Pierre-Adrien me force parfois à réfléchir... Je redoute le jour où il me demandera quelle preuve nous avons de l'existence de Dieu ! »

Virginie sourit, un peu condescendante, car elle préférait le caractère de Marie-Adrien, plus viril et qui donnait chaque jour des preuves nouvelles de son assurance. Quant à Gratianne, manifestement imperméable pour l'instant à toutes les leçons du précepteur, mais docile et enjouée, elle paraissait, entre ses poupées et ses chiffons, tout à fait capable de devenir, en grandissant, une de ces belles jeunes filles destinées à faire l'ornement des familles de planteurs. Julie, qui venait tout juste et avec un peu de retard de faire ses premiers pas, ne méritait que l'attention qu'on accorde aux bébés. Le quatuor d'enfants avait introduit à Bagatelle une nouvelle dimension, dans laquelle les adultes devaient apprendre à se mouvoir le moins gauchement possible. Dandrige, plus que le marquis et sa femme, paraissait sensible à l'équilibre nécessaire des attitudes. Au contraire des parents, il avait de la difficulté à se montrer spontané avec ces êtres neufs.

« C'est bizarre, je ne me souviens pas d'avoir été enfant, dit-il au marquis alors que celui-ci, par un bel après-midi d'hiver, regardait ses fils jouer sur la galerie.

– Tiens ! moi, je m'en souviens très bien, et tout, à Bagatelle, me rappelle les jeux que je pratiquais à l'âge de Pierre-Adrien. Si vous vous retrouviez sur les lieux où s'est déroulée votre enfance, vos souvenirs reviendraient peut-être spontanément.

– J'en doute. Si je revois bien la maison de mon père, à Boston, je ne me revois pas dedans ou, si j'y vois un enfant, ce n'est pas moi, c'est un inconnu. »

20

CLARENCE fut ravi de s'embarquer pour La Nouvelle-Orléans, vers la mi-février 1842, afin d'aller, à la demande du marquis, régler quelques affaires. Sur le bateau, loin des questions de son filleul, il connut le sentiment qui rassure les acteurs au moment des entractes. Il trouva la ville tout agitée par un incident risible et typiquement orléanais. Les admirateurs de Napoléon Ier avaient décidé d'organiser un service funèbre à la mémoire de l'Empereur, mais, par suite des prétentions des marguilliers de la cathédrale, l'office n'avait pu être célébré à la date prévue.

Pour apprécier la saveur du conflit, il fallait savoir, comme Dandrige, que la cathédrale Saint-Louis, ancienne propriété de don Andrés Almonaster, avait été donnée par ce dernier à la ville à condition qu'on y célèbre le culte catholique, apostolique et romain et que les revenus soient gérés par un corps de marguilliers, nommés par la majorité des fidèles. Les prêtres, payés et habillés par les marguilliers, se trouvaient ainsi réduits à la condition d'employés! Pour se soustraire à cette contrainte peu orthodoxe, l'évêque avait fait construire l'église Saint-Augustin, près de l'évêché. Le prélat, qui s'abstenait de paraître à la cathédrale, avait peu à peu incité les catholiques à venir dans « son » église. Quand le curé de Saint-Louis, M. Moni, mourut, l'évêque en désigna un autre, M. Rousselon, que les marguilliers, réunis en conseil, refusèrent d'accepter. Mgr Blanc céda et désigna un nouveau prêtre, M. Manhot, que les marguilliers repoussèrent encore. La presse locale se saisit de l'affaire, la ville se divisa en deux camps : d'un côté les supporters des marguilliers, de l'autre ceux de l'évêque. On lut dans les colonnes des journaux des articles injurieux pour le prélat, d'autres fort désagréables pour les marguilliers, dont on dévoilait la vie privée. On en vint aux coups et une scène déplorable eut lieu dans la cathédrale, le jour où les marguilliers s'opposèrent, par la force, à l'entrée dans la maison de Dieu du dernier curé nommé par l'évêque. Le clergé unanime décida alors d'abandonner la cathédrale, dont on retira le saint sacrement.

Les admirateurs de l'Empereur mort à Sainte-Hélène ne purent convaincre les marguilliers d'accepter un prêtre pour célébrer le *Te Deum*, mais la Compagnie des gardes d'Orléans, milice patriotique composée essentiellement de Français, rouvrit l'église d'autorité et une cérémonie profane eut lieu. Dandrige, en compagnie des frères Mertaux, s'y rendit par curiosité et constata que ni l'évêque ni aucun prêtre n'y assistait. Il y eut un concert, puis le capitaine des gardes monta en chaire et, dans un discours d'une extrême violence, accusa le clergé de La Nouvelle-Orléans de manquer à ses devoirs, appelant sur la tête des prêtres déserteurs et des marguilliers simoniaques la malédiction de Dieu ! De tels propos dans une cathédrale eurent de quoi surprendre tous les bons catholiques.

Le soir même, échauffés, ces derniers allèrent donner un charivari devant la maison de l'évêque, qui fut brûlé en effigie comme un pantin de carnaval. Le lendemain, le prélat désigna un curé que les marguilliers agréèrent et tout rentra dans l'ordre. Ce fut, dirent les bonapartistes, superstitieux, la dernière victoire de Napoléon sur la hiérarchie épiscopale !

Pendant que les Orléanais s'amusaient à ces jeux stériles, le neuvième président des Etats-Unis, en fonction depuis le 4 mars 1841, William Henry Harrison, mourait à l'âge de soixante-huit ans, le 4 avril, d'une pneumonie. Ainsi, le premier président whig n'avait occupé la Maison-Blanche qu'un mois. Le vice-président John Tyler accédait à la magistrature suprême et mettait tout de suite son veto au rétablissement d'une banque nationale, exigé par le sénateur Henry Clay, leader des whigs. Les Sudistes, auxquels l'élection de William Henry Harrison, de l'Ohio, avait donné quelque espoir de sortir d'une situation bancaire confuse, en conçurent un vif dépit. Cela n'empêchait pas la bonne société de goûter le plaisir d'une nouvelle musique. Joués par des Noirs libres dans les cabarets, ces rythmes surprenants rappelaient tantôt les cantiques, tantôt les mélopées africaines. Les musiciens reprenaient, en les transformant, les chants des esclaves au travail dans les plantations ou célébraient à leur manière les « blue devils », ces démons maléfiques que les Noirs superstitieux accusaient de provoquer dans le cœur de l'homme tristesse et découragement[1].

Un air était sur toutes les lèvres : *Franklin et Albert,* que chantaient aussi sur les show-boats du Mississippi les nigger minstrels, ces gratteurs de banjo blancs qui se noircissaient le visage avec du bouchon brûlé pour caricaturer les musiciens noirs. Ces musiques, Dandrige en convint, étaient

1. Les spécialistes considèrent que ce fut la première manifestation de ce qui allait devenir le jazz et que le blues est né de ces chants consacrés aux « blue devils », littéralement « diables bleus ».

à la fois envoûtantes et mélancoliques. Elles irritaient l'oreille, mais parlaient au cœur. Il considéra néanmoins, comme beaucoup d'Orléanais, qu'elles passeraient de mode rapidement, la vraie musique ne pouvant être sérieusement concurrencée par ces « rythmes nègres ».

Plus intéressantes pour les esprits évolués et attentifs à la marche du progrès étaient les nouvelles du monde. Charles Wilkes, le premier explorateur américain, venait de visiter le continent antarctique, tandis qu'un Français, Dumont d'Urville, découvrait la terre Adélie. On se passionnait aussi pour la trouvaille d'un certain Tischendorf, qui affirmait avoir mis la main sur le plus vieux manuscrit de la Bible. Les Anglais avaient entrepris, contre les Chinois, la guerre de l'opium et, à Londres, Victoria, nièce de Guillaume IV, devenue reine, filait le parfait amour avec son mari et cousin le prince Albert de Saxe-Cobourg. Le beau Brummell, dont l'élégance avait inspiré tant de Cavaliers, venait de mourir pauvre et abandonné dans un hospice de Caen, à peu près en même temps que Niccolo Paganini s'était éteint à Nice.

En Amérique même, le premier train d'émigrants, transportant quarante-sept personnes, venait de partir pour la Californie et un autre chemin de fer commençait à fonctionner au lac Erié. On ne parlait plus d'une découverte faite cinq ans plus tôt, en Georgie, sur les terres des Cherokees : l'or des Indiens n'attirait plus de chercheurs de ce côté-là !

En regagnant Pointe-Coupée à bord du vapeur *Eclipse,* dernier seigneur du fleuve, plus luxueusement aménagé que tous ses concurrents et capable de remonter le Mississippi à la vitesse de dix kilomètres à l'heure, Clarence Dandrige put constater que les capitaines se moquaient comme d'une guigne de la loi qui leur interdisait pratiquement de « faire la course ». On savait pourtant que, depuis 1810, près de quatre mille personnes avaient trouvé la mort sur le fleuve, au cours de ces compétitions qui exigeaient une surchauffe des bouilloires. On rappelait l'explosion du *Brandwyne* en 1832, qui avait fait plus de cent victimes, et celle du *Ben Sherrod* en 1837, qui en avait fait deux cents. Un habitué des steamboats expliqua à l'intendant qu'entre 1831 et 1833 un vapeur sur huit avait coulé. L'évocation de ces tragédies ranimait le souvenir de Corine Templeton, qui avait ressemblé à toutes les jeunes filles rieuses qu'il voyait à bord de l'*Eclipse.* Elles regagnaient avec leurs parents les plantations des bords du fleuve, après la saison d'hiver à La Nouvelle-Orléans, en échangeant des impressions de bals, de spectacles, en se glissant à mi-voix des confidences sur les jeunes gens rencontrés dans les salons, en s'enfermant par groupes dans des cabines, pour se montrer les unes aux autres leurs achats. Tout cela lui paraissait futile et attendrissant, mais rien n'exprimait mieux l'idée que l'on se faisait, dans le Sud, du bonheur de vivre. Ce bonheur ne pouvait être effectivement menacé que par les maux véritables : les catastrophes naturelles, la maladie, la mort, événements imprévisibles, inhérents à la condition de l'homme et à la nature des choses. Quand des pensées de ce genre assaillaient Dandrige, il ouvrait un livre pour les combattre. Dans ses bagages, il rapportait justement une série d'ouvrages sérieux : *L'Histoire de Venise* de Darré, *La Révolution française* de Thiers, un *Traité d'économie politique* de Say, pour le marquis *Le Chasseur et le Chien courant* et, pour Marie-Adrien, les *Leçons de littérature* de Tissot.

A l'escale de Baton Rouge, alors qu'il était en train de se raser, appréciant la mousse onctueuse du nouveau « savon chinois de lady Montagu » dont l'étiquette indiquait qu'il était utilisé par Albert, le mari de la reine Victoria, un message, datant de plusieurs jours, lui fut remis par un employé du port. Il émanait du docteur Murphy. *Ne vous attardez pas en chemin,* écrivait le médecin, *le marquis de Damvilliers a eu deux nouvelles attaques. Il est au plus mal.* Aussitôt l'intendant boucla ses bagages, les confia à un officier du bord, pour qu'il les fasse décharger à Bayou Sara, où Bobo irait les prendre, puis il se fit déposer par un remorqueur sur la rive droite du fleuve, à Port Allen. Une heure après avoir pris connaissance du message de Murphy, montant un cheval loué, il galopait sur le chemin qui, par Hermitage et les bords du Mississippi, l'amènerait en moins de vingt-cinq miles à Bagatelle. Les esclaves, penchés sur les sillons, se redressèrent pour voir passer ce cavalier qui ne ménageait guère sa monture. Le cheval avait le poitrail blanc d'écume quand Dandrige enfila, sans ralentir, l'allée de chênes au bout de laquelle la grande maison, toutes portes ouvertes, semblait l'attendre. Jeunes et vifs, Mic et Mac, venus à la rencontre de leur maître, ne reçurent même pas une caresse. James, prévenu par les aboiements des chiens, sortit sur la galerie, tandis que Dandrige gravissait l'escalier. Il comprit à la mine du vieux Noir qu'il n'arrivait pas trop tard.

« Comment va le maître, James ?

– Il dort, m'sieur Dand'ige; Anna et Rosa sont près de lui; m'ame maît'esse, qui est restée debout toute la nuit, se repose... On a eu bien peur ! »

L'intendant trouva Marie-Adrien assis dans le salon et feuilletant une histoire romaine illustrée.

« Père vous a réclamé plusieurs fois. Il sera content de vous voir. Il est très malade... »

A cet instant, Virginie apparut dans une robe de soie grise. Elle avait son visage habituel. Seuls des cernes soulignant son regard turquoise trahissaient sa fatigue. Clarence baisa la main qu'elle lui tendit. Il comprit à la légère pression des doigts de la jeune femme qu'elle était contente qu'il fût là.

« Laissez-nous un moment, Marie-Adrien. Je dois parler à M. Dandrige. »

Le garçon quitta le salon à regret, les lèvres serrées, comme s'il jugeait ce tête-à-tête déplacé. En sortant sur la galerie, il s'adressa à James d'un ton de commandement, destiné sans aucun doute à faire sentir à sa mère et à l'intendant qu'il était bien « le second par le rang » à Bagatelle :

« S'il se passe quelque chose, préviens-moi. Je vais étudier sur le banc, près du pigeonnier. »

Virginie eut un sourire las. Dandrige suivit l'enfant des yeux. A pas comptés, droit comme un petit coq, il descendit dans le jardin.

« Alors, que se passe-t-il, Virginie ? »

Elle expliqua que le marquis, par deux fois, avait été pris d'étouffements et de douleurs intolérables du côté gauche de la poitrine; qu'il avait à demi perdu conscience pendant une heure et que Murphy lui trouvait un pouls irrégulier et sec. Depuis la veille, il se plaignait d'avoir les membres ankylosés et des bourdonnements dans la tête. Son état, visiblement, allait en empirant.

« Que dit Murphy ? » interrogea Dandrige.

Virginie se détourna et, à voix basse :

« Il dit qu'il va bientôt mourir, Clarence, ou survivre quelque temps, entièrement paralysé. C'est affreux. »

L'intendant prit Virginie par la main, la conduisit au canapé, où elle s'assit le buste droit, les yeux clos. Quand elle les rouvrit, ce fut pour regarder Clarence avec un air de profonde tristesse :

« Nous étions tous trop heureux, sans doute, à

Bagatelle, pour que cela puisse durer ainsi. Si Murphy ne se trompe pas, la paralysie sera pour Adrien un véritable calvaire. Peut-être devrait-on faire venir le docteur Berthollet de La Nouvelle-Orléans. Qu'en pensez-vous ?

– Je connais Murphy depuis longtemps. C'est le meilleur médecin que l'on puisse trouver en Louisiane, mais on peut toujours prendre un autre avis. »

Il disait cela sans conviction, par politesse, pour ménager une espérance. Murphy, il le savait, disait les choses brutalement quand il était certain de son diagnostic.

« Adrien connaît-il la gravité de son état ?

– Il en a conscience. Hier après-midi, il a voulu se confesser, puis il a fait venir Marie-Adrien. Il l'a gardé une heure près de lui. Je ne sais pas ce qu'il lui a dit... et puis il vous a réclamé... Mais, au fait, comment avez-vous su ? »

Clarence rendit compte du message de Murphy trouvé à Baton Rouge. Cette initiative du médecin confirma à Mme de Damvilliers la conviction de ce dernier quant à l'issue de la maladie de son mari. Elle se leva, remit de l'ordre dans les plis de sa robe.

« Il va nous falloir à tous beaucoup de courage, Clarence. Moi, je n'en manquerai pas. Marie-Adrien non plus, je pense, mais Pierre-Adrien m'inquiète. Depuis deux jours, il refuse de manger et ne dort pas. On dirait que, malgré son jeune âge, il pressent un drame. Il aura besoin de vous plus que nous tous.

– Adrien est d'une telle constitution qu'il peut encore triompher de la maladie », suggéra l'intendant sans y croire.

Ayant rejoint son appartement, après avoir demandé à Virginie qu'elle le fasse prévenir dès que le marquis serait en état de le recevoir, Clarence fit sa toilette, mit du linge frais, sans pouvoir un instant oublier que la mort rôdait autour de la plantation. Etait-elle embusquée derrière les vieux chênes, qui avaient vu passer sous leurs branches les cercueils des autres Damvilliers ? Se cachait-elle sur la berge du fleuve, après avoir amarré son invisible barque au tronc d'un saule, ou parcourait-elle la galerie, comme ces gens qui font les cent pas en attendant l'heure d'un rendez-vous ?

A cinquante et un ans, le marquis paraissait si robuste qu'on avait de la peine à imaginer le coup qui pourrait l'abattre, et cependant il gisait sur un lit, incapable de se mouvoir. Le maître de Bagatelle ne commandait plus. Son tour venait, semble-t-il, d'obéir, de se soumettre à l'inéluctable.

James vint chercher Dandrige à la fin de l'après-midi.

« Le maître est réveillé, il vous demande, monsieur Dandrige.

– Comment est-il ?

– C'est mieux, il parle plus fort que ce matin, m'sieur. »

Clarence trouva son ami parfaitement résigné, pâle et amaigri. Le marquis avait tenu à ce qu'on le rasât. Ses grands yeux marron brillaient de fièvre. Il tendit péniblement une main où les veines gonflées traçaient des nervures bleues. Il s'exprimait avec lenteur, comme un homme qui choisit les mots les plus faciles à prononcer, ceux qui demandent le moins d'efforts.

« Je vais sans doute mourir, Clarence... »

L'intendant eut ce mouvement de dénégation spontané et rassurant que l'on doit à ceux qui parlent ainsi.

« Si, je le sais, je le sens, Murphy me l'a dit... Mes affaires sont en ordre... J'ai... un gros chagrin de quitter la vie maintenant... J'étais si parfaitement heureux... »

Il s'interrompit, la gorge nouée par des sanglots contenus. Des larmes lourdes et denses roulèrent sur ses joues. Clarence prit la main d'Adrien, la serra très fort, comme pour lui communiquer sa vie.

Le marquis se ressaisit.

« Virginie aussi le sait; elle est courageuse. C'est Marie-Adrien qui me préoccupe. Il est trop orgueilleux, trop avide, trop dur. Je veux qu'on le mette chez les jésuites, qui en feront un homme. En attendant, Clarence, je veux que vous me promettiez de rester à Bagatelle, de veiller sur tout le monde. Pierre-Adrien vous aime bien, c'est une nature sensible et douce. Quant aux filles, leur mère saura en faire des demoiselles... »

Comme il se taisait, Clarence fit mine de se retirer pour laisser le malade se reposer de l'effort qu'il venait d'accomplir.

« Attendez, je n'ai pas fini. J'ai rédigé un codicille, qui complète mon testament déposé chez les frères Mertaux. J'ai fait ça... après le premier malaise, il y a deux ou trois ans. Vous le trouverez dans la bibliothèque, tout en haut à gauche, dans ce livre de gravures, vous savez, qu'on ne regarde jamais ! Tout est dit là-dedans, de ce que je veux pour mes funérailles. Allez, Dandrige, et que, pour vous, la vie continue, si possible, heureuse... »

Avant de retrouver les autres, l'intendant, bouleversé par cet entretien pathétique, voulut remettre de l'ordre dans ses idées. Il descendit dans le parc et s'avança jusqu'au bord du fleuve. La dignité, la maîtrise d'Adrien s'apprêtant à accueillir la mort, les yeux ouverts, lui révélaient une force d'âme dont il n'aurait pas cru son ami capable. La race des chevaliers chrétiens se retrouvait dans cet homme fruste et malhabile. Ses ancêtres guerriers devaient mourir ainsi, autrefois, au soir des batailles, adossés à un chêne, considérant leurs plaies, dominant leurs souffrances, renonçant d'eux-mêmes aux choses de la vie, pour ne pas laisser à la camarde la satisfaction malsaine de briser des liens qu'elle trouverait dénoués. Adrien, comme ses aînés, ne livrerait qu'un être dépouillé, piètre moisson, ne valant guère plus que le cadavre d'un esclave anonyme. La mort frustrée grincerait des dents, comme le voleur qui, s'étant saisi d'un coffre, le trouve vide des trésors convoités.

Puis Dandrige pensa aux vivants. Adrien avait fort bien jugé ses fils. L'approche de la mort lui conférait peut-être une lucidité éminente, à moins qu'il n'ait été contraint par les circonstances de divulguer des opinions depuis longtemps arrêtées. Et Virginie, que deviendrait-elle, jeune veuve de trente ans, réduite à se reposer sur un intendant pour la bonne marche de la plantation ? Saurait-elle trouver dans ses responsabilités accrues un champ d'application à des ambitions nouvelles ? A pas lents, Clarence, ses chiens sur les talons, revint vers la maison, que le crépuscule baignait d'une ombre froide. Des lumières, déjà, brillaient dans le salon, James fermait les fenêtres, Bobo conduisait les chevaux à l'abreuvoir; sur la galerie, les rocking-chairs attendaient vainement le moment où Dandrige et le marquis s'y installeraient, pour fumer le cigare d'après-dîner. Clarence connut à cet instant la tristesse profonde qui prélude aux séparations définitives. Bagatelle attendait la visiteuse devant laquelle on ne sait dire que : « Jamais plus ! »

Le docteur Murphy vint dans la soirée examiner le malade. Il trouva son état stationnaire, mais parut désireux, contrairement à son habitude, de s'attarder en compagnie de Virginie et de Clarence, que rejoignit Mignette, fort occupée toute la journée avec les enfants. L'intendant ne fut pas dupe de la prolongation de cette visite. Il entraîna le médecin sur la galerie.

« Vous pensez que c'est imminent, Murphy ?

– Avant l'aube, je le crains. Envoyez les femmes se coucher, nous veillerons ensemble. Je ne sais comment dire cela à la marquise. »

Mignette, qui tombait de sommeil et ne voyait pas M. de Damvilliers à toute extrémité, accepta la suggestion de l'intendant, mais Virginie comprit quel genre de garde on voulait monter sans elle.

« Restez avec nous, Murphy, dit-elle. Je vais m'asseoir au chevet d'Adrien. C'est ma place. »

Comme elle se levait pour se diriger vers la chambre du maître, elle découvrit Marie-Adrien, revenu au salon, qui attendait, debout, mains au dos, que l'on s'aperçût de sa présence. Avant même que sa mère, surprise, eût pu ouvrir la bouche, il dit simplement :

« Je veux être là. La mort ne me fait pas peur ! »

Et, sans attendre de réponse, il s'assit dans le grand fauteuil qu'occupait ordinairement son père au cours des veillées.

Il dormait, la tête inclinée sur l'épaule, quand, vers trois heures du matin, Virginie apparut sur le seuil de la chambre, le visage défait.

« Venez, dit-elle, je crois que c'est la fin... »

Clarence et Murphy se précipitèrent. Adrien venait d'entrer en agonie. Le bruit de sa respiration grinçante et accélérée emplissait la chambre. De ses doigts engourdis, il triturait le drap. Son regard, qui avait perdu tout éclat, ressemblait déjà à celui d'un noyé. Virginie lui essuya le front avec un linge humecté de vinaigre avant d'y déposer un baiser. Murphy tâta le pouls, remua les lèvres comme s'il se parlait à lui-même, puis il regarda Clarence et eut un haussement de sourcils, traduisant son impuissance à empêcher ce qui devait s'accomplir.

Tandis qu'ils guettaient, autour du lit, le signe inespéré que pourrait encore faire la vie dans ce grand corps affalé, Marie-Adrien s'approcha et vint se placer auprès de sa mère, la tête baissée, mais fixant son père sous ses sourcils froncés. Adrien le reconnut peut-être, puis, tout occupé de sa mort, il leva les yeux vers le ciel de lit et lâcha dans un souffle le dernier mot qu'il s'était promis de prononcer devant les siens :

« Adieu ! »

Aussitôt, un silence pesant s'établit dans la chambre. La respiration du moribond avait cessé.

Ainsi le troisième marquis de Damvilliers venait de sortir de Bagatelle, en parfait Cavalier. Il avait tenu à quitter la vie dans les règles, comme on prend congé, après un grand barbecue.

Sans trembler ni répandre une larme, Virginie lui ferma les yeux, l'embrassa et poussa Marie-Adrien vers le lit. L'enfant contempla un moment le visage du mort, mit un baiser sur la main abandonnée et quitta la chambre pour ne pas pleurer devant les autres.

Quand tout le monde rejoignit le salon, le garçon se tenait debout devant la cheminée, l'œil sec, grave et rigide, les mains au dos, suivant son attitude familière.

« Ainsi, dit-il d'une voix nette, je suis maintenant marquis de Damvilliers ! »

Puis, laissant sa mère, Dandrige et Murphy interloqués, il traversa le salon et prit l'escalier qui conduisait à sa chambre.

« Quelle force déjà ! fit Virginie, admirative, le sang des Damvilliers est tout entier dans mon fils. Ce sera ma consolation... »

21

Les funérailles de Jacques-Adrien, troisième marquis de Damvilliers, eurent lieu le 10 mars 1842. Ainsi qu'il en avait exprimé le vœu dans le codicille que Dandrige n'eut aucun mal à trouver, la cérémonie fut brève et sobre. Comme le maître de Bagatelle l'avait souhaité, tous les travailleurs de la plantation purent assister à la messe, célébrée dans l'église de bois où se déroulaient habituellement les offices des esclaves. Le curé de Sainte-Marie fut un peu déçu de voir un aussi bel enterrement lui échapper et la foule des planteurs dut suivre les prières comme elle put, la chapelle étant trop exiguë pour accueillir tout le monde. Ce matin-là, sous le soleil printanier, convergèrent vers Bagatelle des files de landaus, de calèches et de cabriolets, amenant des familles silencieuses. Le gouverneur de la Louisiane avait dépêché son premier secrétaire. Le commandant du brick de guerre français *Dunois,* qui remontait le Mississippi, avait été invité un mois plus tôt par Adrien. Il se présenta à la plantation avec son état-major et une garde d'honneur. N'ayant pu saluer le marquis avant qu'il ne meure, il tint à lui rendre l'ultime hommage dû à un gentilhomme français. La présence de ces militaires, en armes derrière le fanion de leur unité, qui crosses en l'air encadrèrent le corbillard jusqu'au cimetière de Pointe-Coupée, donna à cet enterrement un lustre que le défunt eût peut-être désapprouvé, mais, dans toute la paroisse de Pointe-Coupée, les Franco-Américains apprécièrent la présence des marins.

Virginie et Marie-Adrien conduisaient le deuil, les cordons du poêle étant tenus par Willy et Percy Tampleton et par deux membres du Conseil de paroisse. Tout le monde remarqua l'attitude courageuse et digne de l'héritier de Bagatelle, vêtu d'un costume de velours noir, auprès de la marquise, dont le visage et la chevelure disparaissaient sous un voile. Virginie avait tenu à ce que Clarence Dandrige figurât au banc de la famille. L'intendant, dans son vêtement de deuil, paraissait encore plus grand et plus mince. Les bonnes langues, admirant cette silhouette, pensaient qu'il pourrait faire un second mari fort acceptable pour la veuve, qui à aucun moment ne donna le spectacle d'une douleur commune.

Mignette, préposée à la garde des trois autres enfants, ne figurait pas dans le cortège. Elle avait à consoler Pierre-Adrien, qui sanglotait et se plaignait qu'on ne l'eût pas admis à accompagner le cercueil de son père. Virginie avait été bien près de se laisser fléchir, mais Marie-Adrien était intervenu, affirmant que « son frère pleurerait comme une fille ». Ed Barthew, le docteur Murphy et les Barrow formaient, avec les Tampleton, le groupe des intimes. Ainsi qu'il était de tradition chez les Damvilliers, le cercueil du marquis fut porté à bras, par des esclaves, jusqu'à l'entrée de Bagatelle où attendait le corbillard. Une dernière fois, le maître parcourut ainsi l'allée de chênes séculaires.

Dans le soleil, les touffes gris-rose de mousse espagnole se balançaient au vent comme des chevelures de pleureuses. Les oiseaux enamourés, surpris par le lent défilé d'hommes et de femmes silencieux, se taisaient.

Au cimetière de Sainte-Marie, le grand caveau des Damvilliers avait été ouvert. C'était un monument majestueux; on l'apercevait de loin sur le chemin. Le tombeau proprement dit, un parallélépipède de pierres taillées, supportait une sorte de temple à huit colonnes ioniques. Sur le toit de cet édifice, un bloc de granit, portant sur ses quatre faces le blason des Damvilliers, servait de piédestal à une croix. Adrien allait rejoindre là ses grands-parents, ses parents et sa première femme. Le fossoyeur, à qui personne ne demandait rien, annonça à Clarence « qu'il restait encore quatre places », comme s'il eût été cocher de diligence.

C'est aux enterrements, dit-on, que l'on apprécie l'estime dont un mort a pu jouir de son vivant. Marie-Adrien sut ce jour-là que son père était unanimement respecté, des grands propriétaires comme des petits Blancs du « poulailler ».

« Tu auras à charge, lui dit Virginie après l'exténuante épreuve des condoléances, de maintenir en pareil honneur le nom des Damvilliers. »

Télémaque et ses choristes chantèrent un cantique devant la tombe refermée. Ces esclaves donnèrent à tous les cœurs secs une leçon d'humanité. Ne pouvant faire autrement que d'accepter leur condition, ils tenaient à dire à leur façon et sans retenir leurs larmes qu'ils regrettaient un maître n'ayant jamais outrepassé ses droits. On commenta plus tard dans les plantations cette participation des Noirs à une cérémonie dont leurs superstitions auraient dû les tenir éloignés.

« Il paraît que le défunt marquis souhaitait qu'il en soit ainsi, observa Clément Barrow. Drôle d'idée que de vouloir ses nègres à son enterrement!

– Là où il est, il n'y a plus ni maître ni esclaves, monsieur, osa dire le curé de Sainte-Marie.

– En êtes-vous sûr, mon père ? » fit Adèle d'un ton sec.

Le prêtre se tut et se servit des confitures en pensant que les chrétiens ne connaissaient pas toujours l'enseignement du Christ.

A Bagatelle, la vie reprit son cours. La terre n'attendait pas et un mort, si aimé et estimé soit-il, ne pouvait dispenser les vivants de faire les semailles. Sous l'autorité de Clarence Dandrige, les Noirs ne virent aucun changement à leur situation. Les heures de travail ne furent ni plus ni moins longues et le soleil leur parut aussi chaud que tous les autres étés, quand fut venu le moment du sarclage et de la chasse aux parasites. Marie-Adrien, qui montait un petit cheval arabe, accompagnait parfois l'intendant et ne manquait pas de signaler les attitudes paresseuses. Dandrige attendait avec impatience le jour où il pourrait se rendre à La Nouvelle-Orléans avec Virginie pour l'ouverture d'un testament qui, pensait-il, clarifierait les choses et permettrait d'expédier ce gamin arrogant chez les pères jésuites.

A deux ou trois reprises, des incidents avaient achevé de l'éclairer sur le caractère du fils d'Adrien.

Le jour, par exemple, où il constata que les domestiques ne parlaient plus du garçonnet en disant « le petit marquis », mais seulement « le marquis ». S'étant renseigné, il apprit que Marie-Adrien leur avait fait la leçon, promettant le fouet à ceux qui négligeraient cette consigne.

Quand Clarence rapporta ce mouvement d'autorité précoce à Virginie, cette dernière répondit assez sèchement :

« Je suis au courant. C'est ainsi qu'on doit l'appeler maintenant, n'est-ce pas ?

– Mais, Virginie, menacer les domestiques du fouet !

– C'est un mot d'enfant, bien sûr. Il ne faut pas y attacher d'importance. »

Or Clarence n'était pas de cet avis. Il conçut de nouvelles craintes le soir où Marie-Adrien se présenta à table le visage en feu, le regard vague et visiblement surexcité. Mignette, assise à table près de lui, remarqua soudain :

« Mais, madame, il sent le vin, comme s'il avait bu.

– C'est Brent qui m'a donné du porto, expliqua Marie-Adrien. Il m'a dit que papa en buvait chaque soir. »

Le domestique convoqué donna une autre version. Il avait trouvé « m'sieur Marquis » en tête-à-tête avec une bouteille et avait eu beaucoup de mal à les séparer.

« Il ment », fit l'enfant avec aplomb.

Mais, pris de nausées, il dut quitter précipitamment la salle à manger.

« Si je revois mon fils dans cet état, Brent, fit Virginie avec une parfaite partialité, je vous renvoie au coton ! »

Clarence était certain que le domestique n'avait pas menti. Tous, et Anna plus que les autres, connaissaient la gourmandise de Marie-Adrien. La cuisinière l'avait surpris plusieurs fois le nez dans le placard aux confitures. « Tout ce qui est ici m'appartient. » Telle était la réponse faite par le chapardeur aux remontrances de la brave femme, qui avait cru préférable de taire ces incidents bénins.

Ces sottises, bien excusables chez les enfants, prenaient chez Marie-Adrien, dont la maturité exceptionnelle étonnait tous les visiteurs de Bagatelle, une autre signification. Clarence, que l'amour maternel n'aveuglait pas comme Virginie, décelait chez l'enfant, plus évolué déjà que bon nombre d'adolescents, tous les signes d'un tempérament jouisseur, dissimulé sous une rigueur apparente dans laquelle l'orgueil entrait pour une bonne part. L'intendant s'en ouvrit prudemment à Virginie.

« Je sais que vous n'aimez pas beaucoup Marie-Adrien, Clarence. Vous lui voyez plus de défauts qu'il n'a. Naturellement, ce n'est pas un caractère malléable comme votre filleul, ni un tempérament docile comme Gratianne. Laissez-le se former en profitant des agréments de sa situation. Je n'ai pas l'intention de faire de mon fils un abstinent dans votre genre ! »

Depuis la mort de son mari, la marquise de Damvilliers semblait marquer aussi bien avec Mignette qu'avec l'intendant des distances qu'elle s'était appliquée autrefois à effacer. Le temps des conversations confiantes semblait révolu. Souvent, elle dînait en tête-à-tête avec Marie-Adrien, dans le breakfast-room, avant le service normal et Clarence se retrouvait seul à table avec la veuve du forgeron, ayant conscience d'appartenir désormais, comme la jeune femme, à une classe hybride, qui n'était plus tout à fait de la famille, sans être celle des domestiques supérieurs. Avec générosité, l'intendant mettait cela sur le compte du bouleversement introduit dans la vie de Virginie par la mort soudaine de son mari, mais il croyait aussi reconnaître là le comportement de la Virginie d'autrefois et se demandait ce que deviendraient leurs rapports à l'avenir.

Quand arriva la lettre des frères Mertaux annonçant que le délai fixé par le marquis à deux mois après sa mort pour l'ouverture de son testament était écoulé, Virginie parut surprise et contrariée d'y lire que les avocats souhaitaient la présence de Dandrige et des deux fils du défunt.

« Ils prennent ça sous leur bonnet, ou est-ce

une disposition décidée par Adrien? Enfin vous m'accompagnerez, Clarence, avec les garçons! »

L'intendant, ayant fort à faire à la plantation en cette saison, aurait facilement éludé ce voyage, mais, connaissant les Mertaux, il était convaincu qu'ils n'agissaient pas ainsi sans raisons.

Marie-Adrien fit grise mine quand il apprit qu'il ne ferait pas seul avec sa mère son premier voyage sur le fleuve. Virginie lui expliqua qu'il s'agissait sans doute d'une volonté de son père. Les passages furent retenus à bord du *Zebulon Pike IV* et Bobo conduisit tous les voyageurs à Bayou Sara où ils embarquèrent. Plus questionneur que jamais, Pierre-Adrien, qui à six ans paraissait aussi grand que son aîné, voulut tout savoir du bateau, alors que Marie-Adrien, jouant les blasés, ne s'intéressa qu'aux machines, aux bouilloires et à la vitesse du steamboat.

Tandis que Virginie enseignait au quatrième marquis, qu'elle présentait comme tel, les règles de l'étiquette en voyage, Clarence nommait pour son filleul les oiseaux, les arbres et les grandes maisons blanches des planteurs, que l'on apercevait derrière les rideaux d'arbres. Craignant que Virginie ne prît ombrage de l'affection que lui témoignait Pierre-Adrien, l'intendant insistait souvent pour qu'il rejoigne sa mère et son frère au salon ou sur le pont-promenade.

« Je crois qu'ils aiment mieux que je reste avec vous, lui dit un jour le garçonnet. Ils parlent de choses que je ne comprends pas et qui les font rire. »

Clarence décela dans le ton de son filleul un peu de tristesse. Pierre-Adrien sentait bien la différence que Mme de Damvilliers faisait entre ses deux fils, différence qu'elle ne cherchait d'ailleurs pas à dissimuler.

Si le voyage sur le fleuve avait enthousiasmé le cadet, la ville suscita chez l'aîné une curiosité qu'il ne songea pas à cacher. Les maisons, les boutiques, les gens, les équipages, l'animation de l'hôtel Saint-Charles, les restaurants lui parurent un monde merveilleux.

« J'aimerais vivre là, voir ce qu'il y a dans ces maisons, connaître ces gens, acheter des choses dans les magasins.

– Eh bien, moi, j'aime mieux la maison, répliqua Pierre-Adrien, les arbres et les champs. Tous ces gens qui me regardent ont tous le même air. Ils sont habillés pareil. Je les trouve pas beaux !

– Tais-toi, tu ne sais rien. Maman m'a dit que dans le Nord il y a des villes encore plus grandes avec, la nuit, des lumières partout. Il faudra que j'y aille. »

En attendant, il fallait se rendre chez les frères Mertaux, rue de Chartres. Les avocats jumeaux avaient cru bon de revêtir pour la circonstance leur redingote noire, tout à fait démodée, et de nouer sous leur col empesé une lavallière, que Pierre-Adrien compara à un papillon géant et mou. Se relayant au milieu des phrases, selon leur habitude, les frères levèrent tout d'abord le doute que leur lettre avait suscité chez Virginie.

« Dans une lettre cachetée, qu'il nous avait laissée...

– ... et qu'il nous avait demandé d'ouvrir dès que nous pourrions avoir connaissance de sa...

– ... de son décès, M. le marquis de Damvilliers souhaitait, madame, que vous soyez présente avec vos deux fils et M. Dandrige à l'ouverture du testament, déposé légalement en notre étude. »

Ayant parlé, les deux hommes de loi, identiques en tous points et coordonnant leurs gestes comme des danseurs, se dirigèrent vers un vieux coffre-fort dissimulé entre les cartonniers d'acajou aux abattants de cuir vert. Ils tirèrent chacun une clef de la poche de leur gilet et se mirent en devoir d'ouvrir le meuble.

« Vous voyez, fit l'un, ravi, nos deux clefs sont nécessaires pour faire jouer la combinaison. C'est une sécurité!

— ... une double sécurité », ajouta l'autre.

Ils retirèrent du coffre une grande enveloppe jaune fermée par cinq cachets de cire rouge. Pareils à des prestidigitateurs soucieux de convaincre leur public de la parfaite innocuité de leur matériel, ils présentèrent l'objet à leurs visiteurs, afin que ceux-ci puissent constater l'intégrité des cachets. Clarence, qui en d'autres circonstances eût été amusé par le numéro de duettistes toujours surprenant des frères Mertaux, se demanda s'ils n'allaient pas lire en chœur le testament. Si les deux avocats chaussèrent leurs lorgnons, un seul procéda à la lecture.

Moi, Jacques-Adrien, marquis de Damvilliers, sain de corps et d'esprit, désigne comme exécuteurs testamentaires ma veuve, la marquise de Damvilliers, née Virginie Trégan, et Clarence Dandrige, mon ami, présentement intendant de ma plantation de Bagatelle, afin qu'ils mettent à effet mes volontés.

Je lègue à mon fils Marie-Adrien tous mes biens meubles et immeubles, terres et ateliers, espèces et actions, en ma possession au jour de ma mort, dont il recevra jouissance effective à sa majorité, si la mort me saisit avant qu'il n'ait atteint celle-ci. Jusqu'à cette date, et dans ce cas seulement, la gestion de mes biens sera confiée à ma veuve et à mon intendant avec licence d'en disposer au mieux des intérêts du légataire. Ils auront à conserver le domaine de Bagatelle dans l'étendue de dix mille acres et à maintenir le traitement équitable que le chrétien se doit de réserver aux esclaves nègres que Dieu lui a confiés.

Au jour de ma mort, Marie-Adrien, mon fils

aîné, prendra le titre de marquis de Damvilliers et les responsabilités dynastiques qui en découlent, mais il ne pourra s'opposer de quelque manière que ce soit, s'il n'est pas majeur, aux actes et décisions des gestionnaires désignés ci-dessus. Si, par suite de mort ou autre cause, mon fils aîné se trouvait dans l'incapacité d'assurer ma succession, les mêmes dispositions s'appliqueraient à son cadet, Pierre-Adrien.

Devenu maître de Bagatelle, Marie-Adrien aura à charge d'entretenir sur le pied de son rang ma veuve bien-aimée, née Virginie Trégan, son frère Pierre-Adrien et ses sœurs Gratianne et Julie, qu'il dotera au moment de leur mariage.

Pierre-Adrien, quel que soit son établissement, recevra, sa vie durant, un quart des revenus des terres de Bagatelle, où il pourra résider autant que bon lui semblera.

Je lègue en outre, en toute propriété, à Virginie, marquise de Damvilliers, née Trégan, ma veuve, les bijoux d'or et d'argent ainsi que les pierres précieuses, héritage de ma mère, se trouvant à Bagatelle.

Je souhaite que de petits souvenirs de moi soient remis à mes amis les plus intimes : MM. Tampleton, Barrow, Murphy ainsi qu'à Mme veuve Albert Schoeler, en laissant à mes exécuteurs testamentaires le soin d'en déterminer le choix.

Je lègue enfin à mon fidèle intendant Clarence Dandrige la montre et la chaîne d'or dont j'use habituellement et je lui demande de bien vouloir poursuivre la rédaction de l'histoire de ma famille, afin que les futures générations, issues de mes fils, sachent ce qui fait l'honneur et la gloire des Damvilliers.

Ayant relu, persiste et signe : Jacques-Adrien, marquis de Damvilliers.

« La rédaction de ce testament, commenta aussitôt celui des deux frères qui n'avait pas procédé à sa lecture, n'est peut-être pas d'une parfaite orthodoxie juridique en ce qui concerne la terminologie...

– ... mais c'est la volonté clairement exprimée d'un homme de cœur », fit l'autre.

Virginie se leva, mit la main sur l'épaule de Marie-Adrien.

« En somme, jusqu'à la majorité de mon fils, rien ne doit changer à Bagatelle.

– C'est cela, firent en chœur les Mertaux.

– Si vous aviez besoin de nos conseils...

– ... nous sommes à votre disposition. »

La marquise de Damvilliers et ses fils prirent congé, Clarence ayant d'autres affaires, relatives à un bornage de la plantation, à régler avec les avocats. Ceux-ci l'invitèrent à partager leur repas. Connaissant les talents de leur cuisinière, dont le gombo avait, dans toute la ville, une excellente réputation, l'intendant accepta, satisfait pour un soir d'échapper aux Damvilliers.

Avec le tact propre aux juristes quand ils se trouvent hors de leur cabinet, les frères Mertaux ne firent plus allusion au testament du défunt marquis, la situation bancaire à La Nouvelle-Orléans leur fournissant, il est vrai, d'autres sujets de conversation. Car, en ce mois de mai 1842, les affaires n'étaient guère brillantes. La nouvelle loi relative aux banques semblait avoir des conséquences désastreuses. Celles de ces institutions monétaires qui offraient encore quelques garanties n'acceptaient de convertir en espèces métalliques le papier qu'elles avaient émis qu'avec 11 p. 100 de prime. Les banques les plus faibles : Banque d'Exchange, d'Atchafalaya, d'Orléans et des Améliorations, ne trouvaient plus preneur pour le leur. Les billets subissaient ainsi des dépréciations de 60 à 75 p. 100. Cette crise financière, plus déplorable encore que celle de 1837, paralysait le commerce.

Les trésoreries des trois municipalités de la ville n'étaient pas plus à l'aise. Les bons qu'elles avaient émis, effets devenus sans valeur, se trouvant en grande partie aux mains de la classe inférieure de la population, cette subite dépréciation produisait une profonde irritation dans le peuple. Une manifestation avait eu lieu devant l'hôtel de ville. Le maire ayant calmé les furieux, ceux-ci s'en étaient pris aux agents de change, auxquels ils attribuaient les responsabilités de la dépréciation.

« Quatre des principaux comptoirs ont été pillés et dévastés en moins d'une heure, dit l'un des frères Mertaux.

– ... La garde nationale et une compagnie de la troupe de ligne ont dû intervenir, compléta l'autre.

– ... On se demande comment tout cela va finir », conclurent-ils ensemble.

Les trois hommes s'entretinrent aussi des prochaines élections pour le poste de gouverneur de la Louisiane. La victoire de M. Mouton, du parti démocrate, candidat contre M. Johnson, représentant des whigs, ne semblait pas faire de doute pour les frères Mertaux. Ils apprirent aussi à Clarence que le sénateur Henry Clay était attendu en automne à La Nouvelle-Orléans.

« Il vient pour rétablir sa santé, dit l'un.

– ... et pour préparer sa candidature à la Maison-Blanche », dit l'autre.

Les deux convinrent qu'il risquait d'être reçu assez fraîchement !

Avant de quitter La Nouvelle-Orléans, Virginie conduisit Marie-Adrien au collège des pères jésuites. Elle y fit inscrire son fils pour la rentrée suivante, prévue le 1er novembre, en raison des risques habituels que faisait courir à la population scolaire l'épidémie annuelle de fièvre jaune. Pendant ce temps-là, Clarence promena Pierre-Adrien à travers le quartier américain, pour lui montrer les constructions neuves et les entrepôts, qu'il voyait plus nombreux à chaque voyage. C'est au cours de cette promenade qu'ils rencontrèrent Ramirez. L'armateur et marchand d'os ne portait plus aussi beau qu'autrefois. Il paraissait plus petit, ne bombait plus le torse, son regard manquait d'assurance. Il retira son chapeau et osa aborder l'intendant.

« J'ai cherché à vous revoir depuis notre dernière rencontre, monsieur Dandrige.

– On m'a dit, en effet, que vous souhaitiez me découper en tranches, monsieur Ramirez. Vous êtes libre d'essayer quand il vous plaira. »

L'Espagnol eut un geste de la main qui balayait le passé.

« Vous m'aviez porté une cruelle blessure, monsieur, et j'en conservais de la rancune. Mais elle était à proportion de mon injure. Je vois aujourd'hui, ajouta-t-il en désignant l'enfant, que votre fils peut témoigner que mon allusion à votre manque de virilité était pure calomnie. »

Dandrige expliqua que le garçonnet qui l'accompagnait n'était pas son fils, mais celui du marquis de Damvilliers.

« Veuillez excuser alors le rappel que j'ai fait, dit modestement Ramirez. Nous autres, Espagnols, avons le sens de l'honneur. Je retire aujourd'hui ma phrase malheureuse.

– Vos difficultés financières, remarqua Dandrige en fixant ostensiblement le revers élimé d'une redingote de cheviotte qui avait connu des temps meilleurs, semblent vous avoir rendu moins arrogant, monsieur Ramirez.

– C'est exact. Je suis devenu pauvre et cela m'a appris qu'un homme perdait ses amis avec sa fortune. Les ennemis, eux, sont fidèles et, conclut-il avec un sourire amer, d'une certaine façon, rassurants.

– Je ne suis pas votre ennemi, Ramirez. Vous aviez besoin d'une leçon, je vous l'ai donnée. N'en parlons plus. Où en sont vos affaires ?

– Je cherche cinq mille dollars que m'apporterait un partenaire pour exploiter un brevet permettant de fabriquer des chandelles, suivant un procédé que j'ai retrouvé.

– Expliquez-vous, Ramirez.

– Eh bien, autrefois, en Louisiane, un certain Alexandre, chirurgien et botaniste au service de la compagnie de M. Law, avait découvert qu'on pouvait tirer d'un arbrisseau, portant au printemps une petite graine remplie d'une matière verte et gluante, une sorte de cire, pareille à celle des abeilles. Il suffisait de jeter ces graines dans l'eau bouillante pour recueillir la cire qui surnageait. Ces arbrisseaux, qu'il appela ciriers, poussent ici comme du chiendent. Etant un peu chimiste moi-même, j'ai perfectionné le procédé et obtenu des chandelles dont la lumière est à la fois douce et puissante. Je les ai moulées et colorées. Elles plaisent beaucoup et tous les marchands de la ville m'en demandent. Pour produire davantage, il me faudrait quelques esclaves et un peu de matériel... Bref, j'ai besoin de cinq mille dollars.

– Et vous espérez une nouvelle fortune de vos chandelles ?

– Peut-être pas une fortune, monsieur Dandrige, mais de quoi vivre à l'aise.

– Ces cinq mille dollars, je vais vous les prêter, monsieur Ramirez..., sans intérêts. Vous irez de ma part chez les frères Mertaux, rue de Chartres. Ils auront des ordres. Envoyez quelques-unes de vos chandelles à Bagatelle, que je puisse les apprécier. »

L'Espagnol parut confus d'une telle offre.

« C'est généreux à vous de m'aider, monsieur Dandrige. Je ne sens plus le coup d'épée que vous m'avez donné il y a douze ans! »

L'intendant savait les Espagnols orgueilleux et peu enclins aux remerciements exagérés.

« Allez, monsieur Ramirez, et bonne chance! »

Le fabricant de chandelles se coiffa et s'en fut. Il parut à Clarence qu'il avait retrouvé sa taille normale et son port de caballero.

« Qui c'est, ce monsieur? interrogea Pierre-Adrien.

– Un vieil ami », fit Dandrige.

Continuant leur promenade à travers la cité, l'intendant et son filleul arrivèrent rue Saint-Louis, devant la Bourse. Un encanteur, M. Taylor, procédait dans le hall à colonnes à une vente d'esclaves. L'enfant voulut voir comment « on achetait un nègre ». Le spectacle n'était pas neuf pour Dandrige, mais il consentit à le montrer à Pierre-Adrien. La vente du jour, annoncée comme consécutive à la succession de Elihm Shield, proposait : « Une négresse américaine nommée Marie, âgée de 26 ans environ, sujette à s'enivrer; Spencer, 28 ans, avec sa femme Kesiah et deux enfants : Miranda, 4 ans, et Albert, 18 mois; Charles, 39 ans; Amos, 28 ans; Georges, estropié, 30 ans; Caesar, 30 ans; Célestine, créole, 25 ans, parlant anglais et français; Narcisse, créole, sourd-muet, 18 ans, et Eliza, 32 ans. »

Montés sur une estrade, les Noirs, exposés comme une marchandise, se tenaient fort dignement. Les acheteurs éventuels demandaient parfois à les voir de plus près, pour mieux apprécier la musculature des hommes et les formes des femmes, que l'on dénudait sans tenir compte de leur pudeur. La créole, Célestine, pleurait, regrettant sans doute un maître dont elle avait dû partager la couche, en voyant la concupiscence que sa réelle beauté allumait dans les yeux des enchérisseurs. Elle revint finalement à un vieillard sec comme un tronc de cyprès qui, ayant trois jeunes fils, souhaitait leur procurer « de l'amusement à domicile ».

Pierre-Adrien demeurait silencieux, devinant inconsciemment qu'il assistait à un événement scandaleux. Pour lui, les Noirs de la plantation étaient tous des amis rieurs et dévoués. Il n'imaginait pas qu'on puisse s'en séparer comme d'une balle de coton.

« Et les Blancs, finit-il par dire, où les achète-t-on ?

– On ne les vend pas, Pierre-Adrien. Ils sont libres de faire ce que bon leur semble. Encore que parfois, ajouta l'intendant, plus pour lui-même qu'à l'intention de son petit compagnon, ils se vendent eux-mêmes !

– Imilie, c'est papa qui l'avait achetée ?

– Oui, bien sûr, et tous les autres. »

Dans la rue ensoleillée, le petit garçon demeura pensif un long moment, puis il dit d'un ton grave :

« On a de la chance, n'est-ce pas, monsieur, d'être blancs !

– Oui, nous avons de la chance, Pierre-Adrien. C'est pourquoi il faut être gentil avec les nègres et ne pas faire de peine à Imilie. Et plus tard il faudra rester un bon maître, comme ton papa.

– J'ai pas envie d'être maître, moi, fit le gamin. Le maître, c'est Marie-Adrien. J'aimerais mieux être marin et ne pas acheter de nègres ! »

Au soir de cette journée, dont Pierre-Adrien devait se souvenir longtemps, les gens de Bagatelle embarquèrent sur le vapeur *Oronoko* pour regagner Pointe-Coupée. Le capitaine Bosworth, qui commandait le luxueux steamboat, affirmait que son bateau, équipé de nouvelles machines et de nouvelles bouilloires, « n'était surpassé par aucun autre navire sur le fleuve ».

Virginie paraissait satisfaite de son séjour à La Nouvelle-Orléans. Elle avait acheté des bas de soie chez Abraham Trier, rue Garnier, et remis à l'évêque, Mgr Blanc, vingt-cinq dollars pour secourir les victimes du tremblement de terre qui avait ravagé la Martinique. Pour la première fois depuis son veuvage, Dandrige la vit sourire. Sur le vapeur, la présence de cette femme en deuil, d'une beauté si typiquement sudiste, ne passait pas inaperçue. Les hommes se découvraient à son passage, lui avançaient un siège quand elle se rendait sur le pont, son chapeau retenu par une mousseline noire. Parfaitement à l'aise dans son personnage d'héroïne romantique et dolente, elle acceptait parfois de converser avec quelques dames et nouait ainsi des relations éphémères, qui permettraient à certains de dire qu'ils avaient rencontré la marquise de Damvilliers et ses beaux enfants.

Un soir, les garçons étant endormis, alors qu'elle se tenait accoudée au bastingage, silhouette sombre se découpant sur un crépuscule mauve, Dandrige vint la rejoindre.

« Je me souviens, dit-elle, d'autres remontées du fleuve pareilles à celle-ci, en compagnie d'Adrien, et de la première, au lendemain de mon retour d'Europe. Je ne suis plus la même, Clarence. Je me sentirais bien incapable aujourd'hui de jouer au poker ou au trictrac. J'ai l'impression que l'intensité de la vie a baissé en moi. Rien ne m'exalte comme autrefois. Depuis la mort d'Adrien m'est venu un amour du calme et du silence. C'est comme si j'étais gouvernée; je n'ai plus d'impatiences.

– C'est un lieu commun de dire que le temps vous rendra à vous-même, Virginie, et je suis certain que vous reprendrez de l'intérêt aux gens et aux choses !

– Je le sais, Clarence, mais je ne le désire pas

encore. Ma position me donne droit à un grand moment d'isolement. Le vide laissé par Adrien m'est presque une grâce et je découvre que mon chagrin n'est pas celui des autres.

– C'est une étape, comme tous nous en connaissons. Vos enfants vous en offriront d'autres, plus heureuses... »

Ils demeurèrent un moment silencieux, à suivre du regard le vol des martins-pêcheurs picorant le fleuve. Les oiseaux agaçaient de leur bec la surface de l'eau, qui, chair liquide, réagissait en frissons concentriques.

« Notre vie, reprit Clarence, est une suite de victoires accordées et de défaites acceptées. Adrien est mort au soir d'une victoire, puisque la mort l'a saisi en plein bonheur, je puis en témoigner !

– Cela aussi, je le sais. Il a emporté de moi un souvenir ébloui... Mais vous seul, Clarence, savez qu'il a plus donné qu'il n'a reçu... Je n'ai cherché qu'à lui plaire; lui, il m'a aimée ! »

22

De retour à Bagatelle, Virginie s'occupa de satisfaire aux volontés que son mari avait exprimées dans son testament. Elle fit porter aux intimes, désignés par le défunt marquis, ces petits souvenirs auxquels seule l'amitié attache de la valeur.

M. Tampleton reçut une canne à pommeau d'ivoire sculpté, Clément Barrow un petit bronze qu'il avait souvent admiré sur le bureau du maître de Bagatelle, le docteur Murphy accepta avec reconnaissance la flasque d'argent qu'Adrien emportait à la chasse et qui fleurait bon le vieux whisky, Mignette une miniature représentant M. de Damvilliers.

« Je n'ai pu mettre la main sur la montre que mon mari vous destinait, Clarence, dit la veuve. On a dû la serrer dans quelque tiroir au lendemain de notre deuil. Mais je la retrouverai. »

Clarence observa qu'il n'y avait aucune urgence à l'exécution de ce legs et, comme on entrait dans la saison de la germination du coton, il ne pensa plus à la montre, absorbé qu'il était par les travaux de la plantation. On apprit en même temps à Bagatelle l'arrivée de la fièvre jaune à La Nouvelle-Orléans et la mort accidentelle, survenue à Paris le 13 juillet, du duc d'Orléans, victime d'un accident de voiture. En août, une lettre de

Mme Drouin donna sur cet événement de nombreux détails, comme si le prince eût été un membre de sa famille. La bonne tante invitait sa nièce à venir à Paris avec ses enfants « pour se remettre de ses épreuves »!

L'atonie dans laquelle paraissait plongée Bagatelle depuis le décès du marquis disparut soudain un soir de septembre, quand Pierre-Adrien se présenta à Imilie avec une balafre à la joue gauche, partant du coin de l'œil pour aboutir au menton. L'enfant, la figure en sang, ne pleurait pas. La nourrice, par contre, poussa de hauts cris, prenant à témoin le Bon Dieu, saint François et quelques saints de moindre notoriété qu'on avait voulu tuer « son petit ».

Pendant qu'on attendait Murphy, Virginie questionna son fils. Il confessa avec réticence que Marie-Adrien avait imaginé un duel à l'épée, ayant muni son frère d'un vieux fleuret rouillé trouvé dans un débarras et s'étant armé lui-même de la lame colichemarde offerte par M. Mosley. Et l'aîné, respectant les règles du combat singulier, qu'il tenait de Clarence Dandrige, avait blessé son cadet.

« Il ne faut pas le gronder, disait Pierre-Adrien en reniflant, un peu inquiet tout de même de voir son sang pour la première fois.

– Mais il aurait pu te rendre borgne. Il ne t'aurait plus manqué que cela, mon pauvre petit, toi qui ne tiens même pas sur un poney! »

En présence de Dandrige, arrivé inopinément, on fit comparaître Marie-Adrien.

« J'ai voulu, dit le garçon avec une parfaite assurance et sans manifester le moindre remords, donner à Pierre-Adrien une chance d'être marquis de Damvilliers. Les notaires ont dit que si je mourais avant ma majorité mon frère hériterait le titre et Bagatelle. Alors, on s'est battus et, naturellement, j'ai gagné!

– Moi, je voulais pas lui faire de mal, expliqua Pierre-Adrien. Je voulais pas me battre. J'ai pas envie d'être marquis, je veux être marin ! »

Campé devant son jeune frère qui, blotti dans le giron d'Imilie, avait bien du mal à parler sous les compresses appliquées par la nourrice, Marie-Adrien insista :

« On s'est battus pour l'honneur et avec loyauté ! »

Virginie sermonna son fils. Un peu trop mollement au goût de Dandrige. Ayant comparé les armes, l'intendant constata que, si Marie-Adrien s'était servi d'une épée à sa main et à sa taille, Pierre-Adrien n'avait eu, pour se défendre, qu'une lame trop lourde, qu'il était bien incapable de manier. L'observation en ayant été faite au jeune marquis, celui-ci répondit, avec un sourire qui déplut à Clarence :

« Son épée était plus lourde, mais elle était plus longue ! »

De ce jour, Clarence Dandrige fut impatient de voir l'héritier de Bagatelle expédié au collège des pères jésuites, car il devinait chez lui une incompréhensible hostilité à l'égard de son frère cadet.

Au jour de la séparation, alors qu'il s'embarquait pour La Nouvelle-Orléans avec sa mère, laquelle tenait à l'accompagner, Marie-Adrien vint saluer Dandrige.

« Travaillez avec application, dit l'intendant, pour honorer votre père.

– Vous aussi, travaillez bien, monsieur..., pour Bagatelle », répondit le garçon avec insolence.

Cette boutade, dénuée de politesse, amena un sourire sur les lèvres de Virginie. Clarence décida, à l'instant même, que le jour où le « petit marquis » prendrait possession de Bagatelle il quitterait la plantation, estimant avoir rempli la mission difficile que lui avait confiée Adrien.

« Vous verrez que ce morveux vous demandera

des comptes ! commenta Murphy qui par hasard assistait à la scène.

– Je lui en donnerai le moment venu, fit Dandrige calmement, mais je ne lui donnerai que cela ! »

Le départ de Marie-Adrien apporta à Clarence une sorte de soulagement. C'était là un sentiment stupide chez un homme mûr que d'être satisfait de l'éloignement d'un enfant qu'il avait pratiquement vu naître. Le comportement du jeune marquis, aussi désagréable qu'il puisse être, ne pouvait gêner l'intendant, mais le potentiel de malfaisance qu'il devinait chez le garçon lui faisait mal augurer de l'avenir. A l'âge où les autres fils de planteurs n'étaient préoccupés que de jeux virils et de plaisirs domestiques, Marie-Adrien, dont le précepteur n'avait qu'à se louer de l'intelligence et de l'appétit de connaissances, se conduisait en petit seigneur certain de sa future puissance. Alors que d'autres rêvaient encore, il calculait déjà. Ce qui, chez Gratianne et Pierre-Adrien, pouvait passer pour étourderies paraissait chez lui actions délibérées. La même impatience d'être, que Clarence avait connue chez la mère, se retrouvait exacerbée chez le fils. Il ne ferait pas bon se trouver, plus tard, sur le chemin de son ambition.

A neuf ans, Gratianne, qui apprenait péniblement l'anglais et le piano, promettait d'être une jeune fille distinguée et soigneuse. En dehors du choix des desserts, la toilette paraissait sa principale préoccupation. Si sa nourrice l'avait écoutée, elle eût changé de robe trois fois par jour et fait brosser ses cheveux pendant des heures. Rien ne lui plaisait autant que d'assister au lever de sa mère et de recevoir, quand elle avait été sage, une goutte de parfum derrière l'oreille. Elle détestait Mic et Mac, encore joueurs et toujours prêts à tirer les pantalons de dentelles dépassant de sa robe ou à poser leurs pattes affectueuses et malpropres sur son manteau.

Julie, qui allait sur ses six ans, semblait en admiration devant sa sœur, dont elle imitait les mimiques quand celle-ci jouait « à la dame qui reçoit pour le thé », au pied d'un chêne.

La benjamine des Damvilliers s'enrhumait d'un courant d'air, suffoquait après une course de dix pas et présentait un mince visage d'une pâleur extrême. D'immenses yeux noirs, qui, d'après sa nourrice, feraient la perdition de son âme, semblaient être son plus fort atout. Ses lèvres petites et bien ourlées, d'un rose violet, indiquaient d'après Murphy une certaine faiblesse de cœur, qu'il faudrait surveiller. Barthew, son parrain, était pour elle plein d'attentions et ne venait jamais à Bagatelle sans lui apporter un cadeau.

Au cours de ses visites assez espacées, l'avocat semblait éviter Mme Schoeler qui, du fait du veuvage de Virginie, n'assistait plus à aucune réception ni barbecue, comme si elle ajoutait à son deuil finissant celui plus récent de son ancienne maîtresse.

Clarence, observateur attentif, se rendait bien compte qu'à ce jeu de cache-cache seul l'amour était perdant. Aussi décida-t-il un soir de donner au destin ce coup de pouce qui, autrefois, avait si bien servi les vœux de Virginie Trégan. C'était peu de temps avant les fêtes de fin d'année, qu'on célébrerait à Bagatelle dans l'intimité familiale.

« J'ai quelque chose à vous remettre, Ed », dit l'intendant, et il tira de sa poche un médaillon contenant une mèche de cheveux.

L'avocat parut surpris.

« Il s'agit d'une mèche de cheveux que vous aviez donnée autrefois, après un certain duel sur le *Prince-du-Delta,* à ce brave Willy Tampleton. Il me l'a, en quelque sorte, rendue!

– Qu'ai-je à faire des cheveux de Mme de

Damvilliers, Clarence? Vous feriez mieux de brûler cela...

– Ce sont les cheveux de Mignette, Ed... »

Cela méritait quelques explications, que Dandrige donna sans avoir à aucun moment le sentiment de trahir un secret.

« Quelle femme, hein, cette Virginie! fit Barthew, abasourdi, elle a roulé tout le monde ce jour-là! Mais je ne puis accepter ce souvenir, si Mignette savait...

– Mais elle sait, puisque c'est à vous que Mlle Trégan avait remis cette mèche. Ce qu'elle ne sait pas, c'est que maintenant vous savez!

– Le plus simple et le plus correct, fit l'avocat, serait que vous rendiez cette mèche à Mignette. Le bijou n'est pas laid, il pourra lui plaire.

– Faites-le vous-même, Barthew, en lui expliquant l'itinéraire de l'objet. J'ai de bonnes raisons de croire qu'elle vous demandera de le conserver... »

L'avocat prit le médaillon et le mit dans la poche de son gilet :

« Tout cela est bien compliqué, Clarence, et beaucoup trop romanesque pour un homme comme moi. Je vois où vous voulez en venir, mais votre amitié ne peut décider de sentiments que j'aurais souhaité trouver chez Mignette.

– Vous ne savez pas les voir, Ed; une femme qui prend sur elle de choisir un cavalier pour un quadrille et qui le voit se dérober et l'offrir à un autre attend sinon des excuses, du moins une explication.

– J'ai réfléchi à tout cela tranquillement, Clarence. Même en admettant que Mme Schoeler accepte de m'épouser, il faudra par loyauté que je lui confesse mon passé qu'elle ignore ou qu'elle ne connaît qu'à travers des ragots.

– Elle n'ignore rien, Ed. C'est moi qui le lui ai

raconté, avec une indiscrétion que je vous prie de me pardonner.

– Et naturellement elle a sursauté, hein. Comment envisager de devenir la seconde femme d'un homme qui a tué la première!

– Non, elle a pleuré comme un trottin.

– C'est bien, Clarence, je vais réfléchir, dit l'avocat en prenant congé.

– Ne réfléchissez pas trop longtemps, monsieur Barthew, nous aurons bientôt la visite du capitaine Tampleton ramenant des scalps de Séminoles! »

Ed Barthew émit un grognement, releva la mèche qui lui barrait le front, coiffa vigoureusement son chapeau et se mit en selle.

« Vous faites un sacré marieur, Clarence, vous devriez faire quelque chose pour Adèle Barrow! »

Quinze jours plus tard, Mignette eut un long entretien avec Virginie, au cours duquel elle lui demanda, sur le ton faussement indécis d'une femme qui a déjà pris sa décision, si elle ferait bien d'épouser l'avocat Ed Barthew. Mme de Damvilliers ne parut pas surprise et décida que ce serait un beau parti pour la veuve du forgeron; à condition toutefois que cet éminent juriste cessât de boire.

« J'en fais mon affaire, un homme boit quand il est malheureux et j'ai l'intention d'en faire un homme heureux! »

Seul Murphy se plaignit amèrement de voir les gens de Bagatelle se liguer pour l'obliger désormais à boire seul comme un Yankee!

Les récoltes à Bagatelle, comme ailleurs dans l'Etat, furent bonnes. La Nouvelle-Orléans expédia 749267 balles de coton en Europe et 68058 boucants de tabac. Depuis qu'en 1839 un esclave de la Caroline du Nord nommé Stephen, d'une intelligence au-dessus de la moyenne, avait mis au point, pour le plus grand profit de son maître, une nouvelle méthode de traitement du tabac, le « jaune brillant » au goût de miel concurrençait les tabacs plus âpres des Natchitoches. Les courtiers anglais achetaient à de hauts prix et les négociants, malgré la crise financière, faisaient de bonnes affaires.

Les pères jésuites, soucieux de montrer à leurs élèves tout ce qui pouvait leur ouvrir l'esprit, conduisirent ceux-ci, au début de l'année 1843, à l'ancien muséum en face de l'hôtel Saint-Charles où l'on exposait « les célèbres tableaux chimiques de M. Daguerre, importés aux Etats-Unis par MM. Maffey et Bonati ». Marie-Adrien vit ainsi « Les vêpres siciliennes », « La messe de minuit à Saint-Etienne-du-Mont, à Paris », « Venise, une nuit de Carnaval », « L'éboulement de la vallée de Godeau, en Suisse ». Un procédé astucieux de décomposition de la lumière ajoutait aux dioramas des effets surprenants, donnant l'illusion parfaite de la réalité. C'est du moins ce qu'affirmaient les présentateurs. Les riches élèves des bons pères, transportés, par la magie de ces images en relief, loin de la Louisiane, se promirent de ne pas manquer, quand viendrait le moment de leur « tour d'Europe », la visite de sites aussi enchanteurs.

Pour ces futurs planteurs, hommes de loi, armateurs, militaires ou négociants, la pérennité de la société sudiste paraissait assurée, loin des vulgarités du monde industriel, à l'écart du vain peuple. Enfants du Paradis, élevés dans le parfum des magnolias, servis par des esclaves dociles, ils se préparaient, par l'étude, à mieux jouir des bienfaits naturels d'une civilisation inimitable.

Ils n'avaient qu'une vocation, celle du bonheur.

Troisième époque

LE CAP DES TEMPÊTES

1

Au lendemain du service anniversaire de la mort du marquis de Damvilliers, célébré sans pompe particulière en l'église de Sainte-Marie, Virginie, ayant fleuri la tombe de son mari, annonça son intention de répondre à l'invitation de sa tante, Mme Drouin. Le temps de deuil écoulé, les convenances allaient l'obliger à reprendre une vie mondaine, à rouvrir la maison, à organiser réceptions et barbecues. Comme elle envisageait sans plaisir toute cette activité, elle expliqua à Dandrige qu'un séjour de quelques mois en Europe l'en dispenserait et lui permettrait « de se retrouver complètement ». A son retour, Bagatelle, encore tout endolorie par l'épreuve de l'année précédente, émergerait de son climat de tristesse et la vie pourrait y reprendre un rythme normal, intégrant les souvenirs et admettant la perspective d'autres bonheurs.

Avant son départ, elle accepta – et ce fut sa première sortie dans le monde – d'assister au mariage de Mignette avec Edward Barthew. Elle se retira toutefois avant le bal, décevant ainsi plusieurs jeunes planteurs fortunés désireux de faire une fin et qui paraissaient prêts à entrer en lice pour la conquête de cette jolie veuve. On s'accorda pour dire que la marquise de Damvilliers, dans sa robe mauve, aux volants de malines noire, sous sa capeline décorée d'un bouquet de pensées, incarnait l'héroïne romantique, telle que la décrivaient, dans leurs « romans de plantations », les auteurs à succès. Son orgueilleuse solitude, son sourire de femme blessée, la grâce avec laquelle on l'avait vue discrètement essuyer une larme au moment de l'échange des anneaux émurent des hommes et éveillèrent chez les femmes une sorte de jalousie morbide. La dame de Bagatelle portait sa mélancolie comme une parure. Celle-ci l'isolait du commun des mortels et augmentait sa séduction.

« Le malheur exalte la vraie beauté aussi bien que la joie », observa Isabelle Tampleton.

Le capitaine Willy Tampleton, beau-frère de cette dernière, que le hasard d'une permission amenait à Bayou Sara, ne prêta pas grande attention à la mariée, si jolie cependant, en bleu nattier, au bras de son nouvel époux. Il n'eut de regards que pour la veuve du marquis. En lui renaissaient de vieux désirs. Il se disait qu'une femme seule, avec quatre enfants à élever, serait peut-être plus sensible à ses avances que ne l'avait été autrefois l'ambitieuse Virginie Trégan.

« Moi, qui ai rencontré à Charleston, à l'occasion du bal de la Sainte-Cécile, beaucoup de femmes superbes, dit l'officier à son frère Percy, je puis te dire qu'aucune n'égale Virginie en grâce et en distinction.

– Et quel corps admirable ! » ajouta, gourmand, le mari d'Isabelle, qui pouvait se dire avec orgueil qu'il était le seul dans l'assistance à pouvoir porter avec autant de certitude un tel jugement.

Au lendemain de cette cérémonie, tandis que Mignette et son mari embarquaient sur un bateau remontant le Mississippi, qui les conduirait jusqu'à Saint-Louis, Mme de Damvilliers descendait le fleuve, accompagnée de Rosa, sa femme de chambre. Leurs passages étaient retenus sur le *Saratoga* – capitaine Hathaway – qui les amènerait en moins de quarante-huit heures à New York, où elles prendraient place à bord du *Great Western,* le plus rapide des paquebots transatlantiques. Elles seraient à Paris pour voir fleurir les lilas de Mme Drouin.

Si Rosa, un peu barbouillée par l'émotion du départ et le balancement du bateau, avait été plus attentive au comportement de sa maîtresse pendant que le steamboat descendait le Mississippi, elle aurait peut-être entendu Virginie fredonner une rengaine à la mode, dont le refrain répétait *Betsy, relève-toi, tu vas avoir du sable plein les yeux !*

Au bout de la chanson, il y avait Paris, ses salons, ses théâtres, ses cafés, ses boutiques, ses fêtes et la bonne Mme Drouin, entourée de poètes benêts et de rentiers fastueux. Virginie, ayant été une épouse sans reproche, une mère attentive, une veuve respectueuse des conventions, appréciait sa nouvelle indépendance avec sang-froid.

A l'escale de La Nouvelle-Orléans, Mme de Damvilliers courut embrasser son fils, chez les jésuites, et acheta, chez Bouvry d'Ivernais, 34, rue de Chartres, une écharpe de soie verte, qui flattait sa chevelure de cuivre mat.

« Le vert, lui fit observer naïvement le vendeur, c'est la couleur de l'espérance. »

Virginie ne l'ignorait pas ! Elle eut encore le temps d'aller voir en cachette une curiosité qui faisait courir ce printemps-là toute la bonne société louisianaise : le nain barbu Charles Sherwood Stratton, haut de deux pieds et demi, pesant quinze livres, que présentait, parmi une troupe d'acrobates et de chanteurs, un certain M. Barnum. L'ancien colporteur de sucres d'orge possédait maintenant un steamer sur le Mississippi, mais il avait perdu sa première vedette, Joyce Heth, une vieille négresse qu'il montrait encore en 1835 comme étant âgée de cent soixante et un ans et nourrice de George Washington !

Au Saint-Charles, où elle passa une nuit dans l'appartement qu'elle avait occupé les hivers précédents avec son mari, Mme de Damvilliers ne se montra pas dans les salons et se fit servir à dîner dans sa chambre. Du jardin montaient les chants des « Burnt corks[1] » : *My old Kentucky Home et Dixie.* Virginie ignorait encore, comme tout le monde, que le second deviendrait un jour une sorte d'hymne pour les défenseurs du Sud.

Privés de leur mère, les trois jeunes Damvilliers demeurant à la plantation connurent des mois de liberté. Sous la houlette des nounous indulgentes, vaguement surveillées par Dandrige et régulièrement visitées par Mignette Barthew, quand elle revint s'installer à Bayou Sara, dans une maison neuve acquise par son mari, les filles ne pensaient qu'à jouer. Gratianne invitait ses petites amies, dont les enfants de Percy Tampleton, à de somptueux goûters; Julie commençait à s'intéresser aux animaux et aux fleurs. Comme elle chantonnait en permanence, sa nourrice l'appelait « m'amselle Pom Pom » et lui apprenait des comptines créoles, dont l'enfant répétait les paroles en mimant l'accent de la domestique.

Pierre-Adrien, lui, s'était encore rapproché de Dandrige et se passionnait pour les sujets les plus variés. Grand amateur de livres, il usait quantités de chandelles et apparaissait souvent, le matin, le teint brouillé et les yeux rouges. Brent, devenu son valet personnel depuis le départ de Marie-Adrien, passait une partie de ses nuits à veiller à

1. Littéralement « bouchons-brûlés », surnom donné aux minstrels.

ce que son jeune maître ne mette pas le feu à la maison.

Le sort des esclaves, notamment, semblait préoccuper Pierre-Adrien. Souvent l'enfant posait à Dandrige des questions embarrassantes, comme s'il subodorait, sans pouvoir la définir, l'injustice d'une situation admise par tous. On le voyait parfois bavarder avec de jeunes ouvriers de la plantation, ce qui ne manquait pas d'inquiéter le vieux James. Le maître d'hôtel considérait en effet, comme tous les domestiques de la maison, que les esclaves des champs appartenaient à une caste inférieure, infréquentable par un enfant blanc. Le jeune garçon avait élu pour compagne de jeu une orpheline nommée Ivy qui, adoptée par Anna, rendait de menus services à la lingerie pour payer sa nourriture. A cette jolie fillette de douze ans, Pierre-Adrien apprit à jouer au volant. Il obtint de Gratianne qu'elle lui donnât des robes démodées ou devenues trop courtes. Aussi, quand le second fils des Damvilliers demanda à Dandrige de lui « expliquer l'esclavage », l'intendant ne fut pas étonné. Très loyalement, mais sans plaisir, et parce qu'il s'adressait à un fils de planteur, futur propriétaire d'esclaves, il reprit l'argumentation si souvent développée par le défunt marquis, lequel n'était, hélas! plus là pour faire à son second fils le même cours qu'il avait donné au premier.

Le parrain brossa donc, pour son filleul, le tableau classique de « l'institution particulière » que justifiaient dans le sud des Etats-Unis des conditions économiques exceptionnelles, sous un climat subtropical. Il ne lui cacha pas, cependant, que cette situation suscitait ailleurs dans le monde, en Europe surtout, des mouvements pour l'abolition d'une pratique dont les philosophes modernes ne semblaient voir que les mauvais côtés. Pierre-Adrien avait lu un résumé de l'histoire de Spartacus. Il voulut en savoir davantage sur ce gladiateur qui, à la tête de parias révoltés, tint Rome en échec pendant deux ans. Dandrige commença par dire qu'il n'y avait aucune comparaison possible entre la situation des esclaves dans la Rome antique et celle existant actuellement aux Etats-Unis.

« A cette époque, dit-il, l'esclavage était la suite logique des guerres de conquêtes. Les malheureux prisonniers devenaient tout naturellement les esclaves du vainqueur. La première guerre punique avait permis de faire en Afrique vingt mille prisonniers. Plus tard, à Tarente, trente mille autres furent capturés. En 167 avant Jésus-Christ, Paul-Emile ramena d'Epire cent cinquante mille vaincus, qui furent réduits en esclavage. Quant aux campagnes de César, elles fournirent, disait-on, à l'Empire plus d'un demi-million d'esclaves. A ces prisonniers de guerre s'ajoutaient tous ceux faits par les pirates, fournisseurs attitrés des marchés, où les propriétaires fonciers et les patriciens venaient acheter ouvriers agricoles et domestiques.

« Les esclaves se comptaient par dizaines de milliers sur les latifundia de Sicile et d'Italie et bien avant Spartacus il y avait eu des révoltes sévèrement réprimées. Celle de Eunous le Syrien, en 135 avant Jésus-Christ, et celle de Salvius Tryphon, en 104 avant Jésus-Christ, qui avaient rassemblé quarante mille anciens prisonniers de guerre sachant se battre. Les Romains en vinrent à bout et envoyèrent les survivants dans les cirques, où les fauves les dévorèrent. Car, expliqua Dandrige, la forme la plus odieuse de l'esclavage était la gladiature, venue d'une tradition étrusque, qui consistait à faire se battre, pour le plus grand plaisir du peuple, des hommes robustes contre des bêtes sauvages et affamées.

« Spartacus était l'un de ces gladiateurs. Berger venu de Thrace, colosse capable de terrasser dix hommes, il avait déserté l'armée romaine où il servait comme auxiliaire. Repris, il avait été « promu » gladiateur. Au début de l'été 73 avant Jésus-Christ, il s'était enfui avec soixante-dix camarades et, après avoir volé des armes, avait gagné les pentes du Vésuve, recrutant d'autres esclaves et échappant avec sa bande aux trois mille légionnaires envoyés à sa poursuite. Bientôt Spartacus eut une véritable armée, qui ravagea et pilla le sud de l'Italie, car beaucoup d'esclaves révoltés devenus chefs de bande, comme Crixos, pensaient moins à conquérir leur liberté qu'à voler et tuer. Après avoir tenté de passer les Alpes et battu plusieurs armées romaines, Spartacus, qui eût fait un bon général, se vengea en obligeant quatre cents prisonniers romains à jouer les gladiateurs et à s'entre-tuer.

« Revenu dans le sud de l'Italie, il y fut assiégé, près de l'isthme de Reggio de Calabre, par Crassus, un grand propriétaire conduisant une armée de cinquante mille hommes. Spartacus, conclut Dandrige, eut la chance d'être tué au combat, car Crassus fit crucifier six mille de ses compagnons tout au long de la route, de Capoue à Rome.

— Spartacus avait raison, dit énergiquement Pierre-Adrien, et les Romains auraient dû comprendre qu'il fallait mieux traiter les esclaves et ne pas les donner à manger aux lions pour s'amuser ! Les nôtres sont heureux à côté de ceux qui vivaient chez ces barbares ! »

Ce soir-là, Clarence Dandrige se demanda s'il avait eu raison de limiter sa démonstration aux abus de la Rome antique. Pierre-Adrien paraissait encore un peu jeune pour qu'on puisse l'aider à clarifier l'idée confuse qu'il semblait se faire de la liberté. « Le temps viendra, pensa l'intendant, où le garçon fera d'autres découvertes. Celle notamment que l'homme ne vit pas, même s'il a la peau noire, que de maïs et de porc salé. »

A la fin de l'automne, quand la cueillette fut terminée et que la fièvre jaune eut obtenu son content de victimes dans le delta, l'intendant dut se rendre à La Nouvelle-Orléans pour traiter avec l'agent de Mosley, retenu en Angleterre cette année-là. Pierre-Adrien supplia son parrain de l'emmener et Dandrige y consentit. Marie-Adrien, que sa mère avait autorisé à passer l'été dans la famille d'un camarade de pension, Gilles de Kernant, dont les parents possédaient une grande plantation près de Saint-Martinville, n'avait pas remis les pieds à Bagatelle depuis un an. Dandrige irait le voir, comme il l'avait promis à Virginie, chez les pères jésuites, où l'aîné des Damvilliers devait être retourné. Flanqué de son filleul, l'intendant se présenta donc au collège Saint-Joseph et Marie-Adrien fut amené au parloir.

Le jeune marquis avait grandi d'une façon étonnante. Les visiteurs le trouvèrent dans un costume bleu de nuit, fort bien coupé, confectionné par le meilleur tailleur de la ville, chez lequel Mme de Damvilliers avait ouvert un compte à son fils, afin qu'il fît bonne figure parmi ses camarades, rejetons de riches planteurs. L'élégance de Marie-Adrien impressionna beaucoup son jeune frère, qui ne montrait pas un souci excessif de sa toilette.

« Tu es comme un homme maintenant, fit naïvement le cadet.

– Je le suis », répliqua l'aîné d'un air condescendant.

Laissant les deux frères à leur bavardage, Dandrige se rendit chez le père recteur, pour s'enquérir des résultats scolaires du pensionnaire au cours de l'année écoulée. Ceux-ci n'étaient pas fameux. Le jésuite, avec l'onctuosité d'un éducateur habitué à fréquenter la haute société qui lui fournissait ses élèves, ne cacha pas que M. le marquis de Damvilliers avait tendance à considérer le collège comme un club, qu'il paraissait plus attiré par l'équitation, l'escrime et le jeu de barres que par l'étude des mathématiques et qu'il faisait preuve, vis-à-vis de ses camarades, d'un mépris peu chrétien. Seuls les fils de nobles titrés semblaient mériter qu'il leur prêtât attention. Il englobait tout ce qui n'était pas de sa classe sous le nom de roture et se montrait avec ses professeurs d'une politesse glacée. Enfin, il avait « fait le mur » deux fois au cours de la première année scolaire, avec Gilles de Kernant et Hyacinthe de Beausset..., pour aller acheter des cigares que le père surveillant avait saisis.

« C'est un garçon d'une intelligence exceptionnelle, orgueilleux et avide d'apprendre; nous comptons, avec le temps, en faire un parfait gentilhomme », conclut d'une voix suave le recteur.

Dandrige apprit que Mme de Damvilliers avait été régulièrement informée des notes et des incartades de son fils. L'intendant fut satisfait de ne pas avoir à rapporter à Virginie les propos du révérend.

Au moment où, avec Pierre-Adrien, il prenait congé du pensionnaire, apparemment enchanté de son sort, Dandrige aperçut en travers du gilet de Marie-Adrien une chaîne d'or, qu'il reconnut sans peine comme étant celle à laquelle le défunt marquis de Damvilliers attachait sa montre.

« Peux-tu me dire l'heure? interrogea vicieusement l'intendant.

– Six heures et dix minutes », dit Marie-Adrien après avoir consulté la montre de son père, celle-là même qui, revenant par héritage à Dandrige, s'était révélée introuvable après le décès du marquis.

L'enfant savait à quoi s'en tenir. Il fixa l'intendant d'un air insolent, prêt à répondre à une remarque qui ne vint pas. Dandrige tourna les talons et, suivi de Pierre-Adrien, quitta le collège. Le petit marquis était non seulement arrogant et paresseux, mais, de surcroît, un tantinet dissimulateur.

« C'est un devoir d'aimer son frère, n'est-ce pas ? dit tout à trac Pierre-Adrien, tandis qu'il s'efforçait de régler son pas sur celui de l'intendant.

– Bien sûr que c'est un devoir, mais c'est aussi un sentiment naturel et spontané.

– Je crois que Marie-Adrien ne m'aime pas beaucoup, monsieur, mais moi je l'aime bien. Il est très beau et très fier. »

Dandrige s'abstint d'encourager son filleul à d'autres considérations sur l'amour fraternel. Il lui proposa d'entendre le concert que donnait la musique des gardes de La Fayette, devant le Cabildo, avant d'aller dîner chez Antoine, dans la rue Saint-Louis, restaurant ouvert en 1840 qui drainait déjà toute la clientèle huppée. Enchanté d'être traité comme une grande personne, le garçonnet oublia vite la froideur de son frère, d'autant plus aisément que, pour la première fois de sa vie, il fut autorisé à tremper ses lèvres dans un verre de porto !

Le lendemain, l'intendant confia l'enfant à une gouvernante de l'hôtel Saint-Charles et se rendit à ses affaires. Chez les Mertaux, il apprit une nouvelle qui lui causa quelque peine. M. Ramirez, n'ayant pas obtenu le succès escompté avec ses chandelles de cire végétale, s'était tiré une balle de revolver dans la tempe. Pour avoir dilapidé sans profit les cinq mille dollars prêtés par Dandrige, il léguait à celui-ci une fort belle montre en or et sa châtelaine ainsi que l'épée avec laquelle l'armateur s'était promis autrefois d'expédier *ad patres* l'intendant de Bagatelle.

« C'était un caballero, dit Dandrige en guise d'oraison funèbre.

– Cette montre et cette épée de Tolède vous coûtent tout de même cinq mille dollars, observa, réaliste, l'un des avocats.

– ... et leur propriétaire a été mis à la fosse commune », compléta le second avec un rien de mépris.

Dandrige ne voulut entendre que la dernière phrase :

« Veillez, je vous prie, à ce qu'il ait une sépulture décente. Vous prélèverez sur mon compte de quoi faire dire une messe et mettre une croix sur sa tombe. Je vous demande aussi de faire graver, sous son nom, cette phrase de Gœthe : *Celui qui a peiné dans un effort continuel, celui-là nous pouvons l'absoudre.* »

Les Mertaux, ayant pris note des désirs de leur ami, extirpèrent d'un placard une bouteille d'eau-de-vie. On but au salut de l'âme de Ramirez.

De retour à son hôtel, Dandrige offrit le bijou qu'il venait d'hériter à Pierre-Adrien.

« Tu auras ainsi une montre, comme ton frère ! »

L'enfant, émerveillé, retourna l'objet dans sa main, fit jouer le déclic libérant le boîtier et lut *R.R.R.*

« Qu'est-ce que ça veut dire, monsieur ?

– Ramón Ramirez y Rorba, dit l'intendant. C'était un ami, que nous avions rencontré ensemble le printemps dernier, t'en souviens-tu ?

– Le gros homme triste qui faisait des chandelles ?

– Oui. Il est mort, Pierre-Adrien.

– D'un coup de fièvre jaune, monsieur ?

– Non, d'un coup d'honneur ! »

L'enfant s'en fut dormir avec la montre du suicidé à son chevet, pensant que l'honneur était une maladie mortelle, mais acceptable, et que M. Dandrige avait l'air d'avoir du chagrin.

En cette saison où reprenaient les affaires, après la torpeur venimeuse des mois d'épidémies, le Maspero's Exchange, coffee-house des planteurs et des marchands, à l'angle des rues de Chartres et Saint-Louis, se remplissait, après le dîner, d'une foule d'hommes élégants, venus discuter du prix du coton, de la politique ou de sujets moins austères. On y voyait rarement Dandrige. Poussé ce soir-là par un besoin de compagnie et de bruit, il s'y rendit, sitôt son filleul endormi. On fêtait, quand il entra dans l'établissement de Pierre Maspero, l'arrivée à La Nouvelle-Orléans des membres de la commission anglo-américaine chargée d'étudier la création d'une ligne régulière de paquebots transatlantiques entre Londres et la capitale du Sud. Il s'agissait de convaincre les représentants des armateurs et des financiers de la rentabilité d'un investissement qu'ils devraient eux-mêmes faire admettre aux représentants des compagnies. Ceux qui ne s'intéressaient pas aux problèmes de la navigation discutaient d'un projet des « méricains coquins » qui souhaitaient fonder une ville concurrente à La Nouvelle-Orléans, en l'amputant d'une de ses municipalités. Cette perspective soulevait l'indignation.

La capitale du Sud était à cette époque divisée en trois municipalités. S'il n'y avait qu'un seul maire élu pour la ville, on comptait trois conseils dirigés par des « recorders » qui remplissaient à la fois les fonctions de greffier, d'archiviste et de juge. Cette division, en municipalités indépendantes, d'une ville qui comptait près de cent mille habitants avait été acceptée par la population créole française. L'évolution de la cité devait faire regretter ce choix. En effet, les « méricains », pour la plupart venus du Nord, avaient élevé sous la dénomination de deuxième municipalité, à côté de l'ancienne ville française, une ville américaine, qui égalait maintenant sa rivale par la beauté des édifices comme par la largeur de ses rues et qui la surpassait par l'activité commerciale. C'est ainsi que, peu à peu, les négociants transportaient leurs comptoirs et les détaillants leurs boutiques de la première et de la troisième municipalité à la deuxième. Chaque jour, du fait de ces déplacements, les propriétés gagnaient en valeur dans la deuxième municipalité ce qu'elles perdaient dans les deux autres. Encouragés par cette migration, les Américains voulaient maintenant une séparation complète. Ils proposaient de créer une ville nouvelle avec le Faubourg La Fayette et la deuxième municipalité, ville qu'ils appelleraient Jefferson. Naturellement, les Orléanais de vieille souche ne l'entendaient pas ainsi et faisaient campagne contre le projet. Le Maspero's Exchange semblait être devenu le quartier général de la résistance.

Dandrige s'amusait des propos des plus ardents défenseurs de l'unité territoriale de la ville.

« C'est encore une tentative du Nord pour annexer nos forces vives ! disait l'un.

– Il faut dissoudre les municipalités et n'en faire qu'une seule, disait l'autre.

– Il n'y a qu'à renvoyer tous ces Yankees, attirés par notre prospérité, dans leurs villes du Nord, proposait un troisième.

– Et vous, monsieur Dandrige, que pensez-vous de tout cela ? demanda un banquier.

– Je pense que le cœur et l'âme de La Nouvelle-Orléans resteront toujours dans le vieux quartier français ! »

On applaudit à cette déclaration et l'intendant se vit proposer vingt verres de porto ou d'absinthe. En parlant comme il l'avait fait, il se montrait sincère. La ville conservait, qu'on le veuille ou non, en dépit des démolitions, des transformations, des incendies et des inondations, les marques indélébiles des pionniers. Si la plupart des affaires se traitaient en anglais et en dollars, entre eux, les gens de La Nouvelle-Orléans s'entretenaient, suivant leur condition, en français ou en créole et comptaient en piastres. Tout ce que savaient les Américains des quartiers neufs, ils l'avaient appris entre la rue de Chartres et la rue de Bourgogne. Leurs filles étaient éduquées par les ursulines, leurs fils par les jésuites, bien que les sectes anglicanes, méthodistes, presbytériennes et autres fissent chaque année de nouveaux adeptes.

La vieille ville française avait su profiter de l'apport des goûts et des fortunes espagnoles. Les mariages entre coloniaux des deux nations s'étaient multipliés, créant une population créole, vite augmentée des « Dominguois » qui avaient fui Saint-Domingue après les massacres de 1791. Si bien que l'on pouvait dire que les Orléanais étaient chez eux depuis cent ans au moins, quand les Etats-Unis avaient pris possession de la Louisiane. On concevait donc difficilement que la direction des affaires municipales puisse échapper, même partiellement, aux descendants des fondateurs de la cité « en forme de croissant ».

Au Maspero's Exchange, on évoquait ce soir, avec un peu de puérilité, pour démontrer la suprématie des Orléanais d'origine française ou espagnole et la pérennité du génie propre à ces Européens, quelques figures contemporaines. L'Histoire ne les accepterait peut-être pas dans la galerie des Grands Hommes dont il sied de conserver la mémoire, mais, en attendant le jugement de la postérité, les buveurs de vin de Madère et de whisky les considéraient comme représentatifs d'une certaine civilisation néo-coloniale.

On parlait ainsi du pharmacien Amédée Peychaud, un Bordelais jovial, excellent apothicaire et savant préparateur de mixtures « fortifiantes » à base d'eau-de-vie ou de cognac, que ses amis de la loge maçonnique dégustaient dans l'arrière-boutique de son officine de la rue Royale. Son souvenir demeurait vivace. N'était-ce pas lui qui, en 1795, avait inventé ce mélange que les initiés appelaient « coquetier » et dont les Anglais, toujours incapables de prononcer correctement un mot français, avaient fait « cocktail », appellation maintenant répandue dans tous les Etats-Unis et la Grande-Bretagne pour désigner les breuvages composites que l'on prenait à l'apéritif ? On citait aussi la réussite de François Seignouret, venu en 1814 avec le bataillon d'Orléans pour aider le général Jackson à battre les Anglais à La Chalmette. Seignouret fournissait en vins excellents la bonne société et fabriquait des meubles que toutes les maîtresses de maison souhaitaient posséder. Les tables, les chaises, les canapés, les fauteuils et les armoires en palissandre, ébène ou acajou du marchand de vins, dessinateur inspiré, damaient le pion aux meubles des meilleurs fabricants de Boston. Leur style original et leur confort passaient pour typiquement orléanais[1].

Les libations répétées autour du grand comptoir de chêne, poli par les coudes des buveurs, rendaient les hommes bavards. Tandis que les garçons en gilet noir et chemise blanche, enfermés dans leur bar-corbeille plein de bouteilles multicolores, remplissaient les verres, chacun voulait citer le nom d'un Orléanais dont le vieux quartier pouvait s'enorgueillir : le docteur Yves Le Monnier, qui avait osé le premier construire

1. Les « Seignouret », très rares aujourd'hui, se vendent à prix d'or chez les antiquaires.

une maison à trois étages; Adrien Rouquette, le poète amoureux d'une Indienne Choctaw; Judah Touro, le philanthrope; Zenou Cavelier, qui venait d'ouvrir la Banque d'Orléans; le général Zachary Taylor, héros de la guerre des Flèches Noires, qui ferait certainement une carrière politique; l'architecte James Gallier; James Audubon, le naturaliste dont certains affirmaient qu'il était peut-être Louis XVII; Joseph Soniat du Fossat, le riche marchand de grains; les peintres Jean-Joseph Vaudechamp, Jacques Amans et Thomas Sully, par lesquels il était de bon ton de se faire portraiturer, et cent autres encore.

« Les « méricains coquins », fit un médecin originaire de Montpellier en imitant l'accent créole, seraient bien incapables de trouver dans leur quartier dix hommes remarquables comme ceux que l'on vient de citer!

– Les Yankees sont des barbares », réussit à dire entre deux hoquets un gentleman qui semblait avoir son compte.

Clarence Dandrige, comprenant que l'on ne tarderait pas à conspuer en chœur les Yankees, préféra regagner son hôtel. La mosaïque américaine lui paraissait encore loin de constituer une communauté nationale harmonieuse. La rivalité entre le Nord et le Sud restait une affaire de tempérament. Si les heurts, à l'avenir, pouvaient se limiter aux rodomontades fielleuses dont la soirée lui avait donné un bel exemple, le mal ne serait pas grand. Mais les campagnes abolitionnistes, qui se développaient à Philadelphie et à Boston, risquaient d'amener des dissensions autrement graves. Un jour, peut-être, tous ces fils de la Liberté risquaient d'en venir aux mains et l'on assisterait à une lutte fratricide, au nom de causes opposées et pareillement respectables.

Et cependant le pays, qui se révélait plein de forces vives, grandissait d'année en année. Depuis

1830, deux nouveaux Etats s'étaient joints aux vingt-quatre qui composaient l'Union à cette date : l'Arkansas en 1836, le Michigan en 1837. On pouvait d'ores et déjà prévoir qu'un jour ou l'autre les Florides et le Texas viendraient accrocher leurs étoiles au drapeau fédéral. En ce qui concernait le Texas, l'annexion aurait déjà eu lieu sans la faiblesse du président Tyler, cédant à ceux qui ne voulaient pas voir entrer dans l'Union un nouvel Etat esclavagiste. Les menaces du président du Mexique, le général Antonio Lopez de Santa Anna, annonçant que « le Mexique considérerait comme une déclaration de guerre l'incorporation du Texas au territoire des Etats-Unis », fournissaient un bon prétexte aux abolitionnistes pour refuser le rattachement souhaité par les Texans. Là encore, pensait Dandrige, il faudra peut-être une guerre pour résoudre ce conflit d'influences. Certains Européens, comme Abraham Mosley, taxaient le gouvernement fédéral d'expansionnisme, mais n'était-ce pas dans la nature des choses et pour le continent tout entier un gage de sécurité et de prospérité que le développement de la Fédération ? L'année 1844, qui serait marquée par l'élection du président des Etats-Unis, verrait peut-être évoluer les mentalités. On savait déjà que le sénateur Henry Clay, du Kentucky, serait candidat pour les whigs contre John Tyler. Ce dernier avait en effet annoncé son intention de briguer un second mandat, ce qui ne plaisait pas à tous les démocrates.

En attendant, on se passionnait pour la nouvelle expédition de John C. Frémont qui, parti des environs de Kansas City, dans le Missouri, allait explorer les régions comprises entre les montagnes Rocheuses et l'océan Pacifique. On prévoyait que le voyage durerait plus d'un an. Frémont avait choisi pour guide Christopher Carson, dit Kit Carson, un gaillard de trente-cinq ans, ancien sellier à Franklin, qui depuis l'âge de dix-sept ans courait la Prairie, d'aventures en aventures, et que l'on considérait comme le digne successeur de Daniel Boone, de Dick Wotton et de Davy Crockett.

En se déshabillant pour se mettre au lit, Dandrige estima que les événements divers et les querelles stériles qui agitaient une population naturellement turbulente ne trouveraient heureusement que peu d'échos à Bagatelle. La monotonie de la vie de plantation garantissait une existence quiète. Ceux qui, comme lui, l'appréciaient faisaient preuve de sagesse.

2

C'EST dans le salon de la bonne Mme Drouin, toujours bien achalandé en poètes sans éditeurs et en rentiers désœuvrés, que la marquise de Damvilliers rencontra le colonel Charles de Vigors. Le militaire à la retraite, car il n'avait pas voulu servir la monarchie après une carrière brève mais glorieuse, à la fin de l'Empire, n'était pas un habitué de l'hôtel de la rue du Luxembourg. Il y avait été amené par un cousin aveugle, auquel il servait parfois de guide, car son tempérament le portait au dévouement. A cinquante-quatre ans, Charles de Vigors, issu d'une famille de la petite noblesse périgourdine, représentait ce qu'on appelait alors un bel homme. D'une carrure à peu près identique à celle du défunt marquis de Damvilliers, il portait sur une face colorée et lisse une moustache drue, dont les pointes rejoignaient des favoris fournis et bouclés, où l'on voyait encore plus de poils blonds que de poils blancs. Cette pilosité abondante du visage paraissait vouloir compenser une calvitie totale. Avec son crâne luisant comme un parquet, hélas rayé d'une longue et fine cicatrice – empreinte d'un coup de sabre russe reçu devant Smolensk – le colonel, haut et droit, aurait pu passer pour un condottiere. Un large sourire, traduisant une bonne humeur permanente, et des yeux bleus vifs et malicieux enlevaient à cette physionomie, qui aurait pu être prussienne, toute morgue et toute dureté. Les dames le trouvaient, en général, séduisant.

Hussard et casse-cou, il se flattait d'avoir conquis tous ses grades sur les champs de bataille, à l'époque où Napoléon connaissait plus de revers que de succès. Sa Légion d'honneur lui avait cependant été remise un jour de victoire, à Lützen, après qu'il eut ramassé les restes du maréchal Bessières, tué à son côté.

« Le malheureux a reçu un boulet russe de plein fouet, là, racontait volontiers le colonel en se frappant la poitrine comme un tonnelier frappe un tonneau. Le maréchal a été défoncé comme une porte. J'ai rassemblé ses restes dans son manteau et l'Empereur a dit : « Il est mort de « la mort de Turenne. Son sort est digne « d'envie. »

Né en 1789, pendant que se jouait la farce patriotique de la Bastille, le colonel ne voulait plus servir maintenant que la République. Après l'ultime boucherie de Waterloo et l'exil de l'Empereur, il avait donc remis son sabre au fourreau.

« En attendant que les rois passent ! avait-il l'habitude de dire.

– Si la police vous entendait, vous auriez des ennuis », roucoulait, admirative, Mme Drouin, qui frémissait toujours à l'évocation des grandes batailles impériales, lesquelles avaient fait encore plus d'orphelins et de veuves que de héros.

Quand, dans le salon de son hôtesse, Charles de Vigors vit entrer Virginie, il se précipita pour lui baiser la main. La veuve du marquis de Damvilliers reconnut du premier coup d'œil le gaillard entreprenant qui, dix ans plus tôt, lui avait conté fleurette à La Nouvelle-Orléans tandis qu'elle ouvrait le bal donné en l'honneur du docteur Antommarchi.

« Mon Dieu, monsieur, comme le monde est petit ! minauda Virginie, qui trouvait que le physique du colonel résistait fort bien au temps.

– Comme l'océan Atlantique paraît étroit de nos jours ! » renchérit l'officier.

On expliqua à Mme Drouin, venue faire les présentations, que l'on se connaissait déjà, puisque le colonel, accompagnant le dernier médecin de l'Empereur en Louisiane, avait eu l'honneur d'être le cavalier de Virginie en 1834.

« Naturellement, votre époux vous accompagne ? interrogea M. de Vigors.

– Hélas ! monsieur, intervint Mme Drouin en prenant un air de circonstance, le mari de ma nièce est mort, il y aura bientôt deux ans. »

Le colonel présenta les condoléances d'usage, puis, en stratège qui sait profiter de l'occasion d'une percée, il invita aussitôt Virginie à dîner. Elle accepta, sans se faire prier, d'où le militaire conclut qu'autrefois, à La Nouvelle-Orléans, seule la fidélité conjugale, ennemie déclarée des célibataires, avait pu faire obstacle à son offensive brusquée. Car ce hussard, ayant investi plus d'alcôves que de places fortes, se croyait toujours irrésistible.

« Demain se lèvera le soleil d'Austerlitz », pensait-il en regagnant son appartement, quai aux Fleurs, après avoir raccompagné le cousin aveugle, auquel il s'estimait redevable d'une rencontre aussi agréable qu'imprévue.

Deux jours plus tard, il emmenait Virginie chez Véry, au Palais-Royal. Il commandait un suprême de volailles aux truffes, accompagné d'un volnay. La marquise de Damvilliers, en pénétrant dans le restaurant fameux, fit se retourner toutes les têtes. Elle portait une robe vert d'eau, à manches gigot, comme l'exigeait la mode, et un chapeau de velours assorti. Les lourdes anglaises qui encadraient son visage nacré parurent aux femmes un peu désuètes, car on leur préférait maintenant une coiffure dégageant les oreilles, mais les hommes lui trouvèrent un charme romantique et envièrent le colonel.

Parmi les dîneurs connus figuraient ce soir-là le baron Alexandre von Humboldt, naturaliste et explorateur qui, avec Gay-Lussac, avait calculé la vitesse du son; le prince de Joinville, qu'on avait vainement attendu à La Nouvelle-Orléans en 1838 et qui se préparait à partir pour le Maroc; l'écrivain Sainte-Beuve et quantité d'autres célébrités. Quand on servit la charlotte aux pommes que le colonel souhaita voir arrosée d'un sauternes, Virginie connaissait tout de la vie et de la carrière de son commensal. Elle lui avait, de son côté, raconté Bagatelle, la vie de plantation. Quand l'officier sut que cette femme ravissante était mère de quatre enfants, il lui fit compliment de sa taille et de sa fraîcheur de jeune fille. Virginie se défendit mollement.

« Vous êtes un flatteur, colonel, et je me demande combien de fois vous avez ainsi parlé à une femme. »

Cette demi-question banale donnait l'occasion au militaire de jouer une de ses scènes favorites, celle de l'homme solitaire et incompris.

« Un homme trouve toujours des femmes, bien sûr, pour l'écouter et le distraire, mais ce qu'il cherche, s'il place les sentiments au-dessus du plaisir, c'est une femme. Eh bien, madame, je n'en ai jamais rencontré une à qui j'aie eu envie de donner mon nom, à laquelle je puisse m'attacher pour la vie. J'ai une existence agréable, certes, assez de fortune pour dépenser quand il me chante, pour voyager ou courir les antiquaires – car j'ai une passion pour les petits bronzes – j'ai de bons amis, je chasse avec les meilleurs fusils, je passe trois soirées au théâtre chaque semaine, mais... mais il me manque quelqu'un avec qui je puisse partager les menues joies quotidiennes... et la descendance des Vigors, dont je suis le dernier représentant, n'est pas assurée ! »

Le marivaudage se poursuivit assez tard. Quand le colonel déposa Mme de Damvilliers chez sa tante, minuit sonnait à Saint-Sulpice. Le colonel était amoureux et Virginie assez satisfaite de le constater. Il fut convenu qu'on irait ensemble le lendemain voir au Louvre trois toiles de Jean-Antoine Gros, que le hussard tenait pour le meilleur peintre de l'Empire : « Bonaparte au pont d'Arcole », « Les pestiférés de Jaffa », « Napoléon sur le champ de bataille d'Eylau ».

Au cours de cette visite, Mme de Damvilliers, qui savait plaire, voulut revoir « Le cuirassier blessé » de Géricault.

« Mon Dieu, colonel, je vous imagine ainsi, attendant sous les boulets un secours qui ne vient pas, et j'en ai des frissons, la guerre est vraiment une chose affreuse ! »

Le colonel, gagné par l'émotion, se voyait comme le beau cavalier peint par l'artiste, mais un peu moins coquet peut-être, après un engagement meurtrier. Il prit la main de Virginie, qu'il baisa avec effusion. Virginie le laissa faire, posa sur lui le doux regard triste qui convenait à une dame penchée sur un héros blessé.

« La guerre est comme l'amour, madame, l'état naturel des mâles, murmura le hussard; l'une et l'autre exigent le don du corps et l'engagement de l'âme ! »

En quittant le musée du Louvre, M. de Vigors portait, comme le cuirassier de Géricault, une blessure invisible, qui lui procurait une vive sensation de plaisir. Il comptait bien faire de la veuve du marquis une infirmière habile à le panser ! Les choses allèrent ensuite promptement. « Ne pas oser, c'est ne rien faire au bon moment, et on n'ose jamais sans être convaincu de la bonne fortune », pensait Charles de Vigors, qui appliquait à la conquête amoureuse les principes guerriers édictés par Napoléon. Etant convaincu de sa bonne fortune, il osa. Il fit porter rue du Luxembourg des brassées de roses, multiplia les invitations, offrit à Virginie un dessin du grenadier Pils représentant l'Empereur adossé à l'affût d'un canon et auquel il tenait beaucoup. Finalement, un après-midi où la pluie d'automne avait contraint les promeneurs à chercher un abri au Café Riche, sur le boulevard, il se déclara devant une tasse de chocolat fumant.

« J'ai une demande à formuler, madame, dit soudain le colonel, une demande délicate qui peut engager le reste de ma vie. Je vous prie d'en excuser la brutalité : voulez-vous m'épouser ? »

Virginie ne fut pas surprise et, très simplement, elle le dit au colonel, estimant inutile de jouer la scène conventionnelle de l'étonnement. Cet homme lui plaisait. Vigoureux, direct, sain, bien différent des banquiers libidineux, des polygraphes acnéiques et des viveurs fatigués qu'elle rencontrait chez sa tante.

« Où puis-je vous donner une réponse, disons, dans quarante-huit heures, colonel ? »

Le hussard, interloqué par ce ton de femme d'affaires, mais bouleversé par le sourire et le regard affectueux de Mme de Damvilliers, bredouilla :

« Au Jockey-Club..., par un billet... Je vais m'y enfermer en attendant votre décision. Chez moi, je tournerais comme un fauve encagé ! »

« Puis-je espérer ? » interrogea-t-il plus tard, alors qu'il déposait Virginie devant une boutique où Mme Drouin devait la rejoindre.

La jeune femme tendit sa main à baiser.

« L'espérance n'est-elle pas déjà un plaisir, monsieur ? »

Ainsi qu'il l'avait dit, Charles de Vigors finit la journée au Club, rentra chez lui, sérieusement éméché, ayant gagné au jeu de quoi faire à Virginie, si sa réponse devait être positive, un beau cadeau de fiançailles. Comme tous les amoureux dans l'expectative, le colonel eut un sommeil agité. Au réveil, il connut en prenant son petit déjeuner des alternances. Tantôt il pensait avoir enlevé la place, tantôt il se voyait refusé. Agréé, il commencerait une nouvelle vie; éconduit, il continuerait à recevoir de « petites dames » sans manières, car il se connaissait assez pour savoir que sa déception « ne lui couperait ni le boire ni le manger ».

Revenu au Jockey-Club, il se remit au jeu et gagna avec une chance insolente, ce qui l'incita au pessimisme. Quand, à la fin de l'après-midi, un valet vint lui annoncer qu'on le demandait, il était persuadé d'un refus auquel, par anticipation, il se résignait.

« Une dame vous attend dans sa voiture, mon colonel », dit le domestique.

Charles dévala quatre à quatre l'escalier monumental. Si Virginie venait elle-même apporter sa réponse, c'est que celle-ci devait être favorable. Dans le cabriolet parfumé, Mme de Damvilliers ressemblait à un saxe dans son écrin. Le colonel, légèrement essoufflé par la précipitation et muet comme un plaideur à l'instant du verdict, prit la main qu'on lui tendait.

« Montez et asseyez-vous », dit Virginie.

Elle jouissait de l'inquiétude manifeste du militaire et, par jeu, souhaitait la prolonger un peu. Quand le cabriolet capitonné de soie jaune s'ébranla, elle se décida à parler.

« Je compte retourner chez moi, en Louisiane, début mars, colonel; c'est là-bas une merveilleuse saison. Le soleil est déjà chaud, les magnolias sont couverts d'énormes bourgeons et l'on sème le coton. Bagatelle n'est jamais aussi belle qu'au printemps. On peut faire de longues promenades à cheval au bord du Mississippi et l'on prépare de grands barbecues qui se terminent toujours par des bals... »

Décontenancé par ce préambule, qui ressemblait fort à une diversion, Charles caressait le pommeau de sa canne pour masquer son impatience. Il attendait une réponse capitale et on lui faisait un exposé touristique. Devant sa mine, Virginie se mit à rire franchement.

« Je compte bien, dit-elle, que Bagatelle vous plaira, car, étant alors mon mari, vous devrez y vivre ! »

Le colonel lâcha sa canne, se tourna prestement vers cette femme, qui venait de le faire plus souffrir en deux minutes que toutes les blessures de guerre réunies, écarta la fourrure de renard qui dissimulait ce visage dont l'image depuis trois semaines ne l'avait pas quitté et embrassa Virginie avec une fougue dont elle ne le croyait pas capable. Elle sentit les grosses moustaches plus douces qu'il n'y paraissait sur sa joue, puis, sur sa bouche, des lèvres charnues et tièdes. Elle s'abandonna comme une grisette à ce premier baiser, devinant tout de suite qu'elle n'aurait rien à apprendre à son second mari. Les Autrichiennes, les Allemandes, les Italiennes et les Françaises avaient fait des officiers de l'Empereur des amants éclectiques. « C'est l'avantage, pensa-t-elle en essayant de retenir son chapeau déséquilibré par l'assaut de M. de Vigors, que de choisir un homme qui a vécu ! »

« Allons dîner, s'il vous plaît, dit-elle; je meurs de faim !

– Et moi donc, je n'ai pratiquement rien avalé depuis ce chocolat de l'autre après-midi ! »

Leur conversation, entrecoupée de déclarations et de mouvements de tendresse de la part du colonel, de gestes aimables et de rires de la part de Virginie, permit de régler les détails d'un accord que l'on arrosa de champagne rose.

« Quand nous marions-nous, Virginie ? finit par dire le colonel. Le plus tôt sera le mieux, je suis impatient !

– Quand vous voudrez, Charles, le notaire de ma tante s'occupera de tout... Mais, ajouta-t-elle, l'impatience n'est pas de mise puisque tout est décidé ! »

En disant ces mots, Mme de Damvilliers avait eu un regard que le colonel ne lui connaissait pas, mais qui lui fit battre le cœur plus vite. Il confirmait une sensation fort agréable qu'il avait eue dans le cabriolet en l'embrassant. La veuve du marquis n'était pas de ces mijaurées pudibondes qui font des manières devant un lit. A la fois réjoui et gêné, il se tut, lui baisa les doigts pour la centième fois, sans se soucier de la présence du maître d'hôtel. Mme de Damvilliers étant de ces femmes ardentes qui ont des impulsions d'après-dîner, elle tira l'officier d'embarras.

« S'il n'est pas trop tard, colonel, j'aimerais connaître votre appartement du quai aux Fleurs. On le dit meublé avec un goût exquis et, avant que vous n'emballiez vos bronzes, je serais ravie de les voir dans leur décor... »

Cette fois, le doute n'était plus possible. Le soleil d'Austerlitz serait là, le lendemain à l'heure des toasts et des œufs mollets. M. de Vigors régla l'addition, réclama le vestiaire et enleva Virginie, aussi vivement qu'il conduisait autrefois une charge de cavalerie. Le cabriolet de Mme Drouin, que l'on renvoya sitôt arrivé quai aux Fleurs, fut le théâtre clos d'un échange de tendresses qui en promettaient d'autres.

Sitôt entrée dans l'appartement, Virginie s'arrêta un instant devant les bronzes prétextes. Tout en dénouant le ruban de son chapeau, elle apprécia d'un index sensible la patine d'un cheval de Falconet, caressa le dos d'un guerrier étrusque et la croupe d'une nymphe un peu scandaleuse. Quand Charles de Vigors lui retira son manteau, elle se retourna vers lui, noua ses bras autour de la nuque de l'officier cramoisi de désir et susurra :

« Pourquoi attendre, Charles ? »

Le lendemain matin, le soleil tamisé par la brume automnale mettait des reflets ocre à la surface de la Seine. Le valet du colonel, ancienne ordonnance, poli par les usages de la vie civile, constata que la dernière conquête de son maître était la plus belle et la plus distinguée de toutes les dames auxquelles il avait jusque-là servi le petit déjeuner.

Le soir même, M. de Vigors informa son fidèle « tampon » qu'il allait enfin se marier.

« Te plairait-il, Mallibert, de venir voir l'Amérique ?

– Pour se battre contre les Indiens, je suis partant, mon colonel.

– Et pour se faire dorloter par des mulâtresses aux seins comme des melons, Mallibert ?

– Je suis déjà parti, mon colonel ! »

3

La lettre de Virginie que l'intendant trouva à Bagatelle à son retour de La Nouvelle-Orléans devait lui prouver que la quiétude est un état aléatoire. La nouvelle apportée par le courrier constituait une surprise de taille. La marquise de Damvilliers annonçait simplement qu'elle s'était remariée à Paris, au mois de novembre, et qu'elle arriverait en Louisiane au début du printemps avec son nouvel époux, le colonel Charles de Vigors, dont Dandrige, précisait-elle, saurait se faire en peu de temps un ami. Elle demandait à l'intendant d'informer Pierre-Adrien, Gratianne et Julie, auxquels elle écrirait plus tard. Par le même courrier, elle disait prévenir directement Marie-Adrien.

Ayant lu et relu la missive, Dandrige demeura un moment immobile, fixant sans le voir le décor familier du parc. La pluie battait la véranda, des nuages gris filaient au ras des arbres. Un vent du nord déjà froid retroussait comme une jupe la mousse espagnole attachée aux branches des chênes. Mic et Mac, devenus plus calmes, guettaient le moment favorable pour s'introduire dans la maison. Malgré son sang-froid, Clarence connut un moment de tristesse. Ainsi, Virginie allait introduire à Bagatelle un autre homme. Il faudrait s'habituer à lui voir tenir la place d'Adrien, car, bien que sans pouvoir sur la plantation, il n'en serait pas moins une sorte de maître consort. La perspective d'annoncer aux enfants le remariage de leur mère lui parut une corvée. Il ne pouvait imaginer leurs réactions et se devait de chercher des arguments pour leur faire admettre la situation actuelle, créée par l'arrivée d'un beau-père dont on ne savait rien. Le fait que Virginie ait traité différemment Marie-Adrien, en le prévenant elle-même, n'étonnait pas l'intendant. Il savait depuis longtemps la complicité existant entre la mère et le fils aîné. Cependant, sans le choquer, cette façon de faire lui déplaisait.

Pour Virginie, le futur maître de Bagatelle par droit d'aînesse, droit que ne reconnaissait pas, d'ailleurs, la loi américaine, paraissait être le seul représentant des Damvilliers digne d'intérêt. Il y avait d'un côté Marie-Adrien, de l'autre « les enfants ». Et c'est sur lui, Dandrige, que Virginie comptait pour surveiller leur éducation comme s'il se fût agi d'une tâche secondaire, pour laquelle la mère déléguait son autorité.

Avec un à-propos bien digne de la malchance qui semblait le poursuivre dans ses tentatives amoureuses et conjugales, Willy Tampleton, qui se préparait à rejoindre son régiment, dont on annonçait le départ pour la frontière du Texas, devait venir dîner à la plantation, ainsi que Barthew et sa femme. Il ne restait donc que peu de temps à Dandrige pour annoncer la nouvelle aux enfants, lesquels, pensait-il, devaient être informés avant les étrangers du mariage de leur mère. Comme Virginie suggérait également de prévenir les intimes et les domestiques, il se croyait autorisé à divulguer la nouvelle aux invités.

Les enfants, au contraire de ce que pouvait

craindre l'intendant, prirent fort bien la chose. Gratianne battit des mains :

« Maman est si belle et si bonne, je veux qu'elle soit heureuse. »

Puis elle demanda aussitôt :

« Un colonel, comment c'est habillé ? »

Julie, qui allait sur ses sept ans, ne dit rien. Ses grands yeux sombres, dans sa figure crayeuse, s'ouvrirent démesurément, comme chaque fois qu'elle faisait un effort d'attention. Quant à Pierre-Adrien, il s'informa :

« Devrai-je appeler ce monsieur *père*, monsieur ? »

L'intendant répondit que sa mère saurait le lui dire, mais qu'il ne pensait pas, personnellement, que ce soit indispensable.

« J'aimerais mieux pas. Mais je ferai comme Marie-Adrien », conclut l'enfant.

Assez satisfait de la réaction des trois Damvilliers, Dandrige s'empressa de les laisser seuls commenter l'événement. En s'habillant pour le dîner, il ne pouvait se défendre d'une certaine nervosité. Pour un homme ayant l'habitude de s'analyser froidement, ce symtôme était irritant : il dut s'y reprendre à trois fois pour nouer sa cravate. Le sentiment qui l'agitait ne pouvait pas être de la jalousie au sens où l'entendent les hommes ordinaires; Dieu merci, il n'avait jamais été épris de Virginie. Son incapacité d'être amoureux le mettait à l'abri des exaltations incontrôlables, comme des rancunes vulgaires, mais il n'en ressentait pas moins un trouble, une lassitude soudaine et mélancolique. La lettre de Virginie, cependant confiante et amicale, lui avait causé une déception dont il se découvrait incapable de définir la nature profonde. Il mit tout d'abord cela sur le compte de cet égoïsme subtil qui fait que, sans désirer réellement posséder une chose ou un être, on souffre de les voir livrés à un autre.

L'union de Virginie avec Adrien l'avait réjoui, le remariage de la marquise lui causait un malaise stupide et inexplicable. Cette femme dans l'intimité de laquelle il vivait depuis tant d'années, dont les pensées lui étaient connues et pour laquelle il avait une réelle affection lui avait apporté, sans s'en douter, une certaine forme de sérénité : le spectacle du bonheur qu'elle semblait avoir connu avec l'homme que Dandrige aimait le plus au monde, après son père.

Il ne pouvait aujourd'hui lui reprocher de vouloir retrouver l'amour et ses plaisirs avec un autre compagnon. Il eût même été malheureux de voir Virginie en veuve inconsolable. Eût-il préféré lui voir épouser en secondes noces Willy Templeton ou un fils de planteur nanti ? Il n'en était pas sûr non plus. Alors ? L'amitié spéciale qu'il portait à la dame de Bagatelle ne le rendait-elle pas injuste ? Il finit par en convenir et calcula que dans cinq ans, libéré des responsabilités que lui avait confiées le marquis sur son lit de mort, il pourrait aller vivre, loin de la plantation, une existence qui lui fournirait peut-être l'occasion de nouveaux enthousiasmes.

Savoir qu'il pourrait un jour quitter Bagatelle et son décor bucolique le rassurait. Mais avait-il le désir sincère de s'éloigner de cette maison où il était né une seconde fois ?

Quand il rejoignit Willy Tampleton, arrivé le premier, dans le grand salon où brûlait un feu de bois, Dandrige avait retrouvé tout son calme intérieur. Le capitaine se montra chaleureux :

« Alors, vestale de Bagatelle, quelles sont les nouvelles ? J'ai vu les enfants, ils ont bonne mine et ne se plaignent pas du maître par intérim ! On attend, j'imagine, le retour prochain de notre marquise parisienne !

– Virginie reviendra avec le printemps, Willy, elle me l'a écrit.

– Bon. Le printemps est la saison des retours. Mais dites-moi, Dandrige, j'ai un projet sur lequel je voudrais connaître votre opinion. Pensez-vous que, si je présentais une nouvelle demande en mariage à Virginie, j'aurais une chance cette fois d'être agréé? Je compte passer bientôt major et prendre mes quartiers à Charleston.

– Vous êtes encore en retard, Willy. Mme de Damvilliers vient d'épouser un colonel, à Paris. Elle le ramène à Bagatelle.

– Ah!... Eh bien, n'en parlons plus. Il est dit que je n'épouserai jamais Virginie... Offrez-moi donc un peu de porto!... »

La vie militaire avait donné à Willy un meilleur contrôle de ses émotions. Dandrige remarqua cependant une brève pâleur et une espèce de moue dans laquelle se retrouvait le visage d'un adolescent déçu. Dandrige emplit les verres.

« Vous n'allez pas vous soûler comme la première fois, hein! Le célibat n'est pas une position si désagréable!

– Je ne me soûlerai pas, Dandrige, mais je suis victime d'un amour insensé pour Virginie. Je n'y puis rien. J'ai connu pas mal de femmes, en garnison ou ailleurs, mais aucune ne m'a apporté ce que j'attends. Seule Virginie pourrait me donner le vrai bonheur. J'en suis certain. Hélas! l'amour ne se communique pas comme le choléra! A vous je puis bien dire que je suis malheureux, Dandrige, et je vous envie d'être insensible au charme de cette fée déroutante! »

L'entrée de Barthew et de Mignette interrompit les confidences. La joie de vivre évidente de ce couple, constitué après bien des épreuves cruelles, si elle satisfit Dandrige, augmenta sans doute chez Willy Tampleton la sensation de frustration qu'il venait de confesser. L'avocat, que l'intendant avait connu peu soigné, portant des vêtements fripés et un chapeau difforme, semblait plus jeune de dix ans, dans une redingote grise à parements de soie, ouverte sur une chemise immaculée. Ayant cessé de boire de l'alcool en grande quantité, il apparaissait plus mince et son visage glabre avait perdu ce ton gris commun aux alcooliques, quand ils sont aussi grands fumeurs. A l'instant où il ôta son feutre, Dandrige constata que Mignette n'avait pas réussi à discipliner la mèche rebelle qui, toujours, retombait sur le front de Barthew. Grâce à ce signe distinctif, Ed pouvait passer pour une version améliorée de lui-même.

Quant à la veuve du forgeron, fort élégante dans une robe de soie grège, elle paraissait épanouie et très amoureuse de son mari. Avant de passer à table, Dandrige leur annonça la nouvelle que connaissait déjà Willy Tampleton.

« Je lui souhaite d'être entourée d'autant d'attentions que je le suis, dit Mignette en prenant la main de son mari. On peut avoir dans la vie plusieurs bonheurs différents, monsieur Dandrige, vous me l'avez dit un jour, et ce n'est pas renier les bonheurs passés que de goûter pleinement un bonheur présent.

– Le bonheur, pffff!... intervint Willy Tampleton, ça n'est pas donné à tout le monde et je me demande même s'il ne recule pas au fur et à mesure qu'on s'en approche! »

Barthew donna une bourrade au capitaine, dont il devinait aisément l'origine du pessimisme.

« Vous l'avez échappé belle deux fois, mon cher, et, puisque nous parlons bonheur, sachez qu'il n'est pas toujours là où nous croyons le trouver. Un militaire doit être clairvoyant et ne pas s'attarder devant une redoute imprenable quand la plaine est ouverte à son galop!

–« Pour que le bonheur puisse entrer dans « notre âme, cita Dandrige, il faut commencer par

« nettoyer la place et en avoir chassé les maux « imaginaires[1]. »

– Tout cela, ce sont des phrases de philosophes, grogna le capitaine, et je suis, moi, de l'avis de Voltaire, au risque de vous scandaliser : « La « philosophie promet le bonheur; mais les sens le « donnent ! »

– Ce qu'il lui faut, c'est une femme, et vite », lança Barthew en riant.

L'entrée d'Anna, portant un odorant gratin d'écrevisses, mit fin aux considérations matrimoniales.

1. Fontenelle.

4

Le 3 mars 1844, le colonel Charles de Vigors fit la connaissance de Bagatelle. Ce hussard à l'aise n'importe où, qui avait dormi dans les lits des hobereaux prussiens en fuite, bivouaqué sous la neige avec, en guise de couvertures, des rideaux arrachés aux palais incendiés des boyards, connu les fermes des retraites où il avait partagé la paille des chevaux, réquisitionné sans billets de logement des chambres de nonnes polonaises, fut tout de même ébahi par cette demeure sobre, aux proportions harmonieuses, par l'exubérance d'une nature inconnue, gorgée en cette saison de sèves impatientes, par l'importance d'une domesticité sur laquelle Mallibert prit aussitôt autorité.

D'emblée adopté par la société des planteurs souvent bonapartistes, à laquelle Virginie le présenta au cours des barbecues, il séduisit Dandrige à qui, par plus d'un trait de caractère, il rappela Adrien. Plus fin et plus expansif que le défunt marquis, il devint vite pour l'intendant un excellent compagnon de chevauchées. Moins admiratif et moins béat que le premier mari de Virginie, il se montrait fort empressé autour de sa femme, ne se mêlant en rien des affaires de la plantation, mais toujours prêt à donner un conseil, à proposer un appui.

Les enfants lui firent bon accueil. Pierre-Adrien le convainquit de raconter ses campagnes, Gratianne obtint qu'il enfilât, un soir, pour dîner, son uniforme chamarré et Julie fut émerveillée par l'habileté avec laquelle il lui fabriqua des meubles de poupées. Marie-Adrien, auquel il rendit visite avec sa femme au collège Saint-Joseph, se montra moins chaleureux. Virginie expliqua que le tempérament de son fils aîné ne portait pas celui-ci aux démonstrations.

On s'entendit pour dire à Pointe-Coupée que la veuve du marquis avait bien choisi son second mari qui, huit jours après son arrivée, tint à accompagner sa femme au cimetière de Sainte-Marie et à s'incliner devant le tombeau des Damvilliers. Agissant avec naturel, sans ostentation ni raideur, le colonel évita de se mêler aux discussions politiques. Comme il était excellent danseur et d'une gaieté de bon aloi, sa réputation fut rapidement faite : il était digne d'être sudiste. Au cours des années, il le devint, encore que ses principes républicains l'eussent conduit, au début, à se ranger spontanément du côté des anti-esclavagistes. Quand il connut mieux les conditions de vie des esclaves et qu'il eut apprécié le dévouement que ceux-ci portaient à leurs maîtres, son opinion évolua. Le Sud n'était-il pas ce parterre de roses dont le parfum grise les âmes et dont parlait un poète yankee, en déplorant que le charme de la Louisiane soit capable d'émousser chez les cœurs les plus généreux le sens de la liberté !

Ce n'est que plusieurs semaines après l'arrivée du couple que Dandrige put avoir avec Virginie une de ces conversations intimes et confiantes dont l'un et l'autre connaissaient le prix.

« J'avais un peu peur, Clarence, que vous ne désapprouviez un remariage aussi rapide.

– Je le désapprouverais si je ne vous voyais

pas heureuse, Virginie; mais, puisque ce n'est pas le cas, je suis enchanté. Comme toujours, vous avez agi au mieux. Le colonel de Vigors est un parfait gentilhomme, vous ne pouviez rêver meilleur compagnon et, pour Bagatelle, meilleur régent !

– Bagatelle, Bagatelle, vous parlez toujours de Bagatelle comme si c'était un royaume, Clarence. Ce n'est pas à Bagatelle que j'ai pensé en épousant Charles, j'avais besoin d'un homme, c'est aussi cru que cela. Je suis heureuse de surcroît qu'il convienne à Bagatelle. »

Virginie s'exprimait d'un ton vif, un peu irrité. Dandrige en fut surpris.

« Mais, dit-il, que vous le vouliez ou non, Bagatelle est un royaume et cela a son importance pour vous, comme pour vos enfants. Et je suis certain que vous y avez pensé à Paris, quand vous avez accepté la demande de M. de Vigors.

– Pas le moins du monde, je vous assure. Je n'ai pas une âme de vestale. Bagatelle est une partie de mon bonheur et de ma vie, mais ce n'est pas toute ma vie, ni tout mon bonheur... et le véritable régent de Bagatelle, c'est vous, Clarence. A moi, il me fallait un mari ou un amant. Votre austérité vous permet de vous passer d'affection et de tendresse, tant mieux pour vous ! Je ne suis pas faite ainsi. J'ai, moi, besoin d'être aimée !

– Tout être humain a besoin d'être aimé, Virginie, dit l'intendant doucement, et ne croyez pas que ce soit un bienfait naturel que d'être dispensé de ce désir. La solitude du cœur n'est pas enviable. Elle n'apporte qu'une paix creuse, celle de la solitude !

– Pardonnez-moi, Clarence. Je vous connais si mal, malgré l'affection que je vous porte ! J'ignore les motifs qui vous tiennent éloigné de la voie normale des êtres ordinaires, mais je ne doute pas de votre sincérité et j'aimerais faire quelque chose pour votre bonheur.

– Existez, Virginie, telle que vous êtes, et cela suffit. Le reste ne dépend plus ni de vous ni de moi. Sachez que, m'étant accepté tel que je suis, je ne puis me dire malheureux.

– Ni heureux ?

– C'est une question de mots. »

Mme de Vigors comprit qu'elle n'en saurait pas davantage. Pour elle, Clarence, cet homme sans femmes ni passions, demeurait un mystère irritant. Quand, autrefois, elle avait questionné Adrien à ce sujet, ce dernier avait hésité un moment avant de répondre : « N'écoutez surtout pas les sornettes des demoiselles de plantation, Virginie, quant aux mœurs particulières dont serait affligé Dandrige. Il y a dans la vie de cet homme un drame que je suis seul à connaître et qui en fait une sorte de saint..., oui, c'est cela, un saint malgré lui. Sachez que c'est l'être le plus estimable que je connaisse après vous et que je l'aime comme un frère ou un fils. »

Quel était ce drame auquel avait fait ce soir-là allusion son premier mari ? Seul Clarence aujourd'hui pouvait le dire, or il ne le dirait jamais.

Au mois de mai, M. de Vigors, qui avait apporté dans ses bagages un livre d'Alexis de Tocqueville, *De la démocratie américaine*, eut l'occasion, avec l'affaire Elliott, d'apprécier une des tares cachées du système judiciaire américain, dénommé par l'historien français : le pouvoir politique des magistrats. Le juge Elliott, qui avait délivré trois ou quatre cents certificats d'électeur à des étrangers qui n'y avaient pas droit, venait d'être destitué, ce qui causait dans le pays un certain malaise. Celui-ci se dissipa heureusement aussi vite qu'il s'était manifesté, surtout quand on apprit que le télégraphe, inventé par Samuel Morse, avait fonctionné de façon satisfaisante entre Baltimore et Washington. Généralisé, le système faciliterait copieusement les communications, ce dont personne ne se plaindrait dans un pays où le courrier rapide était transporté par des cavaliers, qui louaient fort cher leurs services. M. de Vigors fut assez fier d'apprendre à Dandrige qu'il existait déjà en France cinq cent trente-quatre stations de télégraphe.

Un autre événement survint pendant l'été, qui fit pendant quelques soirées le fond des conversations de Bagatelle. Le chef mormon Joseph Smith – un illuminé, disaient les uns; un saint homme, disaient les autres; un homme d'affaires hors pair, soutenaient quelques-uns – avait été tué à Carthage (Illinois) par un citoyen excité. Les journaux minimisèrent la portée de ce crime atteignant une secte cordialement détestée par la plupart des gens. En fait, c'était une véritable tuerie qui avait eu lieu à Carthage, le 27 juin. Quelques semaines auparavant, les autorités de l'État avaient procédé à l'arrestation de Joseph Smith et de son frère Hyrum, ainsi que d'un certain nombre de dirigeants de l'« Eglise de Jésus-Christ et des Saints du Dernier Jour », sous le prétexte qu'ils se mêlaient de politique en pleine année électorale. La populace, entraînée par quelques imbéciles, avait pris d'assaut la prison où l'on retenait les prisonniers et les avait massacrés. C'était donc une bonne demi-douzaine de morts que l'on déplorait. Pour les fidèles de l'Eglise contestée, ils étaient aussitôt devenus des martyrs. Spécialement le pauvre Joseph Smith, qui était à l'origine de cette religion.

Celui-ci avait reçu en 1820, à l'âge de quinze ans, dans son petit village de Palmyra (Etat de New York), une étonnante visite. Un messager de Dieu, sorte d'ange commissionnaire, lui était apparu. Il disait se nommer Moroni et venait pour lui annoncer que le Seigneur comptait sur

Joseph Smith pour restaurer la vraie religion. Fils de puritains austères bien qu'ayant le goût de l'argent, le garçon paraissait prêt à se consacrer à cette tâche, mais ne savait comment s'y prendre. Le Tout-Puissant, qui avait dû prévoir ces hésitations, lui dépêcha à nouveau, trois ans plus tard, son ange de confiance. Ce dernier lui indiqua, cette fois, que des tablettes d'or, transcription d'un livre hébreu, dû à un prophète oublié, appelé Mormon, étaient cachées sous une dalle, au sommet d'une colline. C'était le nouveau catéchisme de lumière, qu'il aurait à déchiffrer grâce à deux pierres-dictionnaires qu'il trouverait près des tablettes.

Joseph, qui n'avait pas les deux pieds dans le même sabot, s'en fut déterrer les tablettes, qui n'étaient que de métal doré, mais l'ange, surveillant ses gestes, lui intima l'ordre de les laisser là quatre années encore. En 1827, Smith convainquit un riche fermier, M. Martin Harris, qui avait tâté de plusieurs religions sans en trouver une qui lui convînt, de faire imprimer le livre de Mormon, qu'il avait traduit. En 1830, ce fut chose faite. Les trois mille exemplaires du texte, réputé sacré, qui racontait les pérégrinations de quelques tribus d'Israël, s'écoulèrent difficilement bien que le prix initial de l'ouvrage, proposé à un dollar, ait été ramené à vingt-cinq *cents*. Sans doute pour encourager son nouveau prophète, Dieu lui délégua alors un saint à la tête bien remplie, encore qu'amovible si l'on en croyait les images pieuses : Jean-Baptiste. La victime de Salomé donna de judicieux conseils en matière d'organisation de la secte. Un conseil de douze apôtres assista désormais le chef de l'« Eglise de Jésus-Christ et des Saints du Dernier Jour ».

La mise au jour assez suspecte des tablettes de métal doré avait suffi à exciter la curiosité des paysans de Palmyra. Les textes que Joseph Smith en tira, trouvant écho dans la puérilité ignorante et recueillant la fringale mystique de gens voués à la domination de l'argent, donnèrent naissance à une religion où l'affairisme devait toujours le disputer au souci du salut.

Les mormons reconnaissaient, autant que l'on puisse en juger, deux sources principales d'inspiration : la Bible, livre éternel, et les tablettes de Mormon, révélation « up to date » du Nouveau Monde. Des éléments bouddhiques, gnostiques, mahométans et chrétiens cohabitaient dans le caravansérail d'une philosophie bâtie de pièces et de morceaux. Il ne semblait faire nul doute, pour les adeptes de la secte, que les Indiens d'Amérique avaient une origine juive, ce dont les bons sauvages se moquaient comme de leur premier pagne.

On avait un peu l'impression que cette filiation si opportunément découverte par Smith n'était pas totalement désintéressée. Rejetés par ceux qu'ils appelaient les « gentils » vers les territoires où les bons chrétiens américains avaient déjà déporté les Indiens, pour s'approprier leurs terres, les mormons souhaitaient établir des liens de solidarité avec ces parias insensibles aux charmes de la civilisation. Les « sauvages », pacifiques et grands amateurs de folklore, n'y voyaient pas d'inconvénient. Un dieu de plus n'était pas pour leur déplaire. Ils donnaient ainsi aux « colonisateurs » une belle leçon de tolérance religieuse.

Le clergé professionnel n'existait pas chez les mormons, où tout mâle de plus de douze ans pouvait célébrer le culte, s'il croyait à la continuité de la révélation aussi bien qu'à la nécessité de payer sa dîme au Conseil des chefs. « L'homme est ce que Dieu était. Ce que Dieu est, l'homme peut le devenir », affirmaient-ils. Si tous les grognards de la Grande Armée, chers au colonel de Vigors, détenaient leur bâton de maréchal dans leur giberne, tous les mormons recelaient dans leur sac leur auréole de saint. Dans le pays de la libre entreprise, personne ne se fût offusqué de pareilles convictions, si les mormons n'eussent été polygames. Pour des raisons mystérieuses et couvertes par le religieux secret de leurs pratiques, ces robustes fornicateurs s'étaient arrogé le droit de posséder officiellement plusieurs épouses, au mépris des lois fédérales et des mœurs convenables. S'agissait-il d'une forme de mortification au second degré ou d'un enthousiasme démographique inspiré de l'Evangile : « Allez et multipliez ! » nul ne le savait, en dehors du large cercle des épouses mormones. Joseph Smith, en mourant tragiquement, avait pour sa part laissé vingt-cinq veuves !

Quand Mallibert, l'ordonnance du colonel, dont les jeunes esclaves esseulées appréciaient les performances, connut cette particularité du rite, il souhaita se faire mormon. Le colonel, son maître, lui conseilla de s'abstenir, Bagatelle offrant sur le plan féminin autant de ressources que la secte de Joseph et avec d'autres garanties.

En attendant, les mormons, dont on ne devait pas sous-estimer la ténacité, venaient de se doter d'un nouveau chef, Brigham Young, qui envisageait d'emmener sa secte en deuil plus à l'ouest, dans un désert proche du Grand Lac Salé, où personne n'irait vérifier le nombre des épouses et où les politiciens ne prendraient pas ombrage d'opinions concurrentes. Au nom du Christ et en faisant des textes de la Bible une interprétation différente des Sudistes, les mormons, au nombre de quelques milliers, s'étaient très tôt déclarés hostiles à l'esclavage, ce qui ne pouvait leur attirer beaucoup de sympathies en Louisiane.

« Toutes les religions se valent et il en faut, dit le colonel de Vigors. On a peut-être tort de persécuter ces gens auxquels le dieu qu'ils invoquent n'a pas l'air d'accorder grande protection.

– On a toujours tort de persécuter quelqu'un pour ses croyances, ajouta Clarence, et d'ailleurs le *Bill of rights*, adopté en 1790 comme amendement à la Constitution des Etats-Unis, garantit formellement la liberté et l'exercice de tous les cultes. Cette liberté, qu'on ne peut regretter, fait évidemment du pays le théâtre d'une concurrence effrénée entre Eglises rivales. Leurs procédés de recrutement ne sont pas toujours en harmonie avec l'amour du prochain que toutes ces sectes prônent invariablement ! »

La Louisiane restait de tous les Etats du Sud le plus voué au catholicisme, tandis que dans le Nord on rencontrait quantité d'Eglises, allant de celle des unitariens à celle des épiscopaliens, en passant par celles des baptistes, des quakers, des presbytériens et bien d'autres. Ces Eglises dépêchaient dans le Sud des missionnaires, chargés de pêcher les âmes. Avec une audace incroyable, ils venaient relancer les gens jusque dans les plantations et même, comme le révérend Peter Cartwright, qui n'hésitait pas à user de sa force prodigieuse pour convaincre ses auditeurs de la suprématie de sa foi, jusque sur les show-boats du Mississippi ! On avait vu défiler à Pointe-Coupée des prédicateurs enflammés qui faisaient des descriptions de l'enfer si effrayantes que les enfants se mettaient à pleurer et se cachaient la tête dans les jupes de leur mère.

Dandrige, sans être franchement athée, se méfiait de toutes ces singeries. Il avait déjà fait éconduire quantité de baptistes, quakers, shakers, scientistes et autres vendeurs de brochures, palabreurs infatigables.

« La peste soit des prêcheurs, disait-il; si l'enfer existe, ils s'y retrouveront tous, pour avoir à longueur de jour prononcé d'inutiles paroles ! »

Il faut dire que l'agressivité des Eglises protestantes venait des progrès enregistrés depuis 1830 par le catholicisme. Dans l'ensemble de l'Union, on ne comptait alors que cent mille catholiques romains environ. En dix années, ils étaient devenus un million, grâce à l'apport des immigrants allemands et irlandais. Voyant leur clientèle s'échapper, les protestants se livraient parfois à des actes répréhensibles. Ils avaient brûlé en 1831 l'église Sainte-Marie à New York, en 1834 le couvent des ursulines de Boston et ils venaient tout juste de mettre le feu à deux églises et à un séminaire de Philadelphie. Des fanatiques galvanisaient leurs ouailles en leur affirmant que les catholiques prendraient les meilleures terres de l'Ouest, que les couvents n'étaient que des bordels, que le pape avait décidé de transporter le Vatican en Louisiane, pour mieux jouir des richesses du Nouveau Monde, que des curés s'emparaient des jeunes vierges qu'ils transformaient en chair à saucisses après les avoir violées.

L'été avait été marqué à Philadelphie par des émeutes consécutives aux incendies d'églises. Elles avaient fait treize tués et une cinquantaine de blessés. On pouvait redouter une guerre de religion, la plus stupide de toutes, car des journalistes protestants, idiots ou malintentionnés, osaient écrire : « La main sanglante du pape s'étend jusqu'ici pour nous détruire. »

M. de Vigors découvrait à travers toutes ces nouvelles une Amérique dont Paris ne soupçonnait pas l'existence et dont, à Bagatelle, on ne se souciait guère. Sauf quand les réformés tentaient de prêcher aux Noirs épars dans les champs la révolte contre les papistes esclavagistes « qui insultaient Dieu en les enchaînant ». Le colonel, par amour pour sa femme, conformité de vues avec son milieu et parce que, chez les Romains, il fallait se conduire comme les Romains, avait jeté dans le Mississippi un pasteur délégué par un certain William Miller et qui, se réclamant de l'Eglise adventiste du Septième Jour, annonçait aux Noirs médusés la fin du monde pour la semaine suivante !

« Vous avez fort bien fait, lui dit Clarence en apprenant la baignade forcée du prédicateur. Ces gens sont payés par les abolitionnistes et je doute de leur sincérité autant que de la pureté de leurs mœurs !

– Je ne suis pas aussi strict que vous, intervint Clément Barrow, qui assistait ce soir-là à la conversation. Les desseins de Dieu sont impénétrables et Il utilise toutes les voies, même les plus tortueuses, parfois, pour arriver aux âmes. De Dieu, on peut tout attendre, même la fin du monde, conclut l'infirme.

– De Dieu, il n'y a rien à attendre de bon », conclut Clarence avec un sourire destiné à atténuer la portée de sa boutade.

5

Au jour du troisième anniversaire de sa mort, si Adrien de Damvilliers avait pu jeter un regard à travers la pierre du prétentieux mausolée familial – faculté dont Bobo, le cocher noir, croyait tous les Blancs doués – il aurait vu que seuls Dandrige et Pierre-Adrien étaient fidèles au rendez-vous. Tous les autres Damvilliers séjournaient à La Nouvelle-Orléans, avec M. et Mme de Vigors. A Bagatelle, Imilie veillait sur un bébé de trois mois, que Virginie avait mis au monde quelques jours avant Noël. Comme celle du marquis défunt, la descendance du colonel paraissait ainsi assurée. Plus fier que si on lui avait rendu un régiment de hussards et offert l'occasion d'une bataille, Charles de Vigors avait tenu à ce que son fils portât le même prénom que lui. Le docteur Murphy avait seul présidé au cinquième accouchement de Virginie, Planche ayant rejoint les verts pâturages de l'au-delà quelques jours avant la naissance de l'enfant, un gros garçon, bruyant et facile comme son père.

Le colonel, auquel les Noirs n'inspiraient qu'une confiance mitigée, et qui ne parvenait pas à s'habituer à leur nonchalance, avait admis comme un signe favorable du destin la disparition de l'inquiétante sage-femme noire aux allures de sorcière.

Les enfants Damvilliers avaient accueilli ce demi-frère avec joie et Gratianne, envoyée en pension chez les ursulines, se promettait déjà de s'en faire une poupée pendant les vacances.

Au cours de l'été précédent, Marie-Adrien, revenu à Bagatelle pendant la fermeture de son collège, s'était trouvé sans plaisir en présence de son beau-père. Virginie, qui espérait un contact confiant entre son mari et le futur maître de Bagatelle, avait été déçue. Le garçon traitait M. de Vigors comme un invité et ne parlait de lui qu'en disant : le mari de maman. Le colonel s'accommodait parfaitement de cette situation, Marie-Adrien n'étant à ses yeux qu'un enfant comme un autre, dont il n'entendait pas forcer l'affection. Le jeune marquis, devinant la sincérité de cette indifférence, en avait conçu quelque dépit. Dans la lettre hebdomadaire qu'il envoyait à sa mère, il ne faisait jamais allusion à l'existence de son beau-père. Une telle attitude contribuait à renforcer l'isolement volontaire dans lequel se cantonnait Marie-Adrien. Ses amis de collège l'entendaient toujours parler de sa mère comme étant la marquise de Damvilliers. Il considérait, semblait-il, que le second mariage de cette dernière relevait du besoin de l'homme, un peu vulgaire, qu'ont les femmes. M. de Vigors tenait à ses yeux le rôle limité d'un amant légalement reconnu. L'enfant né d'un rapprochement physique jugé par lui un peu bestial, n'ayant aucun droit sur l'héritage des Damvilliers, ne constituait pas une menace. Si la marquise venait à mourir quand il serait maître de la plantation, il réexpédierait le colonel et son rejeton en Europe et n'y penserait plus.

Virginie, de son côté, n'avait fait aucun effort pour amener son fils aîné à plus de considération envers son second mari. Charles de Vigors n'appartenait pas aux Damvilliers mais à elle seule et il possédait assez de fortune pour se passer des revenus de la plantation. Elle appréciait l'indépendance financière à laquelle il semblait tenir. Marie-Adrien avait été informé par ses soins que le colonel vivait à Bagatelle, mais non de Bagatelle. Quelques jours après la naissance de son fils, n'avait-il pas acquis mille acres de forêts dans la paroisse de West Feliciana, près de Saint-Francisville, afin de constituer un domaine qui reviendrait en toute propriété aux Vigors et qu'il se promettait d'agrandir au fil des années ?

Mallibert, avec une bonne équipe d'esclaves, abattait les arbres et défrichait une terre sur laquelle, plus tard, Charles II de Vigors pourrait construire sa maison, si bon lui semblait.

A La Nouvelle-Orléans, M. de Vigors venait d'ailleurs de faire d'autres placements dans l'ouest de la Virginie, où l'un de ses amis français, M. Bernard, ancien directeur du Théâtre de l'Odéon, possédait quatre-vingt mille arpents de chênes. A raison de mille arbres par arpent, cela représentait une bonne provision de bois à exploiter. Le colonel, imitant son compatriote, avait acquis des forêts et, par relation, obtenu un contrat avec la Marine française, dont les deux hommes étaient devenus fournisseurs attitrés.

Ainsi, le bébé que berçait Imilie et dont Mignette Barthew était la marraine n'aurait rien à demander aux Damvilliers. Quand Marie-Adrien serait en âge de prendre le destin de Bagatelle en main, son demi-frère serait, comme lui, propriétaire et, vraisemblablement, riche. Charles de Vigors démontrait à tous qu'on pouvait être à la fois « un traîneur de sabre », comme disait aimablement Murphy, un homme d'affaires et un père prévoyant.

Chaque jour, Clarence appréciait davantage le

second mari de Virginie. Au contraire d'Adrien, il ne parlait jamais de ses ancêtres et ne tirait nulle vanité de sa noblesse. Un soir où l'intendant lui montrait, en le commentant, l'arbre généalogique des Damvilliers, il avait évoqué brièvement l'origine de sa famille. Alors que les Damvilliers n'étaient encore probablement que des paysans lorrains sans particule, les Vigors participaient aux Croisades. Plus tard, il y avait eu un Vigors à Pavie, au côté de François Ier, et un autre à Maestricht, lieutenant de mousquetaires dans la compagnie de M. d'Artagnan.

« Nous n'avons jamais été forts pour l'agriculture. La terre, nous ne savons que la défendre ou la conquérir et la plupart de mes ancêtres ont laissé en mourant – ce qui advint rarement dans un lit – plus de trophées que d'écus. »

Cet avenir serein et confortable que M. de Vigors s'efforçait d'organiser pour son fils n'apparaissait pas à Clarence sous des couleurs aussi franches. La quiétude et l'aisance du Sud semblaient chaque jour menacées davantage par l'agressivité mercantile du Nord et par l'extension des campagnes anti-esclavagistes. Le nouveau président des Etats-Unis, James Knox Polk, élu le 7 décembre 1844, était un démocrate que les électeurs de ce parti avaient finalement préféré à Tyler comme candidat contre Henry Clay, le sénateur whig du Kentucky. Ce dernier n'avait été battu que de trente-huit mille voix malgré quelques trucages électoraux, comme à Plaquemines où mille cent étrangers étaient venus voter alors qu'on ne comptait habituellement dans cette paroisse que trois cents électeurs ! Le nouveau président, avocat et politicien, ancien représentant démocrate du Tennessee, disait bien son attachement à la doctrine de Monroe qui avait sans doute « sauvé le Nouveau Monde de l'avidité de l'Ancien », mais son penchant pour l'expansionnisme risquait d'amener la rupture du fragile équilibre qui existait entre Etats esclavagistes et non esclavagistes. Avant de quitter la Maison-Blanche, Tyler avait signé l'annexion de la République du Texas, ce qui créait, avec le Mexique, une situation explosive pouvant conduire à la guerre. Le général Zachary Taylor venait d'ailleurs de quitter Fort Jessup, en Louisiane, avec des troupes qu'il était chargé de conduire sur le rio Grande. On prêtait aussi l'intention au gouvernement fédéral d'encourager John Charles Frémont à s'emparer de la Californie et de fixer, sans tenir compte de l'avis des Anglais, la frontière de l'Oregon sur le quarante-neuvième parallèle.

« Pendant que votre gouvernement s'intéresse à ces agrandissements, disait Charles de Vigors, il oublie un peu les anti-esclavagistes dont il ménage les suffrages. C'est toujours ça de gagné! »

Car le colonel, considérant l'esclavage comme « un mal nécessaire et provisoire », avait fort bien compris que parmi les grands planteurs sudistes et les petits exploitants blancs il se trouvait des hommes dont la conscience était troublée.

« Le danger pour vous, à mon avis, disait-il à Clarence, vient moins des efforts des Yankees abolitionnistes qui ne sont pas tous désintéressés, loin s'en faut, que de l'inquiétude que vous-mêmes ressentez. Quand un homme est certain d'avoir totalement raison, il est sans inquiétude. Or il existe dans le Sud des gens comme vous, monsieur Dandrige, qui ne sont plus tout à fait certains d'avoir raison...

– Les gens du Nord font tout pour nous donner mauvaise conscience. Ils s'y emploient avec perdifie. On devine qu'ils veulent nous infliger une défaite morale, pour mieux couvrir leurs ambitions. Il ne faut pas nous laisser influencer. »

Les défenseurs de l'esclavagisme moins subtils

que Clarence paraissaient cependant assez sûrs d'eux-mêmes. Au début de l'année 1845, un agent abolitionniste du Nord, M. H. Hubbard, délégué par la législature du Massachusetts à La Nouvelle-Orléans, avait été accueilli plus que fraîchement. Le *Courrier de la Louisiane* n'avait pas mâché ses mots : « Dans la Louisiane, écrivait un journaliste pro-esclavagiste, toute personne venant avec les projets de M. Hubbard se trouverait, d'après le texte du Code noir, dans une position bien critique. Elle ne pourrait rester ici, sa présence étant connue. Car supposons que la loi se taise, qu'elle soit trop lente à punir. Le peuple regarderait cette personne comme un incendiaire et la traiterait comme tel. On ne lui ferait pas plus de quartier qu'à une bête fauve ou qu'à un chien enragé et, en effet, elle n'a pas droit à plus d'égards qu'une bête féroce! Si M. Hubbard tient à sa vie, le seul parti qu'il ait à prendre, c'est de quitter cette ville au plus vite! »

Ayant appris que des fanatiques préparaient déjà plumes et goudron et paraissaient décidés à le lyncher, M. Hubbard avait quitté La Nouvelle-Orléans dans les meilleurs délais. Il avait ainsi certainement sauvé sa peau et celle de quelques notables orléanais, vaguement soupçonnés d'abolitionnisme et qui avaient cru bon de l'accueillir aimablement.

A un certain nombre de signes, on sentait dans le Sud croître le malaise. Depuis que les lignes de chemins de fer s'étiraient par tronçons qui, un jour ou l'autre, ne formeraient plus qu'un grand réseau capable de transporter d'un bout à l'autre du pays voyageurs et marchandises, les produits manufacturés du Nord arrivaient plus aisément et en plus grand nombre. Pour beaucoup de choses, excepté les produits alimentaires, les Sudistes dépendaient des Nordistes, « du berceau au cercueil », même si le port de La Nouvelle-

Orléans leur permettait de s'approvisionner directement en Europe, en dépit du Tarif.

Dans les conversations, les intellectuels, gens avisés et au courant des idées qui circulaient d'un continent à l'autre, faisaient souvent allusion aux campagnes anti-esclavagistes. Depuis que, le 28 août 1833, le roi d'Angleterre avait signé le Bill d'émancipation générale de tous les esclaves de la Couronne, la libération de ceux-ci était devenue effective. Cela avait pris cinq ans, car on avait laissé aux propriétaires des délais convenables pour se mettre en accord avec la loi.

La France, qui, par le traité de Paris de 1814, s'était engagée à aider les Anglais « à faire prononcer l'abolition de l'esclavage par toutes les puissances de la chrétienté », constituait un redoutable foyer abolitionniste. Tandis que Wilberforce poursuivait en Angleterre une campagne vigoureuse, en France la « Société de morale chrétienne » critiquait véhémentement les nations qui toléraient encore l'existence d'une main-d'œuvre servile. Une autre société anti-esclavagiste suivait l'ardent propagandiste Victor Schœlcher, lequel soutenait qu'« on ne peut à la fois revendiquer le suffrage universel et tolérer l'esclavage ». Alexis de Tocqueville, l'agronome Adrien de Gasparin, Hippolyte Passy, qui avait été ministre des Finances en 1840, se prononçaient contre l'esclavage et un orateur proclamait, en sous-entendant qu'il serait aisé de ruiner certains planteurs, que « la diffusion du sucre de betterave rendait moins important le sucre de canne ». Des écrivains, comme Victor Hugo dans *Bug-Jargal* et Prosper Mérimée dans *Tamango*, avaient montré la vie des Noirs sous la férule de maîtres cruels.

Toutes ces attaques lointaines n'auraient pas inquiété les Sudistes, si elles n'avaient encouragé ou fourni de références les abolitionnistes yankees. Frédéric Bailey, dit Douglass, un ancien esclave né dans le comté de Talbot (Maryland), venait de trouver un éditeur pour imprimer son autobiographie que les Nordistes s'empressaient de répandre. L'« American Anti-Slavery Society », fondée en 1833 en Nouvelle-Angleterre, comptait maintenant plus de deux cent mille membres, bien décidés à influencer les choix des politiciens, toujours à la recherche de suffrages. Des gens riches comme Wendell Philips, des poètes comme John Whittier, des hommes d'affaires comme William Jay et Arthur Tappan, des évangélistes, des quakers se lançaient dans une véritable croisade, ce qui encourageait les Noirs, comme la redoutable Harriet Tubman, une esclave évadée qui maniait le revolver comme un homme, à organiser des filières d'évasion, au-delà des limites territoriales du Maryland et de la Pennsylvanie, la fameuse « Mason and Dixon Line ». Tracée au XVIIIe siècle par deux arpenteurs, Jérémie Dixon et Charles Mason, qui ne se doutaient pas alors que leur arpentage allait séparer l'Union en deux, cette démarcation passait en effet auprès des Noirs naïfs pour la frontière de la liberté.

Les fils de planteurs qui allaient étudier dans les universités du Nord, ceux que l'on envoyait dans les académies militaires revenaient parfois au pays affligés par ce que leur avaient dit de bons camarades yankees. Quelques-uns se laissaient envahir par un sentiment de culpabilité, d'autres devenaient mélancoliques en imaginant que la douce existence qu'avaient connue leurs pères risquait de prendre fin, avant qu'ils aient eu le temps d'y initier leurs propres enfants. De très jeunes gens affichaient cet air désabusé que l'on tolérait chez les femmes distinguées, comme s'ils étaient résignés à vivre les derniers beaux jours d'une civilisation incomprise. D'autres, au contraire, les plus nombreux, faisaient preuve d'une agressivité mal contenue contre les yankees.

A Bagatelle, d'une récolte de coton à l'autre, d'un pique-nique à l'autre, le temps s'écoulait sans qu'on y prît garde, paisiblement, comme le fleuve roulant des eaux identiques et toujours nouvelles. Virginie avait atteint la plénitude de sa beauté. Peut-être Rosa serrait-elle davantage le corset de sa maîtresse pour conserver à la taille de celle-ci la sveltesse indispensable, mais, le buste ferme et droit, la démarche légère, Mme de Vigors faisait plus que jamais, dans les salons, dériver les regards des jeunes hommes. Ayant dompté sa vivacité d'autrefois et imposé à son visage l'immuabilité un peu dédaigneuse qui caractérisait les grandes dames du Sud, elle passait pour l'archétype d'une féminité un peu apprêtée mais triomphante.

Par quelque subterfuge de sa nature, elle parvenait à être plus désirable encore qu'au temps où elle avait usé d'un déshabillé de plumetis transparent pour séduire Adrien-Hérode. Les robes de la plus irréprochable décence, aux coloris les plus atones, aux formes les moins flatteuses, prenaient sur elle des tensions moulantes et complices, s'entrouvraient en échancrures malignes, se plaquaient en plis séditieux.

Les femmes n'y prenaient pas garde et ne voyaient là qu'une aptitude particulière de Virginie à « enlever » une toilette, mais les hommes, plus sagaces, y trouvaient une exaltation inattendue de leurs désirs, d'autant plus vive que l'ingénuité d'une provocation aussi ténue ne pouvait être mise en doute. Ils eussent été bien incapables, d'ailleurs, de définir exactement l'origine du coup d'éperon donné à leur concupiscence latente.

Quand elle tendait le bras pour recevoir une tasse de thé, gravissait un escalier en soutenant les volants de sa jupe, s'inclinait devant une douairière podagre encastrée dans un fauteuil à oreillettes ou donnait sa main à baiser, Virginie semblait ignorer que ces mouvements anodins, en faisant jouer la soie ou la moire, révélaient, mieux qu'une posture lascive, la somptuosité de son corps. Elle avait le don pervers et capiteux de réveiller d'une infime pichenette les imaginations assoupies. Les hommes les plus indifférents, les plus maîtres d'eux-mêmes, comme Clément Barrow, le vieux Tampleton ou le notaire Delamare, devaient chasser, comme réminiscences inavouables, les pensées qu'ils croyaient leur être venues sans raison, à la vue d'une aussi « perfect lady ».

Le colonel de Vigors faisait, à côté de sa femme, fort bonne figure et Adèle Barrow, revenue de ses préventions, voyait en eux le couple praticien selon son cœur sudiste. Elle ne manquait pas de les citer en exemple aux jeunes fiancés lors des visites protocolaires. La grâce de Virginie s'alliait parfaitement au charme du colonel. Moins rébarbatif qu'Adrien et plus à l'aise que lui dans les salons, il obtenait, avec sa belle tête de reître civilisé, un franc succès auprès des jeunes filles. Il préférait d'ailleurs leur compagnie à celle des mères cadenassées dans leurs guimpes et qui finissaient par se donner des teints de chlorotiques à force de vouloir être pâles.

Valseur imbattable dans une paroisse où la valse venait tout juste d'être admise, il enlevait ses cavalières d'un bras musculeux, montrant des dents de loup débonnaire dans son opulente moustache. La danse finie, il les déposait en proie au vertige, comme un artiste retourne au public le bouquet que lui a valu sa prestation.

Les vieillards catarrheux et rhumatisants, qui gémissaient à propos du développement du chemin de fer, du charançon qui attaquait les cotonniers, de l'impudence des banquiers ou des balivernes des journaux, lui soutiraient souvent quelques souvenirs des batailles napoléoniennes. Depuis Froissart, qu'ils connaissaient par cœur, ils n'avaient pas entendu raconter plus belles chevauchées, plus ardents tournois. Charles de Vigors, chevalier moderne, apportait de quoi meubler d'évocations épiques leurs stériles insomnies. La Bérésina passait pour son meilleur morceau. Clarence avait vu des femmes grelotter de froid derrière leurs éventails, tant le conteur suggestif amoncelait autour de leur sofa des visions de glaçons à la dérive, de chevaux morts debout, saisis par le gel intense qui les changeait en statues de cristal opaque. Un blizzard venu de la plaine russe cinglait les nuques des auditeurs transis qui eussent vu sans étonnement se soulever les rideaux et se solidifier dans leurs verres le meilleur porto. Le frac bien coupé du hussard devenait à ces moments-là un manteau de cavalerie raidi par le givre et son crâne, luisant comme un casque de cuivre, s'ornait d'un cimier dont la crinière rouge frémissait au passage des boulets !

Après ces évocations hautes en couleur, le colonel figurait au premier rang des ravageurs de buffet. Emporté par la fougue des souvenirs, il estoquait une dinde, embrochait un canapé, saisissait une bouteille au collet comme s'il se fût agi d'un prisonnier prussien, tout cela avec une indéniable élégance de geste et un grand rire sonore, celui du guerrier qui a rejoint indemne le bivouac. Quand Murphy était de la partie, il trouvait en Charles de Vigors un buveur à sa taille.

« J'ai su, docteur, ce que c'est que d'avoir soif !

— Moi pas, faisait le médecin en clignant de l'œil... J'ai toujours bu avant ! »

Ed Barthew, échappant à la surveillance de Mignette, se joignait parfois aux deux amateurs de bourbon. Le médecin titubait et l'avocat bafouillait, alors que le colonel, droit comme un

I, l'esprit aussi clair que s'il n'avait vidé qu'une tasse de thé, poursuivait seul la conversation.

« Aux hussards de la Garde, disait-il, vous n'auriez pas tenu le choc, votre bourbon est de la liqueur pour dame comparé au schnaps et à la vodka... »

Dans la vie quotidienne, la bonne humeur du mari de Virginie contribuait largement à créer une ambiance gaie. A Bagatelle, on riait d'une paille en croix et l'on faisait fête de toute circonstance. Le hussard avait, dans ses fontes, apporté une nouvelle provision de bonheur.

Marie-Adrien, quand il revenait dans la vieille maison aux périodes des vacances, appréciait peu cette nouvelle tonalité de la vie familiale. Il ressentait comme une atteinte à « l'esprit Damvilliers » cette alacrité introduite par son beau-père, dans un foyer où les actes les plus simples devaient être empreints d'une apparence de componction. Futur maître de Bagatelle, il ne trouvait qu'auprès de sa mère – et encore, quand elle était seule avec lui – la considération qu'il estimait lui être due. Les rires de ses sœurs, les plaisanteries, les jeux auxquels le colonel participait volontiers lui paraissaient autant de plaisirs propres à satisfaire des gens creux. Il exagérait alors l'allure réfléchie qui lui paraissait seule convenir à un héritier de son importance. Il en voulait à tout ce monde de ne pas évaluer son rang et ses mérites supposés. Il se promettait de mettre plus tard bon ordre à tout cela. Ses frère et sœurs ne semblaient intéressés que par ses fredaines de collégien et la qualité de ses vêtements.

Un artiste de La Nouvelle-Orléans, Adolph Rinck, qui venait d'exposer à Paris, avait peint les portraits des enfants Damvilliers. Ces toiles figuraient maintenant toutes les quatre dans les angles du grand salon. Gratianne dans une robe princesse; Julie assise jambes pendantes sur un tabouret de piano et ne sachant que faire de ses mains; Pierre-Adrien dans une pose studieuse devant une table chargée de livres; Marie-Adrien debout, une main sur la hanche, l'autre appuyée sur le manteau de la cheminée, dans l'attitude à la fois grave et désinvolte d'un candidat à la présidence des Etats-Unis.

Le futur maître de Bagatelle montait avec assurance un hongre bai et le colonel lui avait fait compliment de son assiette.

« L'année prochaine, je monterai un étalon, monsieur. Nos ancêtres ne montaient que des anglo-normands, fins comme des lames.

– Les miens montaient plutôt des percherons ou des boulonnais, dit, faussement modeste, le colonel; les chevaux fragiles n'eussent pas supporté le poids d'un chevalier et de son armure, ni reçu sans broncher un coup de morgenstern[1] ! »

Le soir même, Marie-Adrien s'était enquis de la généalogie de M. de Vigors auprès de l'intendant.

« Le plus ancien Vigors dont l'Histoire ait retenu le nom, expliqua gravement Clarence avec un certain plaisir, a participé à la prise de Jérusalem en 1099, mais le colonel affirme que le père de ce croisé se battait déjà au côté de Guillaume Bras-de-Fer, quand celui-ci fonda le duché normand des Pouilles ! »

Le garçon se retira sans rien dire, un peu vexé d'apprendre que les Vigors s'étaient illustrés plus de cinq cents ans avant les Damvilliers ! Dès lors, il fit montre envers son beau-père d'un peu plus d'amabilité, considérant qu'un soudard de si bon lignage méritait, même égaré chez les aristocrates du coton, un semblant de considération.

Clarence, qui assumait toutes les responsabilités de l'exploitation, à laquelle le second mari de Virginie ne portait qu'un intérêt poliment limité,

1. Massue à pointes de fer.

se demandait s'il ne devrait pas un jour ou l'autre initier le jeune marquis à la marche des affaires. Le garçon ne semblait pas s'en soucier pour l'instant, estimant peut-être que la science lui viendrait subitement, le jour de sa majorité.

« Il a bien le temps, Clarence, de penser à ces choses, lui dit Virginie à laquelle il avait fait cette remarque. Et puis je suis bien certaine que son intelligence lui commandera de vous conserver comme intendant. Personne mieux que vous ne connaît le métier de planteur, avec Adrien vous fûtes à la meilleure école.

– Vous pourriez peut-être penser que la lassitude me gagnera avec l'âge. J'aimerais me consacrer à d'autres travaux. Il y a des mois que je n'ai pas eu le temps de me remettre à l'histoire des Damvilliers, ce qui était, souvenez-vous-en, ma tâche principale !

– Plus tard, quand nous serons tous vieux, vous aurez le temps de gratter du papier !

– Mais, fit Dandrige, un peu impatienté, ne peut-il vous venir à l'idée que, Marie-Adrien étant d'âge, dans quelques années, à assumer ses responsabilités, je pourrais avoir envie de quitter Bagatelle et de construire ma propre maison ?

– On ne quitte pas Bagatelle, Clarence, vous le savez bien !

– Mais je ne suis ni un esclave ni un meuble, Virginie, et, de la même façon que Marie-Adrien devenu le maître pourra me renvoyer, je pourrai partir si ça me chante. Je ne suis qu'un salarié... un peu particulier... C'est tout ! »

C'était la première fois que Virginie voyait Clarence autrement qu'en membre de la famille.

Elle hésita entre deux attitudes. Ne rien dire et laisser les choses en l'état ou s'abandonner à ce qu'elle croyait être la spontanéité de ses sentiments.

« Si je vous disais que je n'imagine pas la vie sans vous à Bagatelle, Clarence, me croiriez-vous ?

– Je le croirais, car je figure au nombre de vos habitudes.

– Ne soyez pas amer et ne m'obligez pas à en dire plus que je ne voudrais ! »

Elle avait proféré ces derniers mots d'une voix grave et douce, nuancée de regrets, mais en regardant son interlocuteur à travers ses cils à demi baissés, en détournant un peu la tête. Lucide et froid, Clarence tint à lui prouver qu'il n'était pas subjugué par un charme dont il connaissait mieux que quiconque la puissance.

« Je ne vous avais encore jamais vue dans ce rôle, Virginie, lança-t-il méchamment, mais permettez-moi de vous dire qu'il ne vous va pas ! »

Elle devint soudain plus pâle, et suffoquée :

« Vous doutez de ma sincérité et de l'affection que je vous porte?... C'est une insulte bien inutile. »

L'intendant demeura un instant silencieux, puis, en s'efforçant d'atténuer le timbre métallique de sa voix, qui suffisait à impressionner les esclaves et lui valait une injuste réputation de dureté auprès de beaucoup de gens, il reprit :

« Je ne doute pas de votre affection ni de votre sincérité, mais je n'exagère ni l'une ni l'autre. Depuis un certain nombre d'années, ma vie est parallèle à la vôtre, nous avons franchi un certain nombre de carrefours et puis il y a Pierre-Adrien que j'aime un peu comme un père doit aimer son fils, mais je reste un étranger, un témoin, un élément de Bagatelle qui a son utilité, même au plan affectif, mais rien de plus. Permettez-moi de temps en temps, Virginie, d'être égoïste et d'imaginer que je puisse désirer autre chose ! »

Elle ne se méprit pas sur le sens de ses paroles. Cette « autre chose » que Dandrige souhaitait désirer n'était pas une femme, ni elle-même, ni une autre, c'était encore moins la fortune, mais il l'avait blessée et le jeu pervers l'intéressait maintenant comme une partie de cartes.

« Ignorer ses désirs, c'est n'en point avoir, Clarence, et je ne comprends pas de quoi, parmi nous, près de moi, vous pouvez souffrir !

– Je souffre, Virginie, dans l'ambiance lénitive de Bagatelle d'une maladie pernicieuse : l'inconsistance.

– Qu'est-ce que ça veut dire, mon Dieu ?

– Ça veut dire que j'ai parfois envie de commettre un péché capital, un péché que n'ont pas prévu les dix commandements et qui reste à trouver !

– Et pourquoi ?

– Pour me prouver que je suis un être fait comme vous, Virginie, de chair et de sang, pour me prouver que j'existe, tout simplement !

– Et que vous faut-il pour ça ?

– Presque rien, dit-il d'une voix soudain lasse, un miroir et l'oubli ! »

Puis il tourna les talons et descendit l'escalier de la véranda où cette discussion étrange avait lieu.

Dans un bruit de soie vivement froissée, Virginie passa la porte de la maison.

« Aveugle... Il est aveugle... », murmura-t-elle entre ses dents.

6

Clarence Dandrige se reprocha longtemps de s'être laissé allé à revendiquer devant Virginie une perspective de liberté illusoire, dont il n'était pas même certain de vouloir jouir. Au soir de la discussion qui les avait opposés sur la véranda, elle s'était abstenue de paraître au dîner, prétextant une migraine subite, mais le lendemain, souriante et aimable, elle semblait avoir tout oublié de l'altercation. Et Dandrige, désirant de son côté effacer le souvenir d'une rebuffade qu'il jugeait avec le recul pusillanime, s'était composé une attitude plus chaleureuse que d'habitude. La vie reprenant son cours monotone et les parasites du coton exigeant la mobilisation de tous les travailleurs de la plantation, les semaines passèrent et vint le temps de la cueillette, puis de la fête du coton. Celle-ci permit à Virginie de mettre une fois de plus en évidence ses dons de maîtresse de maison.

L'automne apporta les pluies fraîches, Marie-Adrien et Gratianne regagnèrent leur collège, accompagnés cette fois de Pierre-Adrien, inscrit à son tour chez les jésuites, « pour commencer des études sérieuses ». Seule Julie, qui aurait neuf ans en novembre, demeura à la plantation avec son demi-frère Charles, qui effectuait ses premiers pas.

La fillette grandissait, enfant gracile, douce, obéissante et consciente d'être différente des autres, des filles de Percy et Isabelle Tampleton notamment, ses meilleures compagnes de jeu. Julie s'émerveillait de les voir sauter à la corde, escalader les barrières, courir, crier, tirer la langue, se quereller et même se battre, toutes activités délectables que sa mère lui interdisait à cause de cette « faiblesse de cœur » dont on lui rebattait les oreilles. L'affection mystérieuse et rare, qui en tout cas ne la faisait nullement souffrir, aurait pu la rendre honteuse ou, au contraire, la faire se croire intéressante. Julie était seulement résignée. A force d'entendre les amies de sa mère dire à celle-ci : « Ne vous inquiétez donc pas, ma chère, Julie s'élèvera comme les autres », ou la nurse des petits Tampleton glisser à la sienne : « Comme elle est pâlichonne et comme elle respire vite ! » la fillette acceptait la place qu'on lui assignait. Les cernes bleutés qui donnaient à son regard las et étonné une importance démesurée, dans son visage anguleux, auraient pu la faire injustement accuser de se livrer à ces plaisirs solitaires que l'on doit avouer en confession. Considérant ses nattes cordées, son air ennuyé, ses épaules pointues comme des angles de meuble et ses grands doigts secs, Julie se trouvait une certaine ressemblance avec une sainte décharnée qui s'était laissée mourir de consomption et dont un livre lui avait révélé le répugnant portrait.

Un jour où Ed Barthew, son parrain, dont elle admirait les grandes mains fortes et velues, lui demandait : « Que feras-tu, Julie, quand tu seras grande ? » elle avait répondu candidement : « Je serai malade. »

Depuis peu, elle avait cependant trouvé un moyen d'échapper aux regards de commisération que lui valait d'ordinaire sa pâleur si spéciale de la part des visiteurs de Bagatelle. Quand des dames étaient annoncées, elle se plantait devant une glace et se triturait férocement les pommettes jusqu'à ce que celles-ci devinssent rouges comme celles des petites filles en bonne santé. Cela lui valait des compliments de la part des étrangères, sa mère y voyant plutôt les résultats d'une poussée de fièvre.

En décembre, Charles de Vigors et Virginie se rendirent dans le Nord, à Boston et à Philadelphie, puis de là à New York, pour voir quelques pièces de théâtre. L'intendant passa un hiver tranquille et studieux, après avoir mis en train l'égrenage du coton, fait couper et rouler la canne à sucre, expédié les pains d'indigo. Disposant d'une bonne équipe de contremaîtres allemands, il put se consacrer au plaisir paresseux de la lecture, allant souvent dîner chez les Barthew à Bayou Sara, ou faire une partie de billard avec Clément Barrow.

La guerre du Mexique assurait le fond des conversations. Les troupes de Taylor à Monterrey, celles de Winfield Scott à La Vera Cruz, celles de Doniphan à El Paso amenaient peu à peu les Mexicains à résipiscence. En Californie, John Frémont attendait l'offensive de Kearny et Stockton, qui marchaient sur Los Angeles. On considérait déjà, dans le Sud comme ailleurs, que la « destinée manifeste » de la République, suivant un terme utilisé pour la première fois par John L. O'Sullivan dans *The United States Magazine and Democratic Review*, était d'élargir la Fédération à tous les territoires de l'Amérique centrale. Cet expansionnisme suscitait l'enthousiasme des émigrants engagés dans la conquête de l'Ouest. On leur promettait des terres fertiles à bon marché, avec des chances raisonnables de faire fortune.

La menace d'un conflit avec la Grande-Bretagne s'était dissipée le 15 juin 1846, quand le secrétaire d'Etat James Buchanan et l'ambassadeur de Sa Majesté à Washington, Richard Pakenham, avaient signé un accord mettant fin à la dispute à propos de la frontière nord de l'Oregon. Le quarante-neuvième parallèle fixait désormais la ligne de démarcation entre le Canada et les Etats-Unis. Enfin, le 28 décembre, un nouvel Etat avait été admis dans l'Union, le vingt-neuvième, sous le nom de Iowa, pendant que les troupes de Taylor occupaient Victoria, la capitale du Tamaulipas, au Mexique.

Tous ces événements, en renvoyant au second plan la rivalité du Nord et du Sud et la querelle entre pro-esclavagistes et anti-esclavagistes, apaisaient les inquiétudes des planteurs.

En Louisiane, où venait d'être proclamée une nouvelle Constitution, on s'étonnait un peu dans les milieux aristocratriques du paragraphe visant à interdire les duels. Les législateurs en étaient arrivés là, parce que l'année 1844 avait été marquée par une douzaine de duels retentissants. Le plus spectaculaire avait opposé sous les chênes de Saint-Anthony, à La Nouvelle-Orléans, le général de Sentimanat, le héros de l'expédition de Tabasco, à un Français, M. Riebaud, commodore en disgrâce de la Marine mexicaine. Devant plus de trois cents personnes, les deux antagonistes avaient échangé, à dix pas de distance, six coups de pistolet. M. Riebaud, légèrement blessé, s'était rétabli en quelques jours. Son adversaire victorieux devait cependant trouver son maître, puisque quelques jours plus tard, à Tabasco, il succombait au cours d'un autre duel. A peu près à la même époque, le juge Canonge avait réussi à éviter un duel entre son fils et l'avocat Soulé. Dès lors, une partie de l'opinion s'était prononcée contre ces combats singuliers et les frères Mertaux, qui militaient depuis longtemps pour l'interdiction du duel, avaient été enfin entendus par les représentants. Un délai de deux années avait cependant été nécessaire pour que l'interdiction soit nettement signifiée.

Le nouveau texte constitutionnel, s'il ne manquait pas de clarté, faisait une discrimination entre ceux qui pouvaient avoir envie d'en découdre. L'article 130 indiquait : « Tout citoyen qui se battra en duel avec un autre citoyen de cet Etat ou enverra, ou acceptera un cartel pour se battre en duel avec un citoyen de cet Etat, soit dans l'Etat ou hors de l'Etat, ou qui agira comme second, ou qui sciemment aidera ou assistera d'une manière quelconque des personnes engagées dans un duel, ne pourra occuper aucune place salariée ou de confiance et sera privé de la jouissance du droit de suffrage. » Après l'adoption de la Constitution, tous les fonctionnaires avaient dû déclarer, sous serment écrit, qu'ils ne s'étaient jamais battus en duel. Cette interdiction, qui frustrait les Orléanais d'un de leurs plaisirs favoris, avait suscité beaucoup de mécontentement, mais les législateurs, qui, pour un oui ou un non, se voyaient provoqués par des adversaires politiques ou des électeurs déçus, avaient voté un texte qui devait conférer quelque sécurité à leur fonction.

Les Orléanais étaient d'autant plus irrités par cette loi que l'interdiction portait seulement sur les duels entre citoyens de l'Etat. Elle laissait donc toute latitude aux étrangers pour s'entretuer. Ils observaient aussi que les planteurs, commerçants, négociants, membres des professions libérales et aristocrates vivant de leurs revenus se souciaient peu de se voir interdire l'accès aux « places salariées ». Le consul de France, qui ne manquait pas d'humour, commentant cette disposition constitutionnelle avait dit aux frères Mertaux : « Si la Constitution avait eu pouvoir de supprimer la fièvre jaune, elle n'en eût pas usé, si la maladie n'avait touché que les étrangers ! »

« L'honneur est au-dessus des lois, car c'est la première des lois ! » soutenait de son côté M. de Vigors.

Clarence Dandrige, qui se livrait souvent à des assauts d'escrime avec le second mari de Virginie, approuvait. Les menaces des autorités de l'Etat ne serviraient que les poltrons, qui s'abriteraient ainsi derrière la Constitution pour se dérober. Les gens d'honneur continueraient, comme dans le passé, à vider leurs querelles l'épée ou le revolver à la main !

Et c'était exactement ce que l'on pouvait constater. On avait substitué au duel, organisé dans les règles, la « rencontre fortuite »... concertée ! Un homme se jugeant offensé et désirant réparation par le sang disait par exemple à son adversaire :

« Demain, à telle heure, je passerai à tel endroit et je serai armé d'un revolver. Si je vous rencontre, je vous tue. »

Celui qui entendait cela, s'il était homme d'honneur, s'armait et allait se promener au jour et à l'heure dite à l'endroit où il pourrait rencontrer le provocateur. A distance convenable, on se tirait dessus en évitant, si possible, de blesser les passants. Une telle méthode ôtait toute garantie aux duellistes, qui, en l'absence de témoins et d'un directeur du combat, pouvaient fort bien ne pas respecter les règles. Les législateurs n'avaient fait que remplacer le duel par l'assassinat ! Chaque mois, on ramassait des blessés et des morts. On étouffait aussi quatre ou cinq duels loyaux, opposant des gens qui, comme MM. de Vigors et Dandrige, mettaient l'honneur au-dessus des lois.

Quant aux étrangers, qui n'étaient pas visés par l'interdiction, ils n'hésitaient pas à donner de la publicité à leurs rencontres. Sous les chênes de Saint-Anthony, on échangeait allégrement des balles meurtrières entre Espagnols, Allemands, Irlandais, Anglais et Américains du Mississippi et de l'Ohio. Si, d'aventure, le shérif venait à passer, il suffisait que les duellistes puissent prouver qu'ils n'étaient pas citoyens de l'Etat pour qu'on les laissât tranquillement se servir mutuellement de cible. Il y avait encore de beaux jours pour les armuriers et les médecins. Les croque-morts eux-mêmes ne perdaient pas grand-chose.

Pendant que les Louisianais discutaient leur nouvelle Constitution et se passionnaient pour des sujets dont la portée demeurait limitée aux frontières de leur Etat, des événements se produisaient dans le vaste monde. Le développement des moyens de communications, une presse plus attentive et les nombreux Européens qui débarquaient à La Nouvelle-Orléans apportaient des informations dont personne ne s'exagérait l'importance, car le Sud égocentriste n'y voyait rien qui soit de nature à influencer sa vie. N'étaient considérés comme inquiétants et méritant attention que les événements qui eussent été de nature à compromettre les relations commerciales avec les pays acheteurs de coton et de tabac. On se souciait plus, dans les milieux d'affaires, de l'opinion des négociants et des banquiers que de celle des ambassadeurs de l'Union.

Le télégraphe magnétique avait rapidement transmis à travers le pays la nouvelle d'une révolution qui venait de secouer la France au cours du mois de février. Le 23, aux cris de « Vive la Réforme, à bas Guizot », les bataillons de la Garde nationale, mobilisés pour s'opposer à une manifestation d'après banquet des républicains, avaient signifié au roi Louis-Philippe que la bourgeoisie l'abandonnait. Une disette consécutive à de mauvaises récoltes, la corruption, le refus du gouvernement d'envisager une réforme électorale, le déficit de la Banque de France, le coup d'arrêt donné à la prospérité avaient fourni à l'opposition les éléments d'une campagne. Le 24 février, il y avait eu émeute devant le ministère des Affaires étrangères, boulevard des Capucines. Les soldats qui gardaient le bâtiment avaient fait usage de leurs armes, tuant seize manifestants dont on avait promené les corps à travers Paris, à la lueur des torches. Les républicains, exploitant cette tuerie, avaient placardé des appels à la révolte et, venue des bas-fonds de la ville, la foule des plébéiens s'était jointe aux citoyens indignés. Les insurgés, après s'être emparés de l'Hôtel de ville et d'autres bâtiments, avaient menacé les Tuileries où le roi venait d'appeler Thiers et Odilon Barrot pour former un ministère de gauche. Quand le souverain avait entendu crier « Vive la République » et « A bas les ministres », il s'était empressé d'abdiquer en faveur de son petit-fils, le comte de Paris, et de quitter la capitale. La monarchie constitutionnelle était morte en trois jours.

Lamartine, Dupont de l'Eure et Ledru-Rollin avaient fait acclamer la Seconde République. Un gouvernement provisoire s'employait à la construire.

A La Nouvelle-Orléans, on s'était réjoui de ce changement de régime, sans trop savoir pourquoi. Si New York avait offert un bonnet de la liberté à la Ville de Paris, « en velours écarlate, avec franges d'or, bordure tricolore et portant les mots : Liberté, Egalité, Fraternité », deux groupes de Français installés dans la capitale du Sud s'étaient contentés d'envoyer une adresse aux Parisiens ainsi conçue : « Frères de Paris, gloire à vous ! Dans un demi-siècle, trois révolutions ont été dues à votre courage... Grâce à vous, les despotes tremblent... Grâce à vous, ils comprennent que tout un peuple ne peut avoir d'autre maître que Dieu. Vive la République[1]. » Quelques Américains, amateurs de références hasardeuses, avaient observé avec satisfaction que Paris avait choisi « pour célébrer la liberté » le jour anniversaire de la naissance du grand Washington !

Bien que la législature du Massachusetts ait déclaré le 26 avril 1847 que la guerre du Mexique était « indésirable, injuste et anticonstitutionnelle », le général Taylor avait poursuivi brillamment son offensive en outrepassant parfois les ordres, et Scott, après avoir réussi le débarquement de ses troupes à La Vera Cruz, réalisant ainsi la première opération amphibie de l'histoire de l'armée des Etats-Unis, était entré à Mexico en vainqueur. Acculés, les Mexicains avaient finalement accepté à Guadalupe Hidalgo[2], un petit village situé près de leur capitale, la cession, aux Etats-Unis, du Texas, du Nouveau-Mexique et de la Californie. La « destinée manifeste » de l'Union se concrétisait.

L'année 1848 était aussi une année électorale et, comme telle, fort animée publiquement. Le général Zachary Taylor, au retour de son équipée mexicaine, avait été reçu comme un héros à La Nouvelle-Orléans. En son honneur, on avait tiré le canon, organisé une retraite aux flambeaux et donné des banquets et des bals. La population, les feux de joie éteints, appréciait moins la présence de dix mille volontaires de l'armée du Mexique qui, rendus à la vie civile, cherchaient mollement à s'employer tout en essayant de prolonger à leur profit des réjouissances qui dégénéraient en beuveries. Quand on ne reconnaissait pas assez vite leurs mérites et leur gloire, ils deve-

1. D'après les journaux de La Nouvelle-Orléans.
2. 2 février 1848.

naient vindicatifs. Ces soudards désœuvrés se livraient à des exactions qui faisaient souhaiter que l'on trouvât rapidement une guerre où les employer. A ces militaires démobilisés s'ajoutaient les immigrants, qui arrivaient à pleins bateaux. Entre le 1er janvier et le 1er octobre 1848, on devait en dénombrer plus de 160000 dont 130000 se rendaient dans la vallée du Mississippi. Les Irlandais assez peu sociables étaient en majorité, 79000; mais on comptait aussi 44000 Allemands, 20000 Anglais, 5600 Ecossais, 2246 Français, 1414 Suisses, 1048 Hollandais, 353 colons des Antilles, 251 Italiens, 230 Espagnols, 11 Russes et 1 Chinois[1] !

« Que ferons-nous de tous ces gens ? » se disaient les citadins, qui semblaient méconnaître la prodigieuse faculté d'absorption de l'Union, où le travail ne manquait pas.

La Nouvelle-Orléans avait accueilli avec presque autant d'enthousiasme que Zachary Taylor le général Butler qui, lui aussi, revenait du Mexique. On avait vu plus de 5000 personnes, « dont 3000 de la classe la plus misérable qui travaille en concurrence avec les nègres », se porter au-devant de ce militaire désagréable, hargneux et ventripotent. Quand la convention démocrate de Baltimore l'eut choisi comme candidat à la vice-présidence des Etats-Unis « sur le ticket » du sénateur Lewis Cass, du Michigan – candidat à la présidence – il se retrouva face à face avec Zachary Taylor, désigné, lui, comme candidat des whigs par la convention nationale de Philadelphie, avec Millard Fillmore comme vice-président.

Zachary Taylor étant propriétaire d'esclaves, les Sudistes soutenaient sa candidature, espérant ainsi qu'en devenant président de l'Union le héros du Mexique saurait imposer silence aux

1. Statistiques du consulat de France à La Nouvelle-Orléans.

abolitionnistes. Car, après une accalmie de deux ans, les menées anti-esclavagistes reprenaient de plus belle et la question de l'esclavage devenait un des thèmes de la campagne électorale. On constatait d'ailleurs que les partages politiques ne cadraient pas toujours avec l'opinion que les militants pouvaient avoir sur ce grave sujet. Au Nord, whigs et démocrates se disaient abolitionnistes; au Sud, démocrates et whigs demeuraient esclavagistes ! Les étiquettes perdaient ainsi leur sens, d'autant plus que les démocrates du Nord passaient pour partisans du Tarif alors que ceux du Sud y étaient opposés !

Le général Butler, qui recherchait l'appui, à La Nouvelle-Orléans, des Américains installés dans les nouveaux quartiers, s'en prenait aux créoles d'origine française. Ayant rappelé, dans un discours, la bataille du 8 janvier 1815 contre les Anglais, il avait osé dire : « On ne comptait dans les rangs des défenseurs de la ville que 488 habitants de celle-ci, dont 268 hommes de couleur, libres. Les créoles d'origine française, pendant ce temps-là, dansaient et buvaient. Ayant d'abord l'amour du plaisir, ils étaient prêts à trahir. » Du coup, les whigs de répliquer par un tract : « Français naturalisés, voterez-vous pour le démocrate qui dit que vous préférez la danse au combat, et que parmi vous se trouvent des traîtres et des espions ? » Un café occupé par les whigs avait été incendié. A coups de poignard et de pistolet, des militants s'étaient affrontés, se traitant mutuellement d'abolitionnistes et de renégats !

Dans la confusion de cette campagne, les exhortations des vrais abolitionnistes, car il y en avait quelques-uns, envoyés par les Nordistes, encourageaient l'insubordination des esclaves. Ainsi, à Saint-Charles, le propriétaire d'un caboteur du Mississippi avait été assassiné par cinq Noirs auxquels il vendait habituellement du whisky à un prix prohibitif. Les habitants de la paroisse, trouvant la justice trop lente, s'étaient emparés des coupables et les avaient pendus sans que les autorités judiciaires protestent.

Aussi les esclaves qui assistaient aux discussions passionnées se disaient : « Si le candidat du maître l'emporte, l'esclavage aura longue vie. Si ce sont ses adversaires qui triomphent, nous serons bientôt libres. »

Finalement, Zachary Taylor avait été élu avec 138 625 suffrages populaires de majorité – moins de 3000 en Louisiane. Le nouveau président, doué d'un sens particulier de l'économie, avait failli ne pas être informé de son succès. Comme le montant du port des lettres devait être acquitté par le destinataire, le général, considérant la dépense inutile, refusait beaucoup de courrier. C'est ainsi qu'il avait retourné le message de Washington lui annonçant officiellement son élection !

Dans ses premiers discours, Zachary Taylor fit preuve de plus de bonhomie souriante que de réelles capacités d'homme d'Etat. Quand on lui disait : « Vous êtes le père du peuple », il répondait modestement : « Non, je suis son serviteur. » Et quand on observait : « Vous êtes le président des whigs », il s'étonnait : « Que les whigs ayant parmi eux tant d'hommes distingués aient pu penser à moi ! Je suis whig, cela est vrai, mais whig démocrate. J'ai accepté les votes de tous les partis. Je ne suis donc le président d'aucun, je suis le président de tout le peuple ! » Si de telles déclarations consolaient les partisans du candidat battu, elles ne satisfaisaient qu'à demi les Sudistes, qui se demandaient quelle attitude adopterait ce Janus dans le débat sur l'esclavage.

Dans les plantations louisianaises, on se refusait cependant au pessimisme. Les récoltes avaient été bonnes : 1 213 805 balles de coton,

128 112 boucants de sucre, 55 882 boucants de tabac.

A Bagatelle, ces événements n'avaient en rien perturbé le train-train de la vie quotidienne. Commentés avec détachement au cours des soirées familiales ou des réunions mondaines, ils ne suscitaient que des considérations banales. Quand la paix fut signée avec le Mexique, on vit réapparaître Willy Tampleton en uniforme de major. Une balle mexicaine lui avait enlevé un morceau d'oreille, une autre lui avait percé la cuisse. Il faisait enfin figure de véritable guerrier. Virginie crut nécessaire d'organiser pour lui une petite fête qui flatta sa vanité. En lui remettant le cadeau qu'elle avait choisi – une écritoire de campagne – elle lui donna deux gros baisers et le colonel de Vigors, qui s'y connaissait en matière de soldats, le traita comme un vieux briscard. Ce fut un moment heureux dans la vie de ce garçon, qui semblait avoir plus de chance à la guerre qu'en amour.

Les premières gelées blanches chassaient dans le delta les derniers miasmes de la fièvre jaune – qui avait fait sept cent quatre-vingts victimes cette année-là – quand un vagabond se présenta un après-midi à Bagatelle. Comme il avait la peau blanche sous une barbe sale et qu'il se disait français, Charles de Vigors le reçut. L'homme s'appelait Baptiste Fouillade et racontait une aventure incroyable. Il était arrivé à La Nouvelle-Orléans le 27 mars 1848, venant de Vienne, dans l'Isère, pour rejoindre la communauté d'Icarie, fondée au Texas sur les bords de la rivière Rouge par le communiste Etienne Cabet. Avec soixante-huit compagnons, il avait quitté Le Havre le 3 février 1848, vingt jours avant la révolution que les républicains espéraient, à bord du voilier américain *Rome*. Ils chantaient comme les Hébreux en route pour la Terre promise :

Unis d'âme et de cœur,
Fondons une patrie
Et répétons en chœur
Partons pour Icarie.
Oui, répétons en chœur,
Voguons, voguons, voguons,
Voguons vers l'Icarie!

La doctrine développée par Cabet, un fils de tonnelier dijonnais, que Lamartine appelait « le poète du communisme », paraissait séduisante. « La communauté, disait-il, est le plus grand propriétaire, le plus grand agriculteur, le plus grand capitaliste, le plus grand industriel qu'aucun de ceux qui existent aujourd'hui. Elle fabrique en masse, elle a d'immenses ateliers, d'immenses manufactures convenablement placées et groupées. Elle a le peuple entier pour ouvriers. » Les Icariens ne connaissaient ni propriété, ni monnaie, ni salaires, ni achats, ni ventes. La communauté possédait tout, nourrissait, logeait, habillait, instruisait et soignait, fournissant à chacun suivant ses besoins. « Le nécessaire d'abord, l'utile ensuite, l'agréable enfin si possible, car la communauté a pour but la suppression de la misère et l'abondance pour tous. » Sur ces thèmes, le bon Cabet, utopiste au grand cœur, mais fatalement autoritaire, avait lancé l'idée d'une Icarie, république authentiquement démocratique qui, dans un pays neuf, ferait la démonstration que le communisme était la seule voie pouvant conduire tous les hommes au bonheur.

Le mot qui revenait le plus souvent dans la bouche et les écrits de Cabet était « Fraternité ». Il y avait là de quoi enthousiasmer bien des hommes. Hélas! les séduisantes théories s'étaient vite révélées d'une pratique difficile. Baptiste Fouillade, comme d'autres, en avait fait l'expérience.

La première colonie icarienne avait sombré dans l'anarchie, la famine, les querelles intestines. Artisan, Fouillade avait dû se faire cultivateur pour subsister, et travailler seize heures par jour, car l'abandon du travail constituait un cas d'exclusion. Le catéchisme communiste ne pouvait changer la nature des hommes : individualisme, égoïsme, roublardise avaient vite repris le dessus, tandis que l'absence de compétition conduisait au désintérêt et au gaspillage. « Il faudrait mener les ouvriers avec une verge de fer », avait fini par dire un responsable icarien, décidé à se conduire comme le plus despotique des patrons.

« Je me suis laissé séduire par Cabet et ses janissaires, larmoyait Fouillade. Toutes mes économies ont été englouties avec les six cents francs que Cabet exigeait de chacun de nous pour nous installer en Icarie, où nous n'avons même pas pu trouver un toit! Le système Cabet aboutit au désespoir! »

De nombreuses victimes de Cabet, incapables de payer leur passage pour retourner en France, battaient le pavé de La Nouvelle-Orléans, où elles avaient vu arriver la seconde vague des Icariens déjà divisés sur le bateau par de sordides questions d'intendance. Ceux qui revenaient du Texas avaient tenté de dissuader les nouveaux adeptes de s'y rendre. Ils s'étaient fait traiter de lâches et de paresseux et, au nom sans doute de la Fraternité, ceux qui débarquaient, encore pourvus de vivres et d'argent, avaient refusé d'aider leurs camarades malheureux. Baptiste Fouillade, orphelin, sans attaches en France, cherchait donc du travail. Il se disait cordonnier. Charles de Vigors l'écouta et lui fit observer :

« La doctrine de M. Cabet est faite pour les saints, mon brave. Hélas! les hommes ne sont pas des saints! L'intérêt guide les plus médiocres, l'amour de la gloire les plus estimables et tous ont un goût développé pour la propriété. Or, dans une communauté où tout appartient à tout le monde, rien n'appartient à personne. L'idée de M. Cabet est peut-être généreuse, mais elle repose sur des données vicieuses et une montagne de naïveté ! »

Baptiste Fouillade demeura une semaine à Bagatelle, pour se refaire une santé. Clarence Dandrige l'ayant adressé à Ed Barthew, à Bayou Sara, il finit par trouver à s'employer comme cordonnier. On ne le revit plus à Bagatelle, son passage chez Cabet lui ayant sans doute ôté, avec ses illusions, le sens de la gratitude.

Une autre entreprise faisait davantage recette à l'époque. Sans doute parce qu'elle était fondée, au contraire des théories communistes de M. Etienne Cabet, sur l'appât du gain et l'individualisme. Le 24 janvier 1848, un certain James Marshall Wilson, aventurier, né en 1814 dans le New Jersey, avait découvert, dans un bief alimentant la scierie qu'il exploitait sur l'American River, en Californie, des cailloux brillants. Ces cailloux se révélèrent être de l'or ! Comme on en avait déjà trouvé en petites quantités en Californie, cette découverte, suivie de beaucoup d'autres, fit grand bruit. On procéda à des expertises et, le 5 décembre de la même année, le président des Etats-Unis, James Polk, adressa un message au Congrès pour annoncer une nouvelle qui se répandit comme une traînée de... pépites. « Les renseignements qui ont été reçus sur l'abondance de l'or en Californie, dit le président, sont d'une nature si extraordinaire qu'on aurait peine à y attacher la moindre créance s'ils n'étaient pas corroborés par des rapports authentiques de fonctionnaires responsables. »

Cette déclaration déclencha immédiatement ce que les journalistes appelleraient bientôt la ruée vers l'or. Des gens de toutes conditions — paysans, ouvriers, employés – et de tous âges partirent pour l'aventure avec pics, pelles et tamis, certains qu'ils étaient de s'adjuger un peu de la manne universelle. Par bateaux, en contournant le cap Horn, ou en franchissant, ce qui était plus risqué, l'isthme de Panama; par la route aussi, en traversant le continent, des dizaines de milliers de personnes se lancèrent dans la course au métal précieux.

Les premiers à faire fortune n'eurent pas à aller si loin. Ce furent les fabricants de « goldomètres », appareils magiques permettant, disait l'inventeur, de repérer un filon de métal précieux et indispensables à tout chercheur d'or. L'engin se vendait trois dollars. On en fabriqua des dizaines de milliers !

Marshall et son associé Sutter, auxquels la distance à couvrir par « l'armée dorée » laissait un peu de répit, passaient leurs journées à patauger dans les rivières sans que l'on sache si ce genre d'exercice était vraiment profitable[1].

A Bagatelle, la découverte d'or en Californie ne suscita nulle émotion. Seul Mallibert, l'ordonnance du colonel, qui avait souhaité un moment rejoindre les mormons pour des raisons assez peu religieuses, envisagea de se faire chercheur d'or.

« Nous avons ici de l'or blanc, que les cotonniers nous livrent chaque année, Mallibert. On ne court pas les chemins pour des pépites d'or jaune, qu'on n'est pas certain de trouver !

– L'or blanc n'enrichit que les planteurs, colonel, pas le maréchal des logis que le mariage

1. D'après M. Lacour-Gayet, « Marshall et Sutter furent abandonnés par leurs ouvriers qui partirent à la recherche d'Eldorados personnels; leur bétail fut volé, leur propriété envahie et occupée par des squatters. Marshall finit son existence dans la pauvreté et la folie; Sutter fit banqueroute. Dans les dernières années de sa vie, l'Etat de Californie lui alloua une pension de 250 dollars pour le sauver de la misère ».

de son colonel transformé en bûcheron et en terrassier... Quand je suis venu en Amérique avec vous, je comptais bien qu'on se battrait un peu... contre les Indiens. J'en ai même pas vu un, rien que des nègres gentils comme tout. Alors, je m'ennuie !

– Tu as cependant tout ce qu'il te faut, hein, et les distractions ne te manquent pas. On m'a même dit que tu régnais sur les cœurs de quelques « tisanières » fort agréables !

– Je vais vous dire, colonel, les femmes noires, elles sont toutes pareilles et j'aurais grand besoin d'aller faire un tour à La Nouvelle-Orléans pour voir si les créoles ont autant de charme qu'on dit...

– Eh bien, vas-y, que diable, mais ne me parle plus d'aller creuser la terre de la Californie pour trouver de l'or ! Laisse ça aux imbéciles, qui abandonnent la proie pour l'ombre.

– Vous avez raison, colonel, après tout j'ai jamais été aussi heureux que dans ce pays. Mais, tout de même, on se ramollit un peu à commander un escadron de nègres mous... et à boire du visqui... Ce qui me manque, finalement, c'est des surprises. Dans ce pays, on en a pas, tout semble réglé comme des manœuvres d'état-major. On vieillit sans s'en apercevoir ! »

Clarence Dandrige, qui assistait à la conversation du colonel de Vigors et de son ancienne ordonnance, estima que le maréchal des logis tenait là une assez bonne définition de la vie de plantation : une monotonie émolliente qui, par moments, faisait désirer que se produise un événement inattendu, qui vînt troubler l'heureux ennui dans lequel on vivait !

« Nous avons tous besoin d'une Icarie ou d'une pépite à découvrir, observa-t-il. L'utopie est une forme d'espérance. Cela tient au vague désir que chaque homme porte en lui de connaître « autre chose », de risquer ce qu'il possède, y compris sa vie, pour accéder à ce qu'il croit être la félicité. Les uns, comme Mallibert, espèrent la trouver dans l'action; d'autres, les mystiques, pensent l'atteindre par la contemplation; rares sont ceux qui se résignent à la rechercher sous la gangue de la médiocrité quotidienne! »

M. de Vigors approuva et chacun s'en retourna à ses affaires. L'or de la Californie fut oublié. Un moment d'exaltation chez le maréchal des logis Mallibert avait été la seule incidence à Bagatelle de l'engouement populaire pour la course au trésor, dans laquelle des milliers d'Américains et d'immigrants s'engageaient.

7

L'INTENDANT, avec la gestion de la plantation et ses travaux de biographe, connaissait des journées bien remplies. Il avait convaincu Virginie de la nécessité d'acquérir de nouvelles terres, le coton épuisant le sol en quelques années. En alternant les cultures, en laissant pendant quelques saisons la nature « refaire la terre » sous les prairies, on obtenait de bons résultats. Sans en rien dire à Dandrige, Virginie sollicita l'avis de Marie-Adrien qui, à dix-sept ans, accomplissait sa dernière année chez les jésuites. Flatté d'être ainsi consulté, il donna son approbation, ayant entendu dire par les pères de ses amis, de Kernant et de Beausset, qu'un planteur ne devait jamais laisser passer l'occasion d'agrandir son domaine.

L'aîné des Damvilliers avait cependant d'autres passions que la terre. Incapable de suivre des études disciplinées, il avait obtenu des bons pères qu'on le laissât se plonger à sa guise dans les matières qui l'intéressaient et négliger celles pour lesquelles il ne ressentait nulle attirance. La littérature européenne, la musique, la philosophie et l'histoire fournissaient à son dilettantisme l'occasion de vastes explorations anarchiques. Elles satisfaisaient son esprit chantourné et lui assuraient une réputation de sérieux.

Les jésuites choyaient cette intelligence et appréciaient le goût inné de la méditation de cet élève, à coup sûr le plus brillant du collège, sans pouvoir toutefois s'habituer à ses foucades. Marie-Adrien était capable de s'enfermer une semaine avec des livres, négligeant sa toilette, refusant les conversations et oubliant même l'heure des repas, aussi bien que de « faire le mur » plusieurs nuits de suite pour aller en ville à de mystérieux rendez-vous. On l'avait vu dans des bouges, en compagnie de créatures douteuses, s'enivrer de mélanges compliqués d'alcools forts, qu'il composait lui-même, confessant des prostituées et abreuvant des aventuriers de rencontre, auxquels il inspirait des coups et des spéculations, que des gens scrupuleux eussent définis comme escroqueries.

Depuis qu'il avait lu *Les Confessions d'un opiomane anglais*, de Thomas de Quincey, livre paru à Londres en 1822 et dont les pères jésuites ignoraient l'existence, il s'était procuré les œuvres de cet auteur qui décrivait si bien l'horreur des défaillances physiologiques. *De l'assassinat considéré comme l'un des beaux-arts; Sur le coup frappé à la porte, dans Macbeth*, avaient été pour lui des révélations, car sa nature névrotique jouissait « de l'attente terrifiée et voluptueuse de l'événement ». L'opium, qu'il obtenait à prix d'or des marins revenant des Indes, lui apportait une sensation de lucidité exacerbée, un raffinement de la pensée, mettait toutes ses facultés en harmonie, comme une partition bien construite peut fondre en un seul chant les voix de tous les instruments sans que l'apport d'aucun soit ignoré. Le jeune marquis avait essayé d'entraîner Gilles de Kernant et Hyacinthe de Beausset dans ces extases empoisonnées. Gilles, ayant eu des nausées dès la première bouffée tirée d'une précieuse pipe d'ambre, s'était récusé. Le second, effrayé par ce qu'il définit comme « l'insupportable expansion de son cerveau », avait renoncé à poursuivre l'expérience. La solitude de Marie-Adrien s'en était trouvée augmentée, comme son orgueil, car il se croyait seul capable de jouir d'un plaisir inconnu du vulgaire. Ses goûts vestimentaires étonnaient ses amis. Il exigeait de son tailleur des coupes hors mode et choisissait des flanelles molles, réclamant que ses pantalons fussent doublés de soie; des voiles de coton pour ses chemises; des moires irisées pour ses gilets. Dans un châle de Cashmere, il avait fait tailler une redingote qu'il portait sur une culotte de chasse en velours amande et chaussé de bottes de daim gris. Il lui arrivait le soir de dessiner des livrées dans le goût turc, qu'il se promettait d'imposer plus tard aux domestiques de la plantation, car le choc des couleurs vives et des ors, plaqués sur la peau noire des esclaves, l'hypnotisait.

Ces fantaisies d'héritier fortuné, de prince du coton, réjouissaient Virginie, qui voyait en son fils un esthète d'une exceptionnelle sensibilité. Souvent, il faisait appel à la bourse de sa mère pour acheter des pierres plus rares que précieuses, qu'il faisait monter en boutons par un orfèvre de la rue Saint-Charles. Toujours enthousiasmé par les jeux de la couleur et de la lumière, il négligeait les diamants et recherchait des lazulites, des péridots, des quartz roses et étoilés, des opales d'Australie, des sardoines, des chrysobéryls de Ceylan. Il portait au doigt une hématite d'un noir profond, qu'il avait gagnée au jeu, à bord d'un vapeur du Mississippi, et sur laquelle il avait fait graver une croix brisée, car il ne croyait plus à aucune rédemption.

A la plantation, où le ramenèrent les vacances de l'été 1849, le seul être qui l'intéressât vraiment fut Dandrige. Il devinait maintenant chez l'intendant un esprit pointu, une incapacité à entrer dans le moule commun qui le séduisaient. D'une taille moyenne, il enviait les longues jambes minces de Clarence, ses mains sèches et cette aisance de gestes à laquelle il ne parvenait, lui, qu'en se contrôlant à tout instant. Mais il était trop tard pour que ces deux caractères se reconnaissent des points de convergence. L'intendant, au fil des années, avait constaté que le futur maître de Bagatelle manifestait moins d'arrogance, évitait de poser des questions sur la marche de la plantation. S'il se montrait toujours aussi condescendant avec son frère et ses sœurs et assez indifférent vis-à-vis du petit Charles qui allait sur ses cinq ans, c'était sans ostentation. Son orgueil prenait l'apparence du détachement. Le jeune homme, pensa Clarence, avait découvert d'autres centres d'intérêts, qu'il jugeait sans doute inaccessibles aux gens ordinaires.

Ayant dans la personne de sa mère une auditrice attentive, il se mettait parfois au piano et jouait avec un art consommé des Nocturnes de Chopin. Mme de Vigors, allongée sur une méridienne, retrouvait sans le savoir la pose alanguie de la mère d'Adrien, faisait éteindre les bougies « pour mieux quitter la terre » et s'abandonnait à la musique, comme aux bras d'un amant. En échange de ces moments de grâce, elle offrait à son fils des soirées de clavecin. Il préférait aux jolies ritournelles de Rameau, qui avaient enchanté son père, les architectures savantes d'une triple fugue de Bach, trouvant dans le labyrinthe polyphonique une traduction sublimée, une ordonnance mystique de ses pensées. C'est à ces moments-là qu'il aurait aimé adjoindre à la dégustation musicale une once d'opium, qui l'eût peut-être guidé dans le maquis touffu de son être, vers des fleurs rares aux chairs féminines, somptueuses et empoisonnées, offertes aux convoitises et inviolables.

Mais il n'osait avouer à sa mère ce qui aurait passé aux yeux de tous pour une maladie inadmissible. Plus tard, quand il pourrait s'assurer les services d'un artiste muet, ce plaisir lui serait permis. Epicurien, il le mettait de côté, comme on thésaurise des envies.

Gratianne, dont la beauté promettait d'égaler celle de sa mère, avait à peine quinze ans et comptait déjà autant d'amoureux que l'allée de Bagatelle comportait de chênes. Quand elle se mêlait aux séances de musique, c'était pour accompagner sur le Pleyel des mélodies et des chansons que Marie-Adrien trouvait mièvres et vulgaires. *My old Kentucky Home, Louisiana Belle et O Susanna,* airs composés pour les veillées à la belle étoile des robustes pionniers de l'Ouest, constituaient le fond de son répertoire. Ces chants réjouissaient surtout le colonel de Vigors, qui reprenait, au refrain, avec plus d'enthousiasme que de justesse :

O Susanna, don't you cry for me!
I'm off for Alabama with my banjo on my knee...

Marie-Adrien pinçait les narines, comme si ces chants eussent apporté des relents de campements, des effluves acides d'hommes en sueur, des haleines d'alcooliques.

Au cours de son séjour à Bagatelle, alors qu'il attendait de s'embarquer pour l'Europe, afin d'effectuer ce « tour » destiné à parachever l'éducation de tout fils de planteur aisé, il commit à deux ou trois reprises des actes que M. de Vigors qualifia d'excentriques. Ayant convoqué Télémaque et ses chanteurs de l'église, sous les chênes, il y fit porter le piano et obtint que les esclaves chantent en chœur en s'accompagnant de leurs banjos faits de boîtes de fromages et de boyaux tordus, tandis que d'autres frappaient dans leurs mains.

Pénétré des airs mélancoliques des cantiques, il sut, en les reproduisant sur le clavier, leur imposer un rythme plus vif que les Noirs, docilement, suivirent, s'animant peu à peu, risquant parfois des improvisations colorées, atteignant bientôt les frontières de la transe. Sous la direction autoritaire de Marie-Adrien, des mélodies sirupeuses devinrent lascives, des incantations se transformèrent en appels rauques. A son gré, par l'intermédiaire du piano, il modulait le chœur des Noirs, encourageant d'un geste de la tête Télémaque à un solo, pour mettre en valeur un motif, faisant s'enfler dans les poitrines des murmures et des plaintes. Tout d'abord surpris, les esclaves entrèrent spontanément dans le jeu, leur sens inné du rythme leur permettant de devancer la volonté du maître. Bientôt ils y prirent plaisir, osant des confidences chantées, comme si la musique devenait un langage qui abolissait le maître et l'esclave, dans une commune exaspération. Le dernier accord plaqué, Marie-Adrien distribua quelques dollars et chacun retomba dans sa condition première.

Virginie avait suivi avec son mari ce concert impromptu, depuis la véranda, heureuse de la performance de son fils, mais troublée par son audace que M. de Vigors désapprouvait. Dandrige, par contre, complimenta le jeune marquis :

« C'était très beau et diablement dépuratif.

– Peut-être un peu scandaleux, aussi, fit Marie-Adrien en regardant du côté de son beau-père.

– Pas pour moi en tout cas. Je trouverais cela plutôt sain..., mais tout dépend de l'intention qu'on y met, n'est-ce pas ?

– Une intention d'instrumentiste seulement, monsieur Dandrige. En matière de musique, les nègres sont des instruments intelligents, j'ai voulu m'en convaincre. »

L'intendant approuva moins la façon dont Marie-Adrien accoutra Brent, le domestique qu'il avait choisi d'emmener en Europe. Il fit venir pour cela son tailleur de La Nouvelle-Orléans et le conserva plus d'un mois à la plantation. Au cours de son séjour, l'artisan confectionna deux costumes de cheviotte grise et des chemises rose buvard pour le jeune marquis et, sur les indications de ce dernier, coupa pour Brent une redingote bleu pastel à parements de soie et un spencer sang-de-bœuf à revers noirs. Marie-Adrien ajouta à ces tenues surprenantes une cape de laine beige fermée au col par une chaîne d'argent qui donna à l'esclave, haut de taille, l'allure inquiétante d'un magicien de comédie, surtout quand il fut coiffé d'un gibus de soie couleur marron glacé !

« Dans un tel équipage, vous ne passerez pas inaperçu à Paris, observa avec ironie M. de Vigors.

– Pensez-vous, monsieur, que votre uniforme de hussard de la Garde était moins voyant ? Avec vos brandebourgs dorés, vos buffleteries vernies, vos culottes blanches, votre dolman chamarré et votre shako à panache, vous ne deviez pas manquer d'attirer l'attention !

– Nous ne souhaitions attirer que l'attention de la gloire, mon garçon, répliqua le colonel en s'animant.

– Permettez-moi donc, plus modestement, monsieur, de ne vouloir attirer que l'attention des gens de goût, car c'est là que se limite mon ambition ! »

Cette passe d'armes, qui n'avait pas eu de témoin, convainquit le colonel que Marie-Adrien n'était qu'un enfant gâté, insolent et vaniteux. Il s'abstint désormais de porter la moindre appréciation sur ses agissements.

Si le hussard impérial avait pu assister à ce qui se passait la nuit dans la chambre de Marie-Adrien, il eût connu bien d'autres émotions. Virginie, qui possédait une acuité de perception exceptionnelle pour tout ce qui touchait à son fils aîné, savait bien que le jeune marquis s'était choisi, parmi les blanchisseuses de Bagatelle, une « tisanière ». Bien qu'elle puisse juger là encore de la précocité de Marie-Adrien, elle s'appliquait à ne rien remarquer, d'autant plus que l'esclave arrivait quand la maison dormait et repartait avant l'aube. Elle devait être aussi d'une parfaite discrétion, puisque Anna, qui collectait toutes les confidences des domestiques, n'avait pas soufflé mot à sa maîtresse des relations que le garçon entretenait avec une fille de la lingerie. L'élue de Marie-Adrien était d'une beauté sculpturale, bien en chair et pourvue d'une denture éclatante. Le grain fin de sa peau d'un noir mat et velouté lui valait beaucoup d'hommages. Taciturne et pudibonde, elle ne recherchait pas les aventures. Le jeune marquis avait toute chance de la trouver vierge, ce qui était une rareté dans les plantations.

Les curieux eussent été bien étonnés d'apprendre que Marie-Adrien ne demandait pas à Bessy ce qu'exigeaient habituellement les jeunes gens des « tisanières ». Il en obtenait un plaisir à la fois plus innocent et plus pervers, relevant d'un esthétisme dévoyé, d'un sadisme sans violence, mais qui dénotait une dépravation profonde de l'esprit. Quand Bessy pénétrait dans la chambre du jeune homme, qui donnait sur la galerie, du côté opposé à la façade, elle trouvait la pièce éclairée *a giorno* par cinq douzaines de bougies multicolores, groupées sur le plafonnier ou dispersées sur les meubles et la cheminée, dans des globes de verre. Elle ignorait évidemment le soin méticuleux avec lequel Marie-Adrien avait choisi la place de chaque lumière, en fonction de la couleur de la cire, des reflets que renvoyaient les glaces, du scintillement des cristaux.

Il s'asseyait dans un fauteuil, en robe de chambre, et invitait la fille à se mettre nue, à se tenir droite les bras le long du corps, puis il commençait à déboucher des flacons de peinture et préparait des pinceaux. La première fois, Bessy avait eu envie de s'enfuir, puis elle avait cru un moment que le fils du défunt maître allait faire son portrait, car elle était consciente de sa beauté. Quand elle avait compris que c'était elle qui serait peinte, son inquiétude l'avait reprise, mais, Marie-Adrien l'ayant caressée d'une main légère et douce comme celui qui apprécie au toucher le poli d'un marbre, la plénitude des formes magistralement sculptées, elle s'était abandonnée à son incompréhensible caprice. Avec les Blancs, ne fallait-il pas s'attendre à tout, ainsi que le lui avait enseigné sa mère!

Alors, Marie-Adrien s'était mis à peindre le corps splendide, recommençant de nuit en nuit, renouvelant ses trouvailles, s'abandonnant à une inspiration qui changeait avec son humeur. Il entourait le nombril de Bessy de cercles concentriques verts, rouges ou jaunes, lui plaquait des étoiles au bout des seins, pulvérisait sur son pubis crépu de la poudre d'or, lui traçait sur les cuisses des entrelacs de galons, l'obligeait à tremper ses mains dans une cuvette pleine de vermillon afin qu'elle eût des gants sanglants, puis il lui dessinait sur les fesses et les reins des arabesques mauves et safran, après lui avoir collé sur les joues d'énormes pastilles vertes. Une nuit, ayant réussi cette teinte de plâtre rosé que toutes les dames du Sud souhaitaient obtenir, il l'avait enduite des pieds à la tête, avant de saupoudrer d'ocre sa chevelure.

« Tu es blanche maintenant, regarde-toi. »

Il l'avait amenée devant une psyché et Bessy s'était mise à pleurer, ce qui avait donné au peintre l'idée d'ajouter des larmes écarlates sur les joues de la pauvre fille. Tout en peignant à gestes vifs et précis, parfois avec une sorte de rage froide, ce corps qui palpitait sous les attouchements frais des pinceaux mouillés, il disait des mots et des phrases dont Bessy ne comprenait pas le sens :

« Tu es un poème charnel, Bessy..., les couleurs sont des rimes, auxquelles tu communiques le mouvement de la vie... Ton corps est beau, mais ce n'est qu'un beau corps, j'en fais un corps unique et éphémère... Je te veux déesse-caméléon ou panthère, oui, panthère... »

Et il avait besogné deux heures pour donner à Bessy la robe mouchetée du fauve, puis il lui avait agrandi les yeux démesurément avec de la céruse teintée de parme avant de la contraindre à se mettre à quatre pattes, à se déplacer comme un félin, à se lover sur le lit.

« Il te manque un collier. »

Alors, il avait décroché sa grosse chaîne de montre, pour la lui nouer au cou. Afin de parfaire son œuvre, comme l'artiste qui ajoute un détail sublime, il avait passé les dents de Bessy au vieil or et ses lèvres épaisses au rose cru.

« Voilà, tu es la panthère aux dents d'or. Comme tu es belle et désirable, Bessy !... La prochaine fois, je ferai de toi une femme alligator, avec des dartres et des yeux globuleux, tu seras effrayante et superbe ! »

Après ces séances, Bessy tombait de lassitude; il la lavait avec soin au moyen d'une éponge douce et la renvoyait, sans jamais avoir, envers la fille, le geste auquel elle s'attendait, qu'elle finissait par espérer. Car Marie-Adrien allumait dans ce corps tiède et sain de frénétiques désirs, que divulguaient au peintre l'érection des pointes des seins et un gonflement pelvien irrépressible que l'innocente Bessy ne cherchait pas à dissimuler, mais que le jeune marquis négligeait, comme réaction mécanique et triviale d'un corps auquel il ne demandait que d'être le support de ses phantasmes.

Chaque nuit, la lingère repartait avec un dollar et la recommandation de ne rien dire de ces jeux, que Marie-Adrien appelait du nom vague d' « études polychromes sur peau noire ».

Les autres lingères, qui connaissaient les escapades nocturnes de leur camarade vers la grande maison et qui, par déduction, avaient rapidement identifié l'amant de Bessy, ne manquaient pas de faire les allusions grivoises que pouvaient leur inspirer ses lenteurs matinales.

A l'heure du breakfast, Virginie, avec une curiosité de femme plus que de mère, essayait de déceler sur le visage de son fils les stigmates des voluptés nocturnes, car elle voyait dans la plantureuse Bessy une goule redoutable. Les paupières bistrées de l'aîné des Damvilliers lui donnaient des inquiétudes tolérables. Si elle avait su l'opium responsable, elle se fût, comme disait Anna, « rongé les sangs ».

Alors que personne ne soupçonnait à Bagatelle les curieux agissements de Marie-Adrien, Dandrige eut l'occasion de se faire une idée plus exacte de la personnalité du jeune marquis. La maison était toujours abondamment fleurie, car aux produits de la roseraie s'ajoutaient de nombreuses variétés : gardénias, jasmins du Cap, seringas, lauriers, cattleyas et autres. On ne coupait jamais, par contre, les fleurs des magnolias, parce que celles-ci perdaient en quelques heures leur ton d'ivoire clair pour virer au caramel, puis au brun terne. Seul Marie-Adrien osait amputer les arbres de leurs ornements aux pétales charnus. Un après-midi où le jeune homme avait convié Clarence à venir dans sa chambre, voir un album importé d'Italie et reproduisant les fresques de la Sixtine, l'intendant aperçut dans une coupe de cristal, sur un guéridon, une fleur de magnolia qui se mourait.

Marie-Adrien ayant suivi le regard de l'intendant se montra plus loquace que d'habitude.

« Cette fleur, dit-il en saisissant la coupe, est en train d'acquérir une beauté nouvelle. Sa blancheur nacrée est quelconque, mais observez comme, séparée de la branche qui la portait, elle s'achemine vers la momification, sans rien perdre de sa souplesse. Bientôt les pétales, qui ont aujourd'hui la couleur d'une poire blette, prendront le ton chaud d'un vieux cuir de Cordoue, puis un matin ils se sépareront et tomberont. Ils deviendront rigides comme des cadavres et demeureront ainsi, tels des pharaons dans leurs sarcophages, vides de sève, mais présents. Alors, je les glisserai entre les pages de mes livres et, un jour, le hasard d'une lecture me restituera, loin d'ici peut-être, le souvenir du magnolia dont on admire bêtement les fleurs de porcelaine au parfum doucereux...

– La beauté de ces fleurs me paraît plutôt liée à la forme de vie qu'elles représentent; mortes, elles ne sont que déchets végétaux.

– La mort stabilise ces fleurs, monsieur Dandrige, et leur beauté devient confidentielle. L'évolution de la vie les corrompt, les rejette à l'humus commun. Là, dans mes livres, elles témoignent d'un été et de mon choix. »

Clarence sortit de cette conversation assez troublé, non pas qu'il ne suivît pas la pensée de Marie-Adrien, mais parce que l'originalité d'un choix morbide qui faisait préférer au jeune homme une beauté momifiée et corrompue à l'éclat même quelconque de la vie l'inquiétait. Seul, ce symptôme eût été sans portée, mais, ajouté au curieux concert que le garçon avait organisé avec les esclaves, à sa façon de se vêtir, d'accoutrer son domestique et de rassembler des pierres semi-précieuses aux éclats surprenants, au choix de ses lectures, à ce que l'on savait par les jésuites de son comportement, tout cela constituait une série d'indices révélant une révolte secrète et peut-être inconsciente contre l'univers des planteurs béats. Et puis l'intendant avait cru respirer dans la chambre de Marie-Adrien un parfum à la fois âcre et doucereux, qui n'appartenait à aucune fleur. Il ne pensa pas à l'opium, dont l'odeur lui était inconnue, mais subodora cependant quelque alchimie méphistophélique d'être à l'origine d'un pareil arôme.

8

Pierre-Adrien, auquel Dandrige était fort attaché, donnait à son parrain des inquiétudes d'un autre genre. Le cadet des Damvilliers portait à l'aîné une admiration tempérée par la crainte que suscitaient chez ce garçon de quatorze ans, d'une surprenante maturité, les audaces du futur maître de Bagatelle. Sans discuter le comportement de ce dernier, il ne pouvait se défendre, à son égard, d'indéfinissables appréhensions. Le filleul de l'intendant redoutait de voir Marie-Adrien se mettre, par jeu ou par bravade, dans des situations sinon périlleuses, du moins inconfortables. Mais, en même temps, il appréciait son courage. Car il fallait une certaine force de caractère pour suivre des aspirations hors du commun, imposer des goûts neufs et mépriser les préjugés qui inspiraient l'étiquette de la société conformiste des planteurs. Ignorer l'opinion des étrangers et ne pas se laisser influencer par celle de ses proches ne pouvait être que le propre d'une personnalité puissante. Il ne faisait nul doute pour Dandrige que, si l'on avait attaqué Marie-Adrien ou simplement critiqué sa conduite, son jeune frère eût pris fait et cause pour lui sans pour autant souscrire à ce que Mme de Vigors appelait « d'intéressantes fantaisies ».

« Marie-Adrien m'a confié, monsieur Dandrige, qu'il voulait faire de sa vie une œuvre d'art, dont on ne comprendrait que plus tard la signification profonde. Quelque chose comme un poème épique ou une tragédie de Sophocle et qui étonnera. Je sais qu'il ne se conduira jamais comme les gens ordinaires. On le verra toujours agir de la seule façon que nous ne pouvons imaginer. Et nous devrons l'accepter tel qu'il est, de gré ou de force, et l'aimer sans chercher à le comprendre. »

Au contraire du jeune marquis, Pierre-Adrien gardait les yeux ouverts sur le monde et les autres. La question du bien-fondé de « l'institution particulière » qui faisait du Sud un pays esclavagiste le préoccupait chaque année davantage. Il avait beaucoup lu à ce sujet, recueilli des coupures de journaux européens révélant l'anachronisme que constituait, dans une démocratie, le travail servile. Il voyait, comme les abolitionnistes désintéressés, une contradiction flagrante entre les principes dont les Etats-Unis se proclamaient les représentants et le fait que des hommes soient la propriété d'autres hommes. S'il demeurait persuadé, en voyant vivre les esclaves de Bagatelle, que les Noirs subissaient sans même s'en rendre compte une infortune manifeste, il était maintenant convaincu que Tocqueville avait raison d'écrire : « L'usage de la servitude a donné au nègre des pensées et une ambition d'esclave : il admire ses tyrans plus encore qu'il ne les hait et trouve sa joie et son orgueil dans la servile ambition de ceux qui l'oppriment. »

Les arguments des physiocrates l'incitaient à penser que les Sudistes étaient de mauvais comptables, qui se mettaient inutilement dans une situation critiquable du point de vue humain, sans en tirer de riches profits. Sans accepter telle quelle toute la doctrine des disciples de Quesnay qui prônaient le « laisser-faire » et le « laisser-aller », il estimait que la main-d'œuvre libre pouvait avoir une production supérieure à celle de la main-d'œuvre servile et que le salarié coûtait moins cher que l'esclave qu'il fallait loger, vêtir, nourrir et soigner. Quant aux conditions climatiques des Etats cotonniers, elles ne jouaient que le rôle équivoque d'alibi, les Blancs ayant démontré qu'ils supportaient la chaleur subtropicale, laquelle ne les empêchait pas, d'ailleurs, de dépenser leurs forces en chevauchées, parties de chasse et bals.

Souvent, Pierre-Adrien s'entretenait avec Dandrige de ce sujet qu'il ne pouvait décemment aborder en société sans courir le risque de se voir traiter de « jeune pédant perverti par les philosophes et les salonnards européens ». Sa propre mère ne lui avait-elle pas dit, un jour où il développait ses théories sur l'intérêt qu'il y aurait à employer des Noirs libres plutôt que des esclaves : « Tu n'as pas à avoir ce genre de soucis, ni à te poser ces questions, puisque tu ne veux pas être planteur. Ce n'est pas non plus un Damvilliers qui doit douter d'une institution acceptée par ses ancêtres depuis cent cinquante ans ! »

Il se l'était tenu pour dit.

Dandrige prêtait, par contre, attention aux propos subversifs du collégien, acceptait la controverse et s'appliquait à démontrer que la situation des Noirs libres, dans le nord des Etats-Unis, paraissait encore moins confortable que celle des esclaves du Sud.

« C'est là une autre affaire, rétorquait Pierre-Adrien, et le résultat du mépris dans lequel on a tenu le nègre quand il était esclave. Devenu libre, il reste noir et, comme tel, marqué du sceau de la servilité. Avec le temps et l'éducation, les nègres seront appréciés en tant que travailleurs et citoyens, non plus en raison de la couleur de leur peau et de leurs ascendances.

– Tu nies l'infériorité de la race noire, c'est cependant une évidence.

– Je ne la nie pas pour le moment, parrain, pas plus qu'un Romain ne devait nier l'infériorité intellectuelle des Arvernes, mais nous entretenons cette infériorité pour mieux dominer des êtres dont les civilisés devraient chercher, au contraire, à développer les facultés. »

Deux attitudes choquaient spécialement le garçon. D'abord, l'interdiction d'apprendre à lire aux esclaves, ce qui était une bonne façon de les maintenir dans l'ignorance crasse qu'on leur reprochait; ensuite, les « élevages » de Noirs que certains Virginiens avaient organisés. En effet, depuis la suppression de la traite, le plus sûr moyen d'augmenter le nombre des esclaves, donc d'assurer des revenus aux marchands de « bois d'ébène », était de les faire procréer.

Si la plupart des planteurs se contentaient d'encourager la natalité, qui leur permettait de développer leur cheptel servile sans bourse délier, d'autres exigeaient que les femmes aient un enfant par an. Certains, même, pratiquaient l'eugénisme pour obtenir par des croisements étudiés des esclaves robustes. Ces « éleveurs », quand ils achetaient des esclaves, examinaient les organes reproducteurs de ces derniers avec autant de soin que s'il se fût agi d'étalons.

« S'ils trouvaient le moyen de ne faire naître que des garçons, ils seraient comblés », disait Pierre-Adrien avec amertume.

Dandrige, sans oser le reconnaître ouvertement, savait bien que son filleul raisonnait sainement. Lui-même s'était souvent posé des questions, mais, élément du sytème, il en acceptait les règles. Depuis qu'il avait pris en charge la plantation, Clarence tenait son rôle de maître délégué avec scrupule, respectant les lois et agissant vis-à-vis des Noirs comme Adrien le faisait, c'est-à-dire avec l'autorité assurée d'un homme qui détient un droit naturel admis par ceux envers lesquels ce droit s'exerce. L'hypocrisie des abolitionnistes yankees, leur hargne, leurs douteux procédés le rejetaient dans le clan esclavagiste où, n'étant pas propriétaire d'esclaves, il n'avait cependant d'autre intérêt qu'un confortable salaire et un mode de vie plaisant.

Pierre-Adrien comprenait cette attitude et, comme Dandrige, il déniait tout droit aux Nordistes d'intervenir dans les affaires du Sud.

« L'évolution doit venir de nous. L'émancipation doit être organisée par les propriétaires d'esclaves eux-mêmes. C'est à eux de transformer en travailleurs libres les serfs qu'ils ont achetés, afin que l'économie ne souffre pas du changement.

« Si j'étais planteur, ajoutait le garçon avec dans le regard une flamme d'apôtre, je commencerais par apprendre à lire à mes esclaves, à leur enseigner la Constitution, à leur expliquer la liberté. Ensuite, je les convaincrais de demeurer à mon service avec un salaire suffisant pour leur permettre de vivre dans les mêmes conditions de sécurité qu'ils connaissent en tant qu'esclaves, avec un petit surplus calculé en fonction de leur application au travail ! »

Dandrige souriait en écoutant ces propos généreux, mais à son avis utopistes.

« Tu ne connais pas les nègres, comme je les connais, Pierre-Adrien. Sitôt émancipés, ils prendront de l'arrogance, donneront libre cours à leur nonchalance atavique, quitteront leur maître pour un autre ou, alléchés par les manufacturiers du Nord, s'en iront se faire exploiter ailleurs.

– Ils comprendront vite où est leur intérêt et leur bonheur ! » répliquait le garçon, qui n'en voulait pas démordre.

Loyal vis-à-vis de lui-même, Pierre-Adrien traitait les domestiques avec beaucoup d'aménité, mais il se montrait déçu de ne pas être payé de retour. Plus il était aimable et courtois et moins on lui obéissait rapidement. Les esclaves de la maison respectaient bien autrement Marie-Adrien, qui n'adressait la parole aux Noirs que pour donner un ordre ou formuler des reproches. Le cadet des Damvilliers s'interrogeait sur cette attitude paradoxale des esclaves familiers. Seule Ivy, son amie d'enfance, devenue garde-malade à l'hôpital de la plantation, semblait apprécier la générosité de Pierre-Adrien. Les autres, tous les autres, du vieux James au dernier des jeunes palefreniers, n'y voyaient que de la faiblesse et une inaptitude à commander. Pour eux, le frère du jeune marquis n'avait pas l'étoffe d'un maître. Ce n'était pas un garçon auquel ils eussent fait confiance!

La vie routinière, l'absence d'imprévus conféraient à Bagatelle une sorte d'ataraxie capable d'anéantir le temps. Celui-ci fuyait sans contrôle ni repères autres que les changements de saisons, la succession des travaux et des récoltes, l'arrivée des collégiens au début de l'été, quand la fièvre jaune vidait La Nouvelle-Orléans de sa population, et leur départ avant l'automne. S'il est vrai que la perception de la durée varie avec les êtres et les circonstances, les gens de Bagatelle, enfermés dans leur petit univers, quiets comme dans une bulle, en arrivaient à perdre la notion de l'écoulement des jours. L'avenir devenait présent et le présent passé, sans qu'ils y prissent garde!

La sereine stabilité d'une communauté ressemble à « l'immobilité de l'axe de la roue qui tourne » recherchée par les contemplatifs. Il faut que survienne un drame, une conjonction d'événements, pour que dans un réveil brutal le temps émerge de l'engourdissement fallacieux, que les horloges et les calendriers retrouvent leurs fonctions banales, que les êtres ordonnent à nouveau leurs sensations dans l'indéfini et l'homogène. De là, ces étapes de « l'avant » et de « l'après » qui constituent le fond des références de toutes les familles.

L'année 1850 devait, après une longue période sans date, tirer Bagatelle de son heureuse léthargie. Les événements du monde, qui n'atteignaient la plantation qu'à travers l'écran protecteur de son autarcie, ne furent pour rien dans cette reprise de conscience. Clarence Dandrige eut pourtant à les inclure dans son souvenir, comme autant de jalons conduisant à une cruelle saison.

Le Mississippi, cette année-là, était entré en crue trois mois avant l'époque habituelle de ses débordements. Le fleuve avait rompu ses levées, dévasté des plantations, creusé à quelques miles au-dessus de La Nouvelle-Orléans une crevasse de deux cents pieds de large et huit pieds de chute. Bagatelle avait été épargnée, mais une ancienne mare, creusée derrière la maison, s'était trouvée remplie. En ville, plusieurs quartiers subirent, par contre, les désagréments de l'inondation. Le « Père barbu des Eaux », propulsant jusque dans les rues les détritus et la vase des cyprières, porta le choléra dans les quartiers les mieux tenus et l'on vit des serpents affolés chercher refuge dans les habitations.

Le choléra ne sévissait pas que dans le delta louisianais. Il avait fait à Washington une victime de choix en la personne du président des Etats-Unis, le général Zachary Taylor, emporté en quelques jours. Millard Fillmore, jusque-là vice-président, venait de lui succéder pour faire approuver par le Congrès l'entrée dans l'Union de la Californie, avec un statut d'Etat libre. Sur la proposition du sénateur Henry Clay, du Kentucky, un nouveau compromis, qui supprimait les marchés aux esclaves dans le district de Columbia, avait été voté. Le même texte, sous le nom de « compromis du Missouri », seul Etat esclavagiste situé au nord de la latitude 36°30', laissait aux territoires acquis sur le Mexique la liberté de choisir ou non l'esclavage. Favorable aux modérés et soucieux de maintenir l'équilibre précaire entre esclavagistes et non-esclavagistes, remis en question chaque fois qu'un nouvel Etat était admis dans l'Union, le président Fillmore avait également signé un amendement à la loi de 1793 réglant le sort des esclaves « marrons ». Désormais, les agents fédéraux avaient le pouvoir de rechercher les esclaves et de les ramener à leurs maîtres. Les planteurs du Sud se montraient satisfaits, encore qu'ils se demandassent quel camp choisiraient le Nouveau-Mexique et l'Utah, organisés en territoires, statut politique précédant celui d'Etat.

« L'Union est en péril chaque fois que l'on agite au Congrès la question de l'esclavage », avait reconnu le colonel de Vigors qui revenait de Washington où l'avait invité l'ambassadeur de France.

De Paris, de Londres, de Venise, de Rome, Marie-Adrien écrivait à sa mère des lettres copieuses lui annonçant un jour la mort de Balzac, lui donnant un autre jour des détails sur la mode, les menus des dîners auxquels il participait en compagnie de joyeux lurons, piliers du « Grand Véfour« ou des « Frères Provençaux ». Il ne cachait pas ses préférences pour Paris, trouvant Londres gras de suie, Venise libertine et Rome inconsciente de la valeur de trésors archéologiques laissés à l'abandon. Il se gardait bien, par contre, de lui raconter ses nuits devant les tables à jeux des tripots ou des clubs, ses ribotes avec des filles cent fois souillées ou des actrices vaniteuses, entretenues par des vieillards quinteux qui, ne pouvant plus satisfaire les fringales sexuelles de ces cabotines, les livraient aux jeunes étrangers de passage. Il taisait également les plaisirs plus pimentés que réservaient les Bains Chinois aux amateurs de chairs fraîches et les après-midi passés dans des fumeries privées, où des initiateurs compétents proposaient à l'élite des dépravés des drogues et des herbes d'une autre force que l'opium. Le jeune marquis de Damvilliers, que l'aristocratie débauchée appelait familièrement Adri, avait joint à une de ses lettres un daguerréotype le représentant accoudé à une sellette, dans la même pose que celle choisie pour son portrait figurant à Bagatelle. C'était l'image d'un dandy, serré dans un frac impeccable. La qualité de l'épreuve, sur laquelle Virginie trouva son fils plus mince qu'elle ne le connaissait, ne permettait pas, heureusement, de déceler la pâleur du visage, la peau terne et fripée, les cernes violacés des yeux, le tremblement de la main, la récente raideur de la nuque, stigmates d'une vie déréglée, estampilles du viveur dont l'organisme est déjà atteint par les poisons vénériens.

9

Le 4 septembre aurait dû être à la plantation un jour comme les autres. Gratianne, enfermée avec les couturières, préparait sa toilette pour un bal prévu, une semaine plus tard, chez les Tampleton. Julie, que l'on n'invitait pas encore, et comme toujours languide et mélancolique, admirait la tournure de sa sœur aînée, inquiète pour un volant mal froncé, une couture qui « grignait », un décolleté que l'on jugeait trop audacieux. Ces demoiselles, debout avant tout le monde, virent les essayages interrompus par la cloche du petit déjeuner. Celui-ci consistait toujours à Bagatelle en un repas copieux où les œufs brouillés, les petits pains, parfumés à la cannelle, cuits par Anna et servis chauds, les confitures et les cakes fournissaient aux jeunes appétits de quoi se satisfaire.

Tout le monde était à table et M. de Vigors dépliait sa serviette, quand Virginie remarqua brusquement :

« Mais où est Pierre-Adrien ? N'est-il pas levé ? Ce garçon passe ses nuits à lire et, naturellement, il ne peut, le matin, sortir de son lit ! »

Sur injonction de sa maîtresse, James abandonna le service et s'en fut chercher le dormeur. Gratianne engloutissait déjà son troisième petit pain, quand le domestique réapparut.

« M'sieur Pierre est pas dans son lit, m'ame. Et le lit, il est pas ouvert, on dirait qu'il a pas dormi là !

– Il est peut-être au petit jardin[1]. James, va voir ! »

Le retour de James interrompit les conversations et les bruits de fourchettes :

« L'est pas là non plus, m'ame. J'ai appelé partout et Bobo ni les jardiniers l'ont pas vu... P' êt'e bien qu'il a parti... »

Virginie haussa les épaules.

« N'avez-vous aucune idée, Clarence, de l'endroit où peut se cacher votre filleul ?

– Aucune. Je l'ai vu regagner sa chambre hier soir. Il ne m'a même pas emprunté de livre. Je ne comprends pas. Il faudrait tout de même le trouver ! Je vais aller faire un tour... »

L'intendant quitta la petite salle à manger devenue silencieuse. Gratianne et Julie échangeaient des regards étonnés, M. de Vigors se taisait, Virginie buvait son thé à petites gorgées, visiblement irritée.

« Peut-être est-il sorti tôt à cheval, il fait si beau ! proposa le colonel. Il aura oublié l'heure.

– Mais si son lit n'est pas défait, risqua timidement Julie, ça veut dire qu'il n'a pas dormi ? »

Pendant que l'on échangeait ainsi des hypothèses sur les raisons de l'absence de Pierre-Adrien, Dandrige avait visité les écuries. Tous les chevaux étaient dans leurs boxes. Il avait interrogé les jardiniers et marché jusqu'à la levée, au bout de l'allée de chênes, Mic et Mac sur ses talons. La

1. C'est ainsi que l'on désignait les « back-houses » ou cabinets, toujours installés dans une baraque de bois hors de l'habitation.

grande barrière de bois, close pour la nuit, n'avait pas encore été ouverte.

Une inexplicable inquiétude gagnait peu à peu l'intendant. Quand il revint à la maison, on commençait à s'agiter. M. de Vigors envoyait des domestiques pour fouiller le parc, visiter les hangars, le pigeonnier et interroger les contremaîtres afin de savoir si quelqu'un avait aperçu Pierre-Adrien depuis la veille. Virginie, debout sur la galerie, les mains appuyées sur la balustrade de bois, tentait d'imaginer ce qui pouvait empêcher son fils d'être présent au breakfast. S'étant concertés, le colonel de Vigors et Dandrige firent seller leurs chevaux. Le premier décida d'explorer les berges du fleuve, le second le village des esclaves. L'intendant avait choisi ce secteur, car une idée lui était venue : « Ivy, pensait-il, sait peut-être quelque chose. Pierre-Adrien a quatorze ans, il est en bonne santé, se pourrait-il que déjà... ? »

Il trouva la jeune Noire à l'hôpital, en train d'assurer son service, c'est-à-dire de transporter des seaux malodorants.

« Tu n'as pas vu M. Pierre, Ivy ?

– Oh ! non ! m'sieur, pas encore... Pourquoi vous me demandez ça, m'sieur ?...

– On le cherche, il semble qu'il n'a pas dormi à la maison, Ivy. »

L'esclave parut interloquée, méfiante, regardant l'intendant d'un œil à la fois sceptique et interrogateur. Puis elle ramassa ses seaux, s'apprêta à poursuivre son chemin.

« Si tu savais quelque chose, tu me le dirais, n'est-ce pas, insista Dandrige en faisant avancer son cheval... Je sais que M. Pierre t'aime bien !

– Oui, m'sieur, si je savais où il est, je le dirais... Mais je sais pas ! »

Pendant cet entretien, Mic et Mac, assis à l'ombre d'un auvent, bâillaient, espérant une promenade, une course derrière le cavalier, qui demeurait immobile sur sa monture. Quand l'intendant regagna la maison, l'inquiétude, qu'il avait été le premier à ressentir, s'était emparée de tout le monde. A chaque instant, des domestiques venaient rendre compte de leurs recherches. Il fallait se résoudre à admettre que Pierre-Adrien s'était évaporé comme un fantôme. Virginie, pâle et contractée, suggérait de nouvelles directions.

« Nous allons rassembler une cinquantaine d'esclaves et battre méthodiquement la forêt et les champs, proposa le colonel. Pierre-Adrien a pu se donner une entorse et, incapable de marcher, attend peut-être du secours. »

La battue ne donna aucun résultat. A l'heure du lunch, la plantation avait été parcourue en tous sens; aucun indice n'avait été recueilli. On s'apprêtait à passer à table, sans enthousiasme, quand Anna fit un signe discret à l'intendant depuis le seuil de sa cuisine. Dandrige la rejoignit.

« Faut que je vous dise, m'sieur Dandrige, Ivy elle est venue me voir. Mais faut pas le dire à m'ame maît'esse, parce qu'elle a peur. M'sieur Pierre, il est allé chez Ivy cette nuit comme souvent..., pas pou' ce que vous croyez, elle a dit. Pour pâ'ler seul'ment et lui montrer des livres. Mais il est repâ'ti que c'était à peine le milieu d' la nuit pou' aller dormir. Elle l'a pas revu. »

L'intendant remercia Anna, s'excusa de ne pas déjeuner et retourna à l'hôpital, où Murphy venait d'arriver.

« Il paraît que le jeune filleul découche, Dandrige, fit le médecin.

– Si ce n'est que ça, ce n'est pas grave, Murphy. Je voudrais voir Ivy. »

On appela la jeune fille et l'intendant l'emmena à l'écart sous l'œil étonné du médecin.

« Anna m'a raconté ce que tu lui as dit, mais elle ne l'a dit qu'à moi. Par où passe M. Pierre quand il vient te voir la nuit ? »

Ivy se mit à pleurer doucement.

« Tu n'as rien à craindre, il faut m'aider à retrouver M. Pierre, c'est tout. »

Elle indiqua du geste un sentier qui partait de l'hôpital, conduisait par la prairie vers la roseraie, en contournant la mare.

« Qu'est-ce qui se passe, Dandrige ? s'enquit Murphy en s'approchant, c'est sérieux ? Vous avez l'air nerveux. Le gosse n'a pas pu aller bien loin.

– Venez avec moi, on va par là. Il est certainement arrivé quelque chose à Pierre-Adrien. »

Les deux hommes, les chiens sur leurs talons, enfilèrent le sentier et se trouvèrent bientôt près de la mare, remplie au printemps par la crue du fleuve et qui, déjà, rétrécissait sous l'ardeur du soleil, cernée par une zone boueuse. Avant même que Murphy ait repéré le corps, Dandrige savait que son filleul était là.

« Bon Dieu, dit le médecin, regardez ça ! »

Il désignait, émergeant de l'eau croupie, deux jambes les talons en l'air. Puis il se précipita, glissant sur la terre gorgée d'eau jaune, suivi de l'intendant. Mic et Mac, pataugeant et donnant de la voix, arrivèrent les premiers, flairèrent les jambes inertes et se détournèrent, ayant reconnu l'odeur de la mort. Sans échanger une parole, les deux hommes en haletant tirèrent Pierre-Adrien hors de l'eau peu profonde. Il était à plat ventre, englué de vase jusqu'à mi-corps. Murphy retourna le cadavre sans visage, fouilla la boue, trouva le cœur, essuya du pouce les paupières et découvrit sous celles-ci un regard vide et glauque. Sous le soleil, les yeux, comme deux escarboucles serties dans la glaise sale, donnaient à cette tête l'aspect d'une sculpture ébauchée.

« Rien à faire, Dandrige. Il est mort étouffé par cette saloperie ! »

L'intendant demeurait figé, blême, les maxillaires contractés. Les chiens, revenus sur l'herbe sèche, secouaient la boue qui tachait leur robe claire.

« Allez chercher des nègres et une civière, Clarence, dit finalement le médecin. On l'emmènera à l'hôpital. Je le débarbouillerai... On ne peut pas le montrer à sa mère dans cet état. »

Comme un automate docile, l'intendant obéit. En ce matin d'été, la mort de Pierre-Adrien lui paraissait scandaleuse et injustifiable. Sur le chemin de l'hôpital, il rencontra Ivy et, sans grand ménagement, lui apprit la nouvelle. La jeune Noire, comme s'il l'avait frappée, tomba prostrée avant même que ses larmes aient pu jaillir. Il ne lui prêta nulle attention, songeant soudain qu'il fallait aussi aller dire à Virginie que son fils était mort.

Sous le choc de ce drame inimaginable, la plantation prit subitement les couleurs des mauvais jours. Virginie s'enferma pour pleurer avec ses filles, refusant de recevoir les amis venus présenter des condoléances. Mignette Barthew fut seule admise auprès de la dame de Bagatelle. Elle la trouva d'une grande dureté vis-à-vis de la pauvre Ivy.

« Je veux qu'on chasse cette négresse, qu'on la vende. Je ne veux pas qu'elle demeure un jour de plus à Bagatelle. Si je ne me retenais pas, je l'étranglerais de mes propres mains. »

Tandis que l'on préparait les funérailles et que les fossoyeurs du cimetière de Sainte-Marie ouvraient une nouvelle fois le caveau des Damvilliers, Dandrige retourna voir Ivy. Il la trouva prostrée, tremblant de tous ses membres, les yeux injectés de sang, la peau grise. Murphy l'avait dispensée de son service, se doutant bien qu'elle était malade d'un chagrin qu'elle ne pouvait pas montrer.

« J'étais pas sa « tisanière », à m'sieur Pierre, hoqueta la pauvre fille entre deux sanglots. Faut pas croire ça, m'sieur Dand'ige. On parlait, c'est tout ! »

Assis sur un tabouret, près de la paillasse où l'esclave se tenait tapie comme un chien battu, Dandrige pensait que cette fille méritait un certain respect. Que pouvait-on lui reprocher hors l'affection que Pierre-Adrien lui portait, depuis qu'ils jouaient ensemble, derrière la maison, comme deux gosses qui se moquaient pas mal de la couleur différente de leurs peaux !

Sa peine prouvait que leurs rapports n'étaient plus ceux de maître à esclave, mais bien ceux de deux êtres ayant en commun ces souvenirs d'enfance que tant d'enfants blancs élevés avec des petits Noirs s'empressaient de renier, pour maintenir les distances exigées par les conventions et les préjugés.

« M'ame maîtresse a dit qu'on allait me vendre, m'sieur Dand'ige. Je veux bien. Je veux plus rester ici, maintenant on me regarderait d'un drôle d'air.

– On verra, Ivy, il faut attendre un peu, la maîtresse a beaucoup de chagrin... comme toi, tu comprends.

– Oui, je comprends, renifla Ivy, mais si elle savait ça que m'sieur Pierre me faisait, peut-être qu'elle me donnerait au shérif.

– Que faisiez-vous de si mal, Ivy, tu peux me le dire, je ne le répéterai pas !

– Eh bien, m'sieur Dand'ige, dit Ivy, se redressant avec une lueur de défi dans le regard, m'sieur Pierre, y m'apprenait à lire et à écrire ! »

Malgré sa peine, Clarence sourit. Il reconnaissait bien là son filleul qui croyait les Noirs perfectibles et qui, pour être en accord avec sa conscience, s'était lancé dans une entreprise que les lois condamnaient.

Enhardie, Ivy montra à l'intendant des cahiers d'écolier où s'alignaient des lettres maladroitement tracées et les premières syllabes. Il reconnut les modèles dessinés par son filleul d'une écriture appliquée, avec des pleins et des déliés. Sur la dernière page entamée, Ivy avait péniblement reproduit dix lignes du même mot : *Bagatelle.*

« C'est un secret entre nous, dit l'intendant en rendant les cahiers à l'esclave. Il faudra que tu continues seule maintenant... pour faire plaisir à M. Pierre. »

Elle se remit à pleurer doucement. Dandrige, qui n'avait jamais de sa vie touché la toison d'une Noire, lui caressa la tête et quitta la chambre pleine d'odeurs alliacées, qui, non plus que la couleur de la peau d'Ivy, n'avaient rebuté Pierre-Adrien. Il siffla ses chiens, dont les narines délicates s'offusquaient plus que les siennes, et regagna son logement pour tracer une croix noire et une date sur l'arbre généalogique des Damvilliers.

Quelques jours plus tard, Virginie, ayant repris sa place de maîtresse de maison et donné des ordres pour que rien ne soit changé aux habitudes, entreprit Clarence.

« Quand nous débarrasserez-vous de cette négresse ? Il faut la vendre... J'espère qu'elle n'attend pas un bébé !

– Non, elle n'attend pas de bébé, Virginie, et je compte vous en débarrasser bientôt !

– Prévenez-moi seulement quand ce sera fait.

– Il me faut un peu de temps pour joindre l'encanteur, mais, dès la cueillette terminée, je m'en occupe.

– C'est bon, faites vite. La vue de cette créature m'inspire du dégoût ! »

Dandrige n'avait nullement l'intention de livrer Ivy à l'encanteur de Bayou Sara, chez lequel cette jolie fille eût aisément trouvé preneur. Il estimait, en effet, qu'agir ainsi serait trahir la mémoire de son filleul. Et il se souciait fort peu d'obéir aux ordres de Mme de Vigors. L'idée qui lui était venue demandait, pour sa réalisation, quelques semaines de répit.

Déjà, par l'intermédiaire de Barthew, il avait pu faire passer un message à un Noir libre, qui était en relation avec la fameuse Harriet Tubman, que les abolitionnistes du Nord appelaient le « général Tubman » et les Noirs fugitifs le « Moïse de son peuple ». Ayant réussi à s'évader, cette esclave intelligente et férocement décidée à libérer ses congénères avait organisé une filière, connue sous le nom de « chemin de fer souterrain ». Aidée par les abolitionnistes blancs, Harriet Tubman revenait clandestinement dans le Sud, pour chercher les « marrons » auxquels elle faisait franchir la fameuse Mason and Dixon Line, qui séparait idéalement les Etats esclavagistes du Sud des Etats non esclavagistes du Nord. En se dissimulant le jour, en marchant la nuit, des fugitifs réussissaient ainsi à conquérir une liberté plus théorique que réelle, depuis que les agents fédéraux avaient été autorisés à les rechercher, partout dans l'Union, pour les restituer à leurs maîtres. Nombreux étaient les Noirs qui, contraints de vivre cachés et de compter pour subsister sur la générosité de leurs frères ayant statut d'homme libre, regrettaient la sécurité de la plantation qu'ils avaient fuie et trouvaient leur liberté encombrante. Fort heureusement pour Ivy, Barthew avait obtenu qu'une dame transcendantaliste de Concord recueille la jeune Noire qui lui arriverait un jour, si tout allait bien, ce qui la mettrait à l'abri d'une foule d'inconvénients.

Dandrige ne tenait pas, en effet, à ce que l'amie de Pierre-Adrien puisse pâtir de la liberté qu'il allait délibérément, mais secrètement, lui octroyer.

Quand vint la réponse du « général Tubman » fixant rendez-vous à Gallatin, un village du Tennessee, Dandrige prétexta la nécessité d'un voyage à Memphis, où un ingénieur fabriquait de nouvelles égreneuses à coton qu'il serait bon d'expérimenter.

Un matin de novembre frais et pluvieux, conduisant lui-même un cabriolet que Bobo ramènerait plus tard de Bayou Sara, il quitta la plantation. À la corne d'un bois, hors de vue, Ivy l'attendait avec son maigre balluchon, un bouquet de simples à la main.

« Que veux-tu faire de ces fleurs ? interrogea l'intendant en aidant la fille à monter dans le buggy capoté.

– Je voudrais, dit-elle timidement, les poser sur la tombe de m'sieur Pierre au cimetière de Sainte-Marie... en passant.

– Ce n'est peut-être pas très prudent, mais allons-y », concéda l'intendant, qui ne souhaitait arriver que quelques minutes avant le départ du bateau, pour éviter les rencontres importunes.

Devant le caveau fraîchement clos des Damvilliers, Ivy déposa ses fleurs, se signa en pleurant silencieusement, puis elle se tourna vers Dandrige et dit d'une voix calme et assurée :

« Un jour, je reviendrai et je lui apporterai les plus belles fleurs qu'on puisse trouver ! »

Sur le steamboat remontant le Mississippi, Ivy fut embarquée comme domestique de Dandrige. Il remarqua des regards ironiques chez les femmes voyant ce planteur élégant escorté d'une Noire silencieuse et compassée. Les hommes considéraient avec intérêt les formes de la jeune Ivy et trouvaient que, pour une esclave, elle ne manquait ni de grâce ni de distinction. Un inconnu proposa même à l'intendant de Bagatelle d'acheter « cette belle pouliche d'ébène » pour deux mille dollars.

A Memphis, ayant loué une voiture à quatre chevaux, Dandrige, évitant les agglomérations importantes, parvint par des chemins difficiles, après avoir passé Millington, Jackson, Waverly et Dickson, jusqu'au lieu de rendez-vous, dans une clairière, près de Gallatin où Harriet Tubman, en compagnie de trois Noirs évadés d'une plantation de Georgie, attendait la candidate à la liberté. Le « général Tubman » ne plut pas beaucoup à Dandrige. C'était une femme aux formes molles, vêtue d'une robe de soie noire à jabot et coiffée d'un bonnet plat qui écrasait sa large face aux traits grossiers. De plus, elle portait dans un sac un gros revolver.

« Qui êtes-vous? dit-elle d'une voix autoritaire à Dandrige, étonnée qu'elle était de voir un Blanc convoyer une Noire et redoutant un piège.

– Ça ne vous regarde pas, répliqua Dandrige. Je compte que vous ferez bien ce que vous devez faire, c'est-à-dire acheminer Ivy saine et sauve à Concord. S'il lui arrive malheur, je saurai où vous retrouver.

– C'est bon, c'est bon, fit la femme, on s'en va. »

L'intendant glissa subrepticement à Ivy une bourse qu'il avait préparée. Les Noirs ne lui inspiraient aucune confiance. Il remit, par contre, ostensiblement au « général Tubman » une poignée de dollars.

« C'est pour notre cause, dit la femme en empochant l'argent.

– Non, c'est pour que vous preniez soin d'Ivy,

elle est sans ressources. Votre cause, pour le moment, c'est elle. Je ne veux rien savoir d'autre. »

Puis il se tourna vers la jeune esclave de Bagatelle et, à la grande stupéfaction des autres, l'embrassa.

« Les Blancs sont de drôles de gens, pensa un des esclaves en fuite. Ils ont de belles tisanières et ils les expédient comme ça par les chemins, au lieu de les garder près d'eux... »

« Gloire à Dieu et à Jésus aussi, une âme de plus est sauve! » lança d'une façon inattendue Harriet Tubman.

Puis elle tendit la main à Dandrige, qui la prit sans enthousiasme. « Après tout, pensa-t-il, cette femme ne manque pas de courage. » Il fouetta les chevaux et, sans regarder en arrière, prit le chemin de Nashville, où il dormit plus de douze heures avant de retourner à Memphis. Ayant jugé sans intérêt les égreneuses à coton de M. Parkinson, il prit le premier bateau qui descendait le fleuve et regagna la plantation.

Le 30 octobre, alors qu'il revenait d'assister à une messe célébrée, en l'église de la Madeleine, à la mémoire de Frédéric Chopin, Marie-Adrien trouva à l'hôtel de Russie, où il habitait, la lettre de sa mère lui annonçant la mort de son jeune frère. Ayant encore dans l'oreille l'ardente respiration du *Prélude en mi mineur* que l'organiste Lefebvre-Wély avait déjà interprété, un an plus tôt, lors des obsèques du compositeur, devant trois mille personnes, Marie-Adrien relut plusieurs fois la lettre de Virginie. Il imaginait le corps de son cadet appesanti dans la fange. Il le voyait trébuchant dans la glaise, alors qu'allégé de ses désirs il venait de quitter cette Ivy que sa mère rendait responsable du malheur et qui lui était inconnue. Il se reprochait d'avoir négligé le garçon sensible et discret qu'il découvrait en

Pierre-Adrien, puisqu'il avait lui aussi de précoces démangeaisons dans le corps. Il se dit aussi qu'il restait maintenant le seul représentant mâle des Damvilliers et qu'il lui faudrait à son tour procréer pour assurer la pérennité du nom..., à moins qu'il ne s'y refuse et ne s'en aille à son tour, en fermant la porte au nez du Destin sur une dynastie interrompue.

Dans la longue lettre qu'il rédigea pour sa mère, il annonça son retour pour l'automne 1851 et s'en fut chez le sculpteur Clésinger, voir le monument qui devait figurer sur la tombe de Chopin, son compositeur préféré qui, comme lui, « savait voyager en d'étranges espaces ».

Il informa Brent de la mauvaise nouvelle venue de Louisiane. Le brave Noir, qui s'était adapté tant bien que mal à la vie dissolue de son maître, ne put s'empêcher de pleurer.

« Arrête ces larmes, dit durement le marquis, M. Pierre sait maintenant ce que recouvrent tous les mensonges dont les prêtres nous rebattent les oreilles sur l'autre monde et la pérennité de l'âme. Tu pleures sur le vide, sur le néant, sur l'inexistence. Nos cerveaux ne sont que des éponges à souvenirs. Quand la mort les presse, ils se dessèchent et tombent en poussière comme le reste...

– Oui, m'sieur le marquis, acquiesça sans comprendre le valet. Mais j'oublierai jamais m'sieur Pierre. Et puis souvenez-vous que la Planche avait dit qu'il avait le signe de l'eau, c'est pour ça qu'il s'est noyé dans la mare ! »

Marie-Adrien haussa les épaules, jugeant inutile de combattre les superstitions des Noirs. Après tout, elles valaient bien celles des chrétiens, qui acceptaient le tour de passe-passe de l'Eucharistie et se gâchaient la vie, en imaginant les chaudières de l'enfer prêtes à les accueillir. « Il n'y a pas de péché, pensait depuis longtemps Marie-Adrien, il n'y a que des poltrons qui ont peur d'explorer la vie à fond ! »

« Va-t'en, tu m'ennuies », finit-il par dire à Brent.

Celui-ci ne se le fit pas dire deux fois et s'en fut raconter à la gentille femme de chambre blanche dont il partageait la couche depuis bon nombre de nuits un chagrin qu'elle sut comprendre et apaiser.

10

Après la mort de Pierre-Adrien, Bagatelle mit des mois à émerger de la stupéfaction où l'avait plongée la disparition d'un être jeune, qui ne grandirait pas sous les chênes plantés par ses ancêtres.

Comme pour ajouter au chagrin des soucis matériels, les affaires se détérioraient. Le commerce de La Nouvelle-Orléans passait pour décadent. On en rendait responsable le chemin de fer qui, ne craignaient pas d'affirmer certains, ferait bientôt du Mississippi un fleuve inutile. Déjà le chemin de fer du lac Erié atteignait la longueur de 450 miles, celui qui de New York conduisait vers le nord s'allongeait sur 327 miles et le « Baltimore and Ohio Railroad » comptait 179 miles. On projetait de construire une ligne Chicago-La Mobile et une autre qui traverserait le pays des Appelousas sur 166 miles et dont la construction coûterait 10 000 dollars par mile. Déjà on avait vendu dans des paroisses de Louisiane pour 80 000 dollars d'actions dont les acheteurs comptaient retirer un dividende de 8 à 10 %. Ce chemin de fer devait franchir des contrées qui avaient produit, en 1850, 110 800 boucants de tabac, 193 000 barils de mélasse et envoyé à La Nouvelle-Orléans 40 000 têtes de bétail. Tout cela échapperait peut-être, à l'avenir, au commerce orléanais. D'autre part, en donnant de la valeur aux terres qu'il parcourait et dont un cinquième seulement étaient cultivés, le chemin de fer attirerait des fermiers et des planteurs qui n'hésiteraient pas à envoyer directement leurs produits vers le nord.

Le vieux Tampleton affirmait :

« Un jour on prolongera ce chemin de fer à travers le Texas et La Nouvelle-Orléans sera ainsi reliée à l'océan Pacifique. C'est tout simplement une affaire de temps ! »

Quant au chemin de fer de la Louisiane, il reliait déjà, par une voie de 140 miles, Jackson à Madisonville, sur le lac Pontchartrain, station située à 28 miles de La Nouvelle-Orléans.

Les frères Mertaux, que Dandrige consulta, se montrèrent moins pessimistes que les planteurs. La Nouvelle-Orléans devait accepter le chemin de fer, non comme concurrent du Mississippi, mais comme une route supplémentaire pour drainer les produits du Sud vers ses entrepôts.

Le blé, les farines que l'on expédiait en Angleterre ne feraient le détour par New York que si l'on ne savait pas démontrer l'avantage des transports fluviaux. Les porcs venant des élevages de Cincinnati – on en expédiait 3 000 bateaux par an – étaient pour un bon tiers destinés à l'Angleterre et à la France, comme les 50 000 barils de bœuf salé qui prenaient chaque année le chemin de Liverpool. Le plomb, produit maintenant par le Wisconsin, un nouvel État entré dans l'Union en 1848, et par Galena, une ville de l'Illinois, fournirait aux commissionnaires orléanais de bons bénéfices, puisqu'ils en avaient acheté et vendu en 1850 410 000 saumons. Depuis que l'on disposait de machines à vapeur perfectionnées pour extraire le jus de la canne à sucre et qui avaient, peu à peu, remplacé les « moulins à bêtes », on cultivait « la rubanée » sur les deux rives du Mississippi jusqu'à 60 lieues au nord de La Nouvelle-Orléans. Sur les 46 paroisses que comptait la Louisiane, 24 produisaient du sucre, 130 boucants par habitant en moyenne. Certes, la canne constituait une culture aventureuse en raison des changements de température, des gelées inattendues, des pluies tardives, des inondations soudaines, dans un pays sur lequel il tombait en moyenne 1780 millimètres d'eau par an, mais le jeu en valait la chandelle, puisque les expéditions de sucre étaient passées, de 1840 à 1850, de 120 à 240000 boucants.

Le coton, lui, souffrait de la concurrence de l'Inde et de l'Amérique du Sud. Le développement de la canne avait, dans le même temps, fait monter le prix des esclaves, que l'on payait maintenant de 800 à 4000 dollars. Etant donné les conditions dans lesquelles on les entretenait, leur travail revenait aux planteurs à trois francs par jour. Aussi en voyait-on moins sur le port et dans les rues de La Nouvelle-Orléans. Ils étaient remplacés par des étrangers blancs, tandis que bien souvent des femmes irlandaises suppléaient les Noirs dans la domesticité intérieure. Pour certains travaux spéciaux, on commençait d'ailleurs à préférer la main-d'œuvre blanche, plus habile à dresser les levées au long des fleuves, à creuser les canaux, à cuire les briques d'argile.

Quand ils ne pouvaient trouver chez les encanteurs de la ville des esclaves à acheter, les planteurs de coton allaient en chercher en Virginie où la « reproduction » paraissait être le but principal de quelques grands propriétaires, dans un Etat qui, eu égard à son climat et à la nature de ses cultures, aurait fort bien pu se passer de main-d'œuvre servile.

Article noble entre tous, le coton louisianais se vendait cependant fort bien, encore qu'on ait enregistré entre les saisons de 1848-1849 et

1849-1850 une diminution des exportations de 1 142 382 balles à 837 723 balles[1]. A 450 dollars la balle, cette culture demeurait rentable, même si tous les esclaves adultes n'avaient pas ramassé en 1850, comme ceux de Pleasant Hill, dans le Mississippi, de 120 à 170 livres de coton par jour, alors que les enfants de neuf à treize ans en cueillaient de 40 à 60 livres.

Le négoce orléanais, qui avait fini par s'accommoder du tarif douanier imposé par le Nord, vivait aussi des importations directes de l'Europe. La France envoyait des armes, des articles de cuivre et de bronze, des cuirs et peaux, des draps, de la mercerie, des gants, des chapeaux, des bijoux, des porcelaines, des selles et des bottes, des malles, des vins, des liqueurs, des cristaux, de la verrerie. En 1850, les Orléanais avaient reçu du Havre pour près d'un million et demi de francs de soies et de taffetas que l'on retrouvait sur les élégantes de la ville ou des campagnes.

Tandis qu'il voguait sur la *Belle-Assise,* un grand navire armé par MM. de Rothschild et ayant pour capitaine M. Erussart, un marin renommé, Marie-Adrien avait vaguement évoqué les problèmes économiques avec deux gros négociants de La Nouvelle-Orléans qui, comme lui, revenaient de Paris. Ce genre de conversation l'ennuyait prodigieusement, car il ne parvenait pas à s'intéresser aux affaires. Sujet à des migraines de plus en plus fréquentes, il était incapable de fixer son attention sur ces thèmes. Le développement des chemins de fer, la nécessité de construire des manufactures textiles pour diminuer la dépendance du Sud par rapport au Nord, comparer des engrais ou des races bovines lui paraissait

1. Le poids de la balle de coton variait à cette époque suivant les Etats. Ainsi à La Nouvelle-Orléans la balle pesait 450 livres américaines contre 480 à La Mobile (Alabama), 380 à Charleston (Caroline du Sud) et à Savannah (Georgie). 220 livres américaines équivalaient à 100 kilos.

aussi futile que de commenter l'hypocrisie des armateurs yankees, lesquels, tout en se déclarant hostiles à l'esclavage, vivaient tout de même indirectement du travail des esclaves, puisque le Sud fournissait à l'Union les trois quarts des produits qu'elle exportait et ne possédait qu'un septième du tonnage commercial américain.

De la même façon, Marie-Adrien envisageait sans plaisir le jour prochain où il lui faudrait prendre en main les destinées de Bagatelle. Il avait déjà décidé de laisser à Dandrige, excellent intendant, toutes ses prérogatives afin de pouvoir se consacrer à des activités qui l'enthousiasmaient devantage que la culture du coton ou de la canne à sucre. D'ailleurs, le grand projet qu'il avait de construire une nouvelle demeure, dont il rapportait les plans dans ses bagages, l'occuperait pendant au moins deux ans. Sa mère et les autres devraient le comprendre et l'admettre. Ayant une fortune, il entendait en user pour bâtir un manoir, qu'il remplirait d'œuvres d'art et de meubles précieux, et dont le luxe éclipserait tout ce qu'on pouvait voir en Louisiane, y compris Oaklawn Manor, sorte d'immense temple grec construit en 1800 par Dunleith, à Franklin, pour Alexander Porter, un immigré irlandais. Il laisserait Bagatelle à sa mère et à ses sœurs. Les palais romains, vénitiens et florentins paraissaient autrement nobles et élégants que ces grandes maisons de bois où les planteurs croyaient indispensable de vivre dans les meubles de leurs pères, au milieu d'une bimbeloterie disparate, plus abondante que précieuse. Ses bagages contenaient déjà quelques objets rares découverts chez les antiquaires : une pendule Louis XVI, notamment, au timbre de cristal, au cadran-balancier suspendu entre les cornes d'une lyre de bronze doré et sculpté; un service de verres, soufflé spécialement pour lui à Murano; des assiettes de

Sèvres d'une redoutable fragilité; une paire de vases en lapis-lazuli, commandés autrefois à Bernardo Buontalenti par un Médicis.

Ses meubles, en cours de fabrication chez un ébéniste de Londres, seraient confectionnés avec du bois de citronnier, dont la chaude blondeur ferait oublier à Marie-Adrien l'acajou sombre et lustré que les Louisianais semblaient préférer aux autres essences.

11

CETTE Amérique vers laquelle revenait Marie-Adrien de Damvilliers, sans ressentir aucune des émotions qu'avait dû éprouver, cent trente ans plus tôt, sur la même route océane, le premier marquis, son arrière-grand-père, souffrait d'une maladie pernicieuse. Le jeune seigneur sudiste avait toutes les excuses d'en ignorer les symptômes, car Virginie n'y faisait jamais allusion dans ses lettres et la presse française n'en donnait pas d'échos. A Bagatelle même, la mort soudaine de Pierre-Adrien et le chagrin que tous en avaient éprouvé avaient masqué des événements qui illustraient la détérioration lente mais continue des rapports entre le Sud et le Nord.

A la fin du mois de mars 1851, par exemple, l'Assemblée législative de Virginie, mise en demeure de se prononcer sur l'attitude récemment prise par la Caroline du Sud au sujet du « compromis du Missouri », avait désapprouvé, par cent dix voix contre une, des mesures « visant à rétablir, face aux agressions du Nord, les droits constitutionnels des Etats ». Cela signifiait que les Virginiens mesuraient objectivement les dangers que faisait courir à l'Union pareille incitation à la sécession. Quelques jours plus tard, ceux qui avaient mis en échec les sécessionnistes de Caroline du Sud regrettaient presque d'avoir agi ainsi.

Un esclave nommé Shadrach, arrêté à Boston par les agents fédéraux, attendait en prison le moment d'être ramené à son maître dans un Etat du Sud, quand des Blancs, forçant la porte de la cour de justice, l'avaient libéré pour organiser sa fuite au Canada. Certains planteurs voyaient là une volonté des Bostoniens de méconnaître la loi fédérale et les Virginiens solidaires du maître de l'esclave fugitif parlaient de rompre leurs relations commerciales avec Boston et de fermer les ports du Sud aux navires venant de cette ville. Les rancunes se seraient calmées d'elles-mêmes si, le 3 avril, un autre incident du même genre ne s'était déroulé à Boston.

Il s'agissait cette fois d'un certain Simmons, esclave fugueur, qui devait passer en jugement. Sa condamnation ne faisait aucun doute. Le lendemain de l'arrestation du Noir, une foule d'abolitionnistes avait assiégé le palais de justice, mais le shérif, fort des événements précédents, se tenait sur ses gardes. Il tint tête, avec ses hommes, à ceux qui prêchaient l'abolition à n'importe quel prix, même à celui de la dissociation de l'Union, et qui parlaient d'incendier les débarcadères et de faire dérailler les trains pour empêcher l'extradition de l'esclave. S'ils ne purent faire libérer le Noir, les abolitionnistes obtinrent cependant le renvoi de son procès, usant de moyens dilatoires, demandant à la Cour suprême de l'Etat un acte d'habeas corpus qu'elle refusa en déclarant son incompétence. Ce n'est que le 10 avril que, dûment jugé et condamné, l'esclave « marron » avait pu être embarqué sur un navire et renvoyé sous bonne garde à son maître, un planteur de Savannah (Georgie).

Réagissant devant cette nouvelle atteinte à leurs droits de propriétaires d'esclaves, certains planteurs de Caroline du Sud s'étaient constitués en « Association des droits du Sud » avec le but avoué « de faire connaître au peuple les empiétements successifs de l'autorité fédérale et du Nord sur le Sud ». Des associations semblables avaient vu le jour dans le Mississippi, la Georgie et l'Alabama. Donnant l'exemple de la résistance, cinq cents délégués réunis en Caroline du Sud avaient adopté un texte ainsi conçu :

1° *Résolu que dans l'opinion de cette assemblée l'Etat de la Caroline du Sud ne peut se soumettre aux injustices et aux agressions du gouvernement fédéral et des Etats du Nord et qu'il doit s'y soustraire soit avec ou sans la coopération des autres Etats du Sud.*

2° *Résolu qu'un concert d'actions avec un ou plusieurs Etats du Sud, soit par le moyen d'un Congrès du Sud ou de toute autre manière, est un objet digne de bien des sacrifices, mais non point du sacrifice qui résulterait de la soumission.*

3° *Résolu que nous regardons le droit de sécession comme étant essentiel à la souveraineté et à la liberté des Etats de cette Confédération et que le refus de reconnaître ce droit fournirait à un Etat opprimé une raison de plus d'y recourir.*

4° *Résolu que cette assemblée compte avec espoir et confiance sur la Convention du Peuple pour l'exercice du pouvoir souverain de l'Etat, pour la défense de ses droits à l'époque la plus rapprochée qu'il sera possible et de la manière la plus efficace. Et qu'elle compte sur la législature pour l'adoption des mesures les plus promptes et les plus efficaces pour arriver au même but*[1].

1. Adopté à l'unanimité moins six voix, ce texte très important et méconnu en France porte en lui tous les germes de la future sécession devant aboutir à la guerre civile qui, pendant quatre ans, déchira les Etats-Unis. Ce document avait été communiqué dès 1851 par le consul de France au gouvernement français (archives du ministère des Affaires étrangères).

Au cours de la même séance, les délégués avaient recommandé à l'unanimité la sécession de la Caroline du Sud et prévu la Convention du Peuple pour le mois de février 1852.

Rares furent les planteurs de la Louisiane qui apprécièrent à sa juste valeur le mouvement antinordiste auquel la Caroline du Sud donnait le branle. Ils paraissaient plus intéressés par l'expédition montée par le général Narciso Lopez et cinq ou six cents aventuriers qui projetaient de délivrer La Havane du joug espagnol. Bien que fortement désapprouvée par le gouvernement fédéral, cette entreprise enthousiasmait bon nombre de gens, partisans au nom de la liberté d'un expansionnisme profitable au commerce. On affirmait à La Nouvelle-Orléans que les malheureux Cubains s'étaient révoltés contre les autorités espagnoles et qu'il convenait de les soutenir. Les conquérants ont toujours usé de cette méthode, consistant à encourager des rébellions réelles ou supposées, pour s'approprier, en libérateurs fallacieux, des territoires convoités.

Le 3 août 1851, l'expédition avait donc mis à la voile pour Cuba. Elle comptait dans ses rangs, au milieu d'individus louches, des fils de famille égarés. Le jeudi 21 août, on apprenait que Lopez avait débarqué à Bahia Houda mais qu'au lieu des partisans il n'avait trouvé que des gens bien décidés, avec les Espagnols, à faire un sort aux envahisseurs. Les Cubains, ayant fait cinquante et un prisonniers, les avaient fusillés séance tenante. Parmi les victimes se trouvaient le colonel Crittenden, neveu de l'attorney général, et des créoles fort connus en Louisiane comme MM. Kerr et Bouligny. Les cadavres des fusillés avaient été « livrés à la populace de toutes couleurs, qui se les était odieusement partagés ».

La Nouvelle-Orléans était agitée par ces nouvelles. On venait de saccager les locaux du journal espagnol *La Union* et de piller le magasin de cigares « La Corina » appartenant à un Cubain. Une taverne, dont le propriétaire passait pour Espagnol, allait être incendiée quand le maire, M. Crossmann, et le général Lewis, commandant la force militaire, étaient intervenus pour écarter la foule. La chancellerie du consulat d'Espagne avait, par contre, eu moins de chance. Des furieux, enfonçant les portes, s'étaient rués dans les bureaux. Le pavillon espagnol et le portrait de la reine d'Espagne avaient été piétinés.

« L'exécution de membres du corps expéditionnaire est considérée comme une insulte aux Etats-Unis, il faut déclarer la guerre à l'Espagne », disaient des gens que l'on avait crus, jusque-là, sensés.

Tandis que La Nouvelle-Orléans, avec la frénésie des villes chaudes, se mobilisait pour la guerre de Cuba, que l'on ouvrait des souscriptions et commentait les enrôlements, les Espagnols, craignant pour leur vie et leurs biens, quittaient les demeures où leurs pères étaient nés. Les autorités fédérales, faisant preuve de plus de sang-froid, s'efforçaient d'empêcher l'embarquement des trois mille volontaires déjà engagés pour Cuba, qui projetaient de prendre la mer à bord de deux vapeurs, achetés grâce à la générosité publique, dont le *Pampero,* navire sur lequel certains disaient qu'ils ne tenteraient même pas de traverser le Mississippi !

Un médecin de passage à Bagatelle mit sous les yeux de l'intendant la lettre que lui avait fait parvenir son ami W.L. Crittenden, qui avait accompagné Lopez lors de sa première expédition et figurait au nombre des victimes de la répression espagnole.

Dans une demi-heure, écrivait le malheureux garçon, *je dois être fusillé avec cinquante camarades... Nous étions sans cartouches. On nous avait trompés de manière indigne. Je n'ai pas rencontré un patriote et Lopez n'a pas d'amis dans cette partie de l'île. Adieu à vous et à tous mes amis. Je suis fâché de mourir en devant quelque chose, mais il le faut. Tout à vous avec l'énergie du cœur*[1].

Clarence rendit la lettre au médecin.

« Comme tout cela est triste ! Il y a tant de gens qui trouvent la mort sans la chercher, que c'est une folie d'aller derrière un condottiere au petit pied, tenter de conquérir une île défendue par l'Espagne.

– Ce Lopez m'a tout l'air d'un vaurien et j'espère qu'il sera châtié. Il risque de nous mettre une guerre sur le dos, comme s'il n'y avait pas assez du choléra et de la fièvre jaune pour tuer les gens ! »

On apprit bientôt que le général Narciso Lopez avait été effectivement châtié de la manière la plus radicale. Pris à Los Pinos avec sept hommes par un sergent espagnol nommé Costanede, assisté de quelques paysans, il avait été conduit à La Havane à bord du steamer *Pizarro* et condamné à mort le 31 août. On lui avait appliqué, en public, le 1er septembre, sur la place de la Punta, le supplice du garrot. La plupart des membres du corps expéditionnaire louisianais, qui, au nombre de cent cinquante-cinq, tenaient encore le maquis, avaient été arrêtés. Ils s'étaient empressés de profiter d'une offre du capitaine général d'Espagne promettant la vie sauve à tous ceux qui

1. Lettre authentique.

déposeraient les armes dans un délai de quatre jours.

Toutes ces nouvelles, apportées aux Louisianais par le navire *Cherokee,* donnaient à réfléchir aux foudres de guerre, qui ne semblaient plus si pressés de s'embarquer pour Cuba ! Le gouvernement fédéral, pour prouver que sa bonne foi avait été surprise, venait d'allouer un crédit de vingt-cinq mille dollars pour la remise en état du consulat d'Espagne à La Nouvelle-Orléans !

Il n'en fallut pas davantage pour donner le signal de la réconciliation entre les communautés qui, pendant quelques semaines, s'étaient cordialement détestées par la faute d'un général qui voulait en découdre, assisté d'aventuriers cupides et de quelques idéalistes fourvoyés.

C'est donc une ville appréciant sa quiétude retrouvée qu'aborda le jeune marquis de Damvilliers, le 4 septembre 1851, un an, jour pour jour, après la mort de son frère cadet.

12

A PEINE débarqué sur le quai Saint-Pierre, Marie-Adrien se heurta à trois personnes qu'il connaissait. Du coup, La Nouvelle-Orléans lui apparut provinciale, étriquée et surpeuplée. Il prit aussitôt une suite au Saint-Charles et expédia un courrier à Bagatelle pour annoncer son arrivée. Il aurait pu trouver le même jour un passage sur l'un des vingt vapeurs confortables qui remontaient le Mississippi, mais il tenait expressément à faire le court voyage de La Nouvelle-Orléans à Pointe-Coupée sur le *Croissant-d'Or*.

Ce bateau, récemment mis en service, passait pour le plus luxueux et le plus rapide. Long de trois cent soixante pieds, large de soixante-treize, il était équipé de huit bouilloires à cylindres de quarante-deux pouces de diamètre et de trente-deux pieds de long plus sept bouilloires à cylindres de douze pouces de diamètre et de trente-cinq pieds de long. Ses roues à aubes de quarante-deux pieds de diamètre lui permettaient de propulser mille cinq cents tonnes de charge à plus de dix miles à l'heure contre le courant.

La grande chambre réservée en partie aux dames mesurait trois cent vingt pieds de long. Chaque porte de cabine était ornée d'un paysage peint par un artiste romantique. Le plafond du salon, rehaussé d'or sur fond bleu, s'appuyait sur des arceaux gothiques du plus bel effet. Des tapis aux couleurs vives et un mobilier qui n'eût pas dépareillé un intérieur européen raffiné donnaient aux passagers l'impression d'habiter un palace à la mode. Le *Croissant-d'Or* pouvait accueillir cent quatre-vingts personnes en première classe dans des cabines toutes pourvues de toilettes en marbre blanc, de garde-robes privées et de deux ceintures de sauvetage ! On trouvait également à bord des bains pour hommes et dames, un barbier-coiffeur et l'indispensable « barre », « ce café d'Amérique toujours ouvert et toujours rempli ».

Le bateau avait coûté la somme exorbitante de cent trente-cinq mille dollars et comptait cent vingt-cinq membres d'équipage. Il assurait le trajet La Nouvelle-Orléans-Louisville, soit mille quatre cent quinze miles, en cinq jours.

Marie-Adrien estimait ce lévrier du fleuve digne de le porter jusqu'à ses terres, comme un prince revenant d'exil. Il comptait passer à bord quelques derniers bons moments devant une table de poker avant de retrouver l'ambiance, à ses yeux austère, de la vieille maison de Bagatelle.

Au cours des deux nuits qu'il passa à La Nouvelle-Orléans, il s'efforça de revivre ses émois de collégien dissipé, du temps où il courait les cabarets, les maisons à filles et les boîtes à jeux. Il ne put y parvenir, faisant malgré lui figure de blasé. Habitué à des breuvages plus capiteux, à des divertissements plus raffinés, à des jouissances plus suaves, il trouva disgracieuses les Octoroons[1] dont il appréciait autrefois la lascivité et la peau couleur abricot. La soupe aux huîtres de chez Antoine lui parut fade et glaireuse, le champagne,

1. Femmes n'ayant plus qu'une infime trace de sang noir et, paraît-il, fort belles.

à dix dollars la bouteille, trop vert. Quant aux conversations des noctambules, incohérentes et mièvres, elles l'incitèrent au silence. Hyacinthe de Beausset et Gilles de Kernant, censés occupés par des études de droit à l'université Jefferson, eurent seuls droit aux récits poivrés qu'il fit de ses nuits parisiennes. Les deux garçons, rougeauds et débordants de vitalité animale, ne lui livrèrent en échange que des comptes rendus de sabbats à peine plus licencieux qu'un spectacle de show-boat. Pour ses amis, un dîner bien arrosé, à l'issue duquel des femmes éméchées se dégrafaient pour faire les hommes juges de la fermeté et de la rondeur de leurs seins, passait pour le summum des débauches.

Tout cela sentait la poudre de riz, les dessous fripés, le rire égrillard, « le bourgeois », comme l'on disait à Paris. De quoi allécher peut-être des notaires en goguette ou des politiciens libidineux, mais certainement pas un aristocrate sortant des coulisses du « Cyder Cellars » de Londres, où des ballerines nues dansaient avec des lords et des pasteurs dévoyés. Pour qui avait vu des ducs déguisés en Bacchus et des ladies chevaucher des balais de sorcières dans le costume édénique de Godiva, avec un plaisir si évident que les hommes doutaient soudain de leur utilité, les réjouissances orléanaises ressemblaient à de gentilles sauteries. Et que dire des tableaux vivants et des loteries organisées dans certains salons parisiens où l'acheteur d'un billet gagnait une heure à passer avec la femme à lui désignée par le sort, à moins que le hasard ne lui livrât l'éphèbe qui figurait toujours parmi les lots et aux caprices duquel, amateur ou pas, le « gagnant » devait se soumettre ! Entre ses deux amis, Marie-Adrien mesurait la distance qui le séparait désormais des autres.

Aussi fut-il bien aise, après de vagues promesses de se revoir, de monter à bord du *Croissant-*

d'Or où, là du moins, il pourrait être seul au milieu d'inconnus.

Brent, enchanté, lui, de revenir à Bagatelle, s'extasiait de tout, en défaisant la valise de son maître. A l'entendre, Paris, Rome ou Londres, comparées à La Nouvelle-Orléans, n'étaient que des bourgades mal bâties et la Seine, la Tamise et le Tibre, à côté du Mississippi, devenaient ruisseaux pleins d'immondices qu'on aurait aisément enjambés !

Pour oublier ce verbiage et se préparer à accepter, au bout de son allée de chênes, la façade à galerie de Bagatelle, le jeune marquis de Damvilliers donna un tour de clef à sa cabine et alluma une pipe de haschisch, cette « herbe à rêver » que Paris lui avait révélée. Il rejoignit ainsi son Orient personnel et ne parut pas à table à l'heure du dîner. Le lendemain, quand il émergea du sommeil, sa lypémanie s'était dissipée. Un soleil d'automne, tiède et doré, complice d'une extrême limpidité de l'air, révélait tous les détails du paysage monotone des berges. La réverbération rendait le fleuve lisse, pareil à une plaque d'acier poli, renvoyant des reflets insoutenables.

Le *Croissant-d'Or,* Marie-Adrien le comprit tout de suite, était engagé dans une course contre un autre vapeur plus léger, le *Baltimore,* dont les cheminées effilées crachaient de noires volutes à près d'un demi-mile devant le grand bateau. Comme toujours dans ces cas-là et malgré les nouveaux règlements de navigation, qui interdisaient ce genre de compétition, les passagers, rassemblés sur la plage avant du *Croissant-d'Or,* encourageaient le capitaine, levant vers la passerelle des visages colorés par l'exaltation et clignant des yeux dans le soleil. Les femmes, sous leur ombrelle aux franges retroussées par le vent, n'étaient pas les dernières à manifester.

« Plus vite, capitaine, plus vite, il faut le rejoindre ! »

Les hommes, eux, se montraient plus provocants :

« Montrez-nous donc ce que valent vos bouilloires de quarante-deux pouces !

– Le *Baltimore* est un vieux bateau; s'il nous met dans le vent, le *Croissant-d'Or* est déshonoré ! »

Le capitaine ne pouvait rester insensible aux appels d'une foule aussi élégante et se devait, pour asseoir la réputation d'un bateau neuf, de battre tous les concurrents qui oseraient l'affronter. Il avait donné des ordres aux machines, mais l'embiellage trop neuf manquait de souplesse et les pistons mal rodés résistaient à la pression de toute l'enflure de leurs corps échauffés. Après avoir observé avec une moue méprisante tous ces braillards en redingote et chapeau de soie, Marie-Adrien décida de prendre les choses en main.

« Brent, conduis-moi aux machines ! »

Le Noir, tout excité lui aussi par le match, disparut dans un escalier raide. Le marquis lui emboîta le pas. Les chauffeurs noirs, le torse luisant de sueur, se démenaient pour plaire au chef mécanicien qui, l'œil fixé sur les manomètres, hurlait, avec un accent cajun prononcé, des exhortations de dompteur. Par stères entiers, le bois disparaissait dans les foyers où ronflaient des flammes véhémentes. Les rondins résineux éclataient en projetant des gerbes d'étincelles, que les flancs de cuivre des bouilloires multipliaient en feux d'artifice.

« Deux dollars à chacun de vous si nous rattrapons le *Baltimore* avant Monte Vista », hurla Marie-Adrien pour se faire entendre.

Monte Vista était une grande plantation, dont on pourrait apercevoir le manoir rose dans une courbe du fleuve, à quelques miles au sud de Baton Rouge.

L'offre du marquis stimula les soutiers, acteurs dissimulés d'un spectacle dont ils ne voyaient rien. Bourrés jusqu'à la gueule, les foyers atteignaient l'incandescence aveuglante, les tôles de cuivre brunissaient sous la poussée de l'eau bouillante, les bielles de bois dur semblaient s'étirer au bout des pistons. Un homme les aspergeait d'eau savonneuse, tandis qu'un graisseur surveillait la consommation de la machine, prêt à lui fournir le lubrifiant.

Brent, promu estafette, faisait la navette entre le pont et la cale, pour rendre compte de la position du *Croissant-d'Or.* Apprenant que le marquis de Damvilliers, dont le nom était connu sur le Mississippi, encourageait à sa manière les chauffeurs, plusieurs gentlemen chargèrent leurs domestiques de surenchérir pour eux.

« Deux dollars de mieux pour tous, cria Brent au cours de l'une de ses apparitions, c'est M. Priestley qui donne les sous !

– Où en est-on, Brent ? questionna Marie-Adrien, dont la pâleur et le visage sec surprenaient dans la fournaise de la salle basse.

– On gagne un peu, mais pas beaucoup, m'sieur le Marquis.

– Il faut le dépasser, sacrebleu ! Activez, activez, regardez si toutes les soupapes sont bien fermées !

– Toutes sont fermées, monsieur, sauf la soupape de sécurité qui est libre, fit le mécanicien.

– Fermez-la, on gagnera un peu de pression.

– Mais, monsieur, ces bouilloires sont neuves...

– Et alors, il faut les éprouver, non ! hurla le marquis, devenu irritable et fébrile, comme si cette course, dont il ne voyait pas le déroulement, prenait à ses yeux une importance capitale.

– Si on avait du bois de cyprès, ça chaufferait mieux, risqua un chauffeur; çui-là, y prend trop doucement et y brûle trop vite après. »

Sur le pont, l'excitation était à son comble, le *Croissant-d'Or* gagnait, se rapprochait du *Baltimore*, mais les palettes de ce dernier semblaient effleurer l'eau. Il roulait sur le fleuve comme un buggy sur une bonne route, frôlant les vapeurs et les barges qui descendaient le Mississippi et dont les passagers, attentifs eux aussi à la course des deux steamboats, se penchaient, le cou tordu, pour suivre le plus longtemps possible cette poursuite. Ayant su par Brent que le marquis avait fixé à Monte Vista le but de la course, les gens pariaient à coups de dollars. Le *Baltimore*, Brent en informa son maître, était donné à trois contre un.

Le marquis, comme chaque fois que quelqu'un ou quelque chose lui résistait, se mordait les lèvres de dépit. Il avait toujours été fasciné par le feu. Sa force destructrice, née d'une lueur vacillante, la sarabande des flammes danseuses fluides, enveloppantes et intouchables, lui apparaissaient comme une sublimation de la matière inerte, le symbole de l'effacement définitif. Contraindre le feu à servir un dessein aussi futile que la propulsion d'un bateau en poursuivant un autre devenait une sorte de sacrilège, comme d'atteler un dieu à un char à bancs. Il y prenait un malin plaisir.

Les chauffeurs ne pouvaient faire mieux, ni nourrir davantage les foyers, et les longues vibrations du bateau indiquaient que la machine approchait de la limite de ses possibilités.

« Ce doit être le diable lui-même qui chauffe la bouilloire du *Baltimore*, monsieur, fit le mécanicien désabusé après une brève incursion sur le pont.

– Que disent vos manomètres ? interrompit Marie-Adrien.

– Ils sont presque à bout, monsieur.

– Et le surchauffeur ?

– Avec du meilleur bois, on gagnerait facilement cinq degrés ! »

Marie-Adrien, qui n'avait rien d'un ingénieur, parut réfléchir un instant, puis son visage se détendit.

« On va l'avoir, murmura-t-il. Brent, va me chercher deux caisses de whisky ! »

En entendant le marquis passer cette somptueuse commande, les chauffeurs redoublèrent d'efforts en échangeant des clins d'œil. Ce Blanc-là savait vivre. On n'aurait peut-être pas les dollars promis si l'on ne « grattait » pas le *Baltimore,* mais, le whisky bu, personne ne pourrait le reprendre...

« C'est défendu de donner de l'alcool aux nègres, m'sieur, observa timidement le cajun.

– Ce n'est pas pour eux, laissez-moi faire. »

A voir le domestique du marquis descendre aux machines avec deux caisses de dix bouteilles d'alcool, les passagers émirent un murmure collectif d'admiration. La cote du *Croissant-d'Or,* tombée à cinq contre un, remonta de deux points. Ce petit marquis de Damvilliers, mince et pâle comme une fille, n'avait donc pas dit son dernier mot. Il avait trouvé de quoi stimuler ces fainéants de nègres...

Devant les chauffeurs attentifs, essoufflés et la gorge sèche, Brent eut tôt fait d'ouvrir les caisses, mais le marquis, ayant saisi deux bouteilles, tourna le dos aux Noirs qui, déjà, souriaient béatement. Parvenu devant le tas de bois prêt à être enfourné, il brisa d'un geste sec les cols des flacons et, méthodiquement, arrosa les rondins de whisky. Il y eut un moment de stupéfaction chez ces hommes qui n'avaient jamais vu un tel gaspillage. Plusieurs balancèrent la tête de droite à gauche pour exprimer leur désapprobation.

« Allez, chargez ça et vite, fit le marquis en désignant les bûches. Si nous rejoignons le *Baltimore* avant d'avoir épuisé la provision, le reste sera pour vous ! »

Puis il prit deux nouvelles bouteilles et continua l'aspersion.

Les bouilloires réagirent exactement comme un homme exténué qui ingurgite un grand verre de liqueur forte. Avalant le bois mouillé de whisky, les foyers se mirent à ronfler comme des dragons satisfaits. Des flammes bleues enlacèrent les bouilloires, qui parurent se boursoufler autour des soudures; le bateau, on le sentit à la vibration plus intense du plancher, se contracta comme un cheval qu'on éperonne et accéléra.

Brent, essoufflé, revenu d'une nouvelle reconnaissance sur le pont, clama :

« Cette fois, on gagne mieux, m'sieur. »

Sa voix couvrit celle du capitaine qui, depuis la passerelle, essayait par cornet acoustique de savoir ce que l'on manigançait à la chaufferie, pour faire pareillement souffrir le bateau...

« Allez, allez », criait Marie-Adrien, excitant les chauffeurs à demi grisés par l'odeur de l'alcool répandu.

Jamais Brent n'avait vu son maître dans un tel état. Ayant jeté sa redingote, les cheveux collés au front, le marquis, les yeux exorbités, haletant, indifférent au spectacle qu'il offrait, rappelait à son domestique les femmes en transe lors des cérémonies du vaudou.

Le mécanicien regardait tourner, comme ébloui, le régulateur à boules pris d'une inquiétante frénésie.

« Ecartez-vous », cria soudain Marie-Adrien aux chauffeurs qui s'apprêtaient à bourrer un foyer.

D'un geste précis, que tous eurent à peine le temps d'apprécier, il lança dans les flammes, et sans l'avoir débouchée, une bouteille pleine de liqueur ambrée. Pendant une demi-seconde, il ne se passa rien, puis il y eut une déflagration, semblable à celle que produit un obus percutant la cible. Une gerbe de dards brûlants illumina la cale d'une clarté mauve. La dernière vision qu'eut le mécanicien fut celle des grands yeux blancs des soutiers et le rictus du marquis, dont le gilet éclaboussé d'alcool s'enflamma comme de l'étoupe, tandis que, dans le crissement du cuivre déchiré, une bouilloire s'ouvrait, libérant une cascade d'eau bouillante et une vapeur blanche avide d'espace.

Les passagers du *Baltimore* racontèrent plus tard qu'ils avaient entendu une dizaine d'explosions et vu un grand nègre jaillir du pont, les vêtements en flammes, et se jeter dans le fleuve, bientôt imité par les hommes et les femmes qui, l'instant d'avant, criaient leur joie naïve de doubler le petit bateau. Le capitaine, du haut de la passerelle, eut à peine le temps de virer vers la berge la plus proche, que le *Croissant-d'Or* flambait déjà comme une vulgaire cabane d'esclaves. Ayant vécu un drame identique alors qu'il secondait le commandant du *Zebulon Pike,* le marin savait que rien ni personne ne pourrait enrayer la panique. Les beaux messieurs, abdiquant toute dignité, enjambaient les bastingages; les femmes, oubliant leur pudeur, se troussaient jusqu'aux hanches, en hurlant, pour en faire autant. Bienheureuses celles qui trouvaient un compagnon pour les aider, ou un membre de l'équipage pour leur passer leurs enfants. Déjà, sur le fleuve, les robes s'étalaient comme des corolles, des capelines flottaient comme des nénuphars. Une rumeur aiguë, faite de cris divers et d'appels affolés, se mêlait aux craquements des ponts attaqués par les flammes, une fumée âcre et lourde fusait par toutes les ouvertures du steamboat... sauf des cheminées tordues par la chaleur du brasier. Sans que l'on sache pourquoi, le sifflet se déclencha, soulevé par un reste de vapeur. Ce fut le dernier souffle du plus beau bateau qu'on ait jamais vu sur le Mississippi !

Quand la passerelle commença à basculer, le capitaine ramassa le livre de bord et la longue-vue qui lui avait été offerte par l'armateur, comme cadeau de bienvenue. Posément, il se laissa glisser sur le pont, où le barbier, un vieux routier du fleuve, attendait l'instant propice pour se mettre à l'eau, sa boîte de rasoirs à la main.

« On y va, capitaine, fit le Noir tranquillement.

– On y va ! »

Brent arriva le soir même à Bagatelle dans une carriole prêtée par les gens de Monte Vista qui, les premiers, s'étaient portés au secours des victimes de la catastrophe. Le Noir souffrait de brûlures superficielles. Il avait dû son salut au fait qu'il se trouvait déjà engagé dans l'escalier de la soute au moment de l'explosion.

M. de Vigors demeura interloqué en voyant apparaître au seuil du salon ce gaillard essoufflé, les vêtements en lambeaux et souillés, la joue boursouflée d'une cloque rouge. Virginie, elle, comprit immédiatement, en reconnaissant le domestique de son fils, qu'un nouveau malheur allait l'atteindre.

Avant même que Brent ait ouvert la bouche, elle se dressa livide et brutale.

« Où est le marquis ? »

Le Noir eut un geste des bras qui résumait tout ce qu'il ne savait exprimer, puis il parla :

« La bouilloire a éclaté, m'ame..., tout a brûlé... Le bateau, il a tout brûlé, m'ame.

– Quel bateau ? Où est le marquis ?

– Le *Croissant-d'Or,* m'ame..., et p't-êt'e bien

que m'sieur le marquis il est mort..., p't-êt'e bien ! »

Le « p't-êt'e bien » de l'esclave n'était qu'une figure de rhétorique destinée à atténuer la brutalité de la nouvelle. Tous le comprirent ainsi. Instinctivement, Virginie chercha un appui. Chancelante, elle le trouva sur le bras de Clarence qui venait d'entrer.

Le colonel s'était ressaisi.

« Mais où est-il, nom de Dieu ! Parlez !

– A Monte Vista, m'sieur, c'est là qu'on a mis tous les morts qu'on a repêchés.

– Allons-y », dit le colonel à Clarence.

L'intendant conduisit Virginie jusqu'au canapé, où elle s'affala, les yeux clos, respirant avec peine.

« Je vais avec vous, parvint-elle à articuler sans conviction.

– Non, dit Clarence doucement, c'est inutile, Virginie. Nous ferons ce qu'il faut. Soyez courageuse. »

James avait déjà prévenu Anna qu'un drame venait de se passer avec l'arrivée de Brent. La cuisinière s'agenouilla aux pieds de sa maîtresse, lui prit les mains et se mit à pleurer.

Tandis que le colonel et l'intendant galopaient vers Monte Vista, Virginie eut la force d'entendre le récit du valet.

« Quelle folie, quelle folie ! dit-elle, le regard perdu. Tu aurais dû l'empêcher, Brent, de jeter de l'alcool dans le feu... C'était un enfant..., il ne savait pas !

– Personne savait, m'ame, que ça f'rait péter la bouilloire. M'sieur le Marquis, y voulait que le *Croissant* y gratte le *Balti,* c'est comme ça que l'idée lui est venue du whisky !... Et y a au moins cinquante morts, qu'a dit le maître de Monte Vista, m'sieur Climb... »

La mère de Marie-Adrien congédia d'un geste le domestique.

« Va te faire soigner à l'hôpital, le docteur Murphy est là », dit Anna.

Le Noir s'en fut, en reniflant des larmes qui lui venaient à la vue de celles de la cuisinière. Dans son bel habit déchiré et maculé de traces noires, il ressemblait à un épouvantail qui aurait passé l'hiver dans les champs.

Pendant que le médecin pansait ses plaies et examinait sa joue brûlée, il refit le récit de la catastrophe, retrouvant des détails, embellissant déjà l'attitude de son maître défunt, qu'il décrivait pareil à un Méphisto activant le feu éternel.

« La Planche, docteu', elle avait dit comme ça, à ce qu'il paraît, que m'sieur le Marquis, il avait le signe du feu..., hein, vous vous souvenez! Comme elle avait dit que m'sieur Pierre il avait le signe de l'eau..., hein... La Planche, elle savait, elle, que le whisky ça fait péter les bouilloires...

– La Planche, c'était une vieille radoteuse, Brent, fit le médecin, bourru.

– N'empêche qu'elle l'avait dit, tout ça, docteu'!

– Ouais, concéda Murphy, elle l'avait dit, mais pour toi, hein, quel signe avait-elle vu?

– Ben, elle avait dit à ma mère que j'avais le signe de la pie, vous savez, cet oiseau blanc et noir; ma mère, elle a jamais compris. »

Murphy sourit :

« La pie, c'est l'oiseau le plus bavard qui existe, Brent. La Planche ne s'était pas trompée. Tu n'as pas fini d'en raconter des histoires sur tout ce que tu as vu à Paris et ailleurs.

– Oh! ça oui, docteu', j'en sais, tiens, des choses et tout ce qu'on a fait avec m'sieur marquis... et le drôle de tabac qu'il fumait et qui le faisait tourner de l'œil et les drôles de maisons où que les messieurs et les dames y se baignaient ensemble... tout nus!

– Un bon conseil, Brent, attends un peu avant

de raconter tout ça, les morts n'aiment pas qu'on dise tout ce qu'ils ont fait !

– Oui, docteu', j'attendrai que m'ame maîtresse elle pleure plus... Seulement, p't-êt'e que j'en aurai oublié.

– Plus t'en oublieras et mieux ce sera !

– Ah ! » fit le Noir sans comprendre.

Un an après son cadet, Marie-Adrien fut descendu dans le caveau des Damvilliers, devant une foule sincèrement affligée.

« Il est mort comme Corinne, dit à Virginie le vieux Tampleton qui, allant sur ses soixante-quinze ans, s'était traîné jusqu'au cimetière de Sainte-Marie.

– Je n'ai plus de fils, monsieur Tampleton, plus de garçons !

– Il vous reste le petit Charles, Virginie, fit le vieillard en désignant du regard un garçonnet blond de sept ans, égaré au milieu des grandes personnes en deuil et qui s'efforçait de ne pas pleurer, comme le lui avait recommandé sa mère.

– Ce n'est pas un Damvilliers. Bagatelle n'a plus de maître, monsieur Tampleton. Si Adrien nous voit, il doit souffrir comme un damné... Prendre deux fils à une mère, c'est trop... »

Elle disait cela doucement, l'œil sec, comme hébétée, sans prendre garde à Charles de Vigors, son mari, qui la soutenait et aurait pu s'offusquer de voir que son fils comptait pour rien.

Ce jour tragique n'appartenait qu'aux Damvilliers. Le colonel, quoiqu'il ne doutât pas de l'amour de sa femme, se sentait étranger parmi ces familles de planteurs. Virginie dépendait de ce milieu aristocratique qui avait sa propre façon d'assumer ses chagrins. Même Clarence était plus proche de ces gens, dont il partageait la vie et les travaux. Lui, Charles de Vigors, bien qu'adopté, n'était qu'une pièce rapportée dans un jeu dont les règles, parfois, lui échappaient.

Son fils, en grandissant, connaîtrait sans doute le même sentiment d'isolement, en dépit de la tendresse de sa mère et des amitiés qu'il se ferait dans le cercle des nobliaux du coton. Les terres des bords du Mississippi, les grandes plantations semblaient être les fiefs définitifs des pionniers qui les avaient défrichées. Les domaines demeuraient l'apanage des dynasties. Le jour où l'une d'elles s'éteignait, si la terre changeait de mains, la plantation ne changeait pas de nom. Qui que soit le futur propriétaire de Bagatelle, on dirait toujours Bagatelle en parlant de la maison qu'il occuperait et qui jamais ne serait tout à fait sienne. Entre eux, les planteurs admettraient probablement le nouveau venu, mais ils continueraient à parler du domaine des Damvilliers, comme pour montrer au substitut du premier maître qu'il ne faisait que jouir d'une richesse rassemblée par d'autres.

En agitant ces pensées devant le tombeau que les fossoyeurs venaient de refermer, Charles de Vigors se félicitait d'avoir acheté pour son fils ces champs encore incultes des environs de Saint-Francisville, dans la paroisse de West Feliciana. Là, du moins, un Vigors pourrait créer son propre domaine, fonder sa dynastie, construire sa demeure, sans avoir à ménager la susceptibilité des fantômes.

Virginie laisserait sans doute sa plantation à ses filles, Gratianne et Julie, pour l'heure prostrées dans leurs vêtements noirs mal ajustés. Tant que Clarence Dandrige dirigerait la plantation, on ne sentirait pas l'absence d'un maître.

Quelques semaines après cette cérémonie, Mme de Vigors, qui ne pouvait détacher sa pensée de son fils préféré, découvrit dans son miroir ses premiers cheveux blancs. La quarantaine approchait. Sa beauté demeurait intacte. Depuis qu'elle ne pleurait plus, son visage retrouvait l'éclat d'une santé que les chagrins ne pouvaient entamer. Sa force de caractère, qui la défendait du désespoir, lui restituait peu à peu le goût de vivre sa propre vie. Seuls ces fils blancs, qu'elle sut très vite dissimuler, témoignaient des souffrances éprouvées.

La mort de Marie-Adrien la rapprocha un peu plus de Clarence. L'intendant appartenait, comme elle, à l'univers Damvilliers. Ensemble, ils avaient vécu des événements dont M. de Vigors n'apprécierait jamais exactement la portée. Elle prenait maintenant conscience que sa vie, quoi qu'elle fasse, dépendrait de Bagatelle. Virginie craignait seulement qu'un jour ou l'autre, comme il en avait une fois évoqué la possibilité, Dandrige ne décide de quitter la plantation.

Elle osa lui faire part de cette inquiétude, qui lui venait parfois. Clarence venait tout juste d'avoir quarante-quatre ans. Il demeurait l'homme élégant et racé, le cavalier émérite, le parfait confident. La maturité lui conférait même un surcroît de distinction et d'aisance. Sous le panama blanc, les courts favoris gris argent ajoutaient à la séduction de son visage mince et osseux, à ses yeux vert de jade, auxquels rien n'échappait. Son tailleur pouvait témoigner que, depuis vingt ans, il coupait ses redingotes sur les mêmes mesures. Peu de jeunes gens sautaient en selle avec autant de souplesse.

« Maintenant que Marie-Adrien n'est plus, se résolut-elle à dire un soir, le vrai maître de Bagatelle, c'est vous... aussi longtemps que vous voudrez.

– Légalement, c'est vous, Virginie, vous êtes l'héritière de votre fils, avec ses sœurs. Je ne suis et reste que votre intendant..., mais vous n'avez pas à douter de ma fidélité. Nous ferons cette année la récolte comme chaque année.

– Comme à l'avenir aussi, Clarence ?

– Aussi longtemps que Bagatelle aura besoin de moi, j'y resterai, Virginie, vous le savez bien.

– Moi aussi, j'ai besoin de vous, ne l'oubliez pas... »

L'intendant s'inclina avec l'exacte courtoisie qu'exigeait la circonstance et mit un baiser sur les doigts fuselés qui s'étaient emparés de sa main. Elle en fut troublée et heureuse. Le spectre de la solitude s'éloignait.

Le soir même, le colonel de Vigors retrouva sa femme aussi amoureuse qu'au début de leur mariage. Il lui sut gré de cette tendresse, y voyant un effort de Virginie de réoccuper, par-delà les tombes, le libre espace de la vie.

En confessant Brent, Dandrige apprit rapidement ce qu'avait été le comportement de Marie-Adrien, aussi bien pendant son séjour en Europe qu'au matin de sa mort, sur le *Croissant-d'Or*. Il avait fallu que ce talentueux névrosé disparaisse, pour qu'il apprenne à le connaître, à l'apprécier. Cette rage de tout savoir des instincts de l'homme, de ne voir nulle perversité dans leur satisfaction, de rechercher toutes les voies où l'esprit et le corps peuvent s'engager au risque de se perdre, avait fait de Marie-Adrien une sorte de possédé. Tout en se réservant le refuge de la drogue, une façon d'oublier, peut-être, une terrifiante lucidité, il s'était ingénié à tourner et retourner la vie pour mieux la mépriser, trouvant une jouissance quasi sadique dans ses propres répulsions. S'étant prémuni contre les désillusions, par ce pessimisme qui tient lieu de philosophie aux intelligences rares, qu'aurait-il pu espérer de l'avenir, sinon un renouveau de curiosité malsaine qui l'eût entraîné au plus bas, ou en eût fait un mystique démoniaque ?

La mort, qu'il avait provoquée comme on excite un fauve, n'était-elle pas la suprême et dernière curiosité, pour un être qui semblait avoir épuisé toutes les ressources offertes de ce côté-ci de la porte qu'on ne passe qu'une fois ?

Quand Brent racontait avec force détails ce qu'il savait sur la vie de son maître, il s'arrêtait bien sûr aux actes, ou même à l'apparence des actes. Cerveau terne et sain, le Noir ne pouvait deviner la pitoyable solitude du dernier des Damvilliers, dont Virginie elle-même ne s'était pas doutée. Pierre-Adrien était un être limpide, son frère une âme opaque. Qui, à part lui, Clarence Dandrige, saurait jamais que l'un et l'autre portaient en eux la même force impatiente, appliquée à des déterminations divergentes ?

Au bord du Mississippi, jalonné pour lui de souvenirs macabres, Clarence Dandrige regardait décroître la lumière sur les forêts. Les images de Corinne Tampleton, d'Adrien de Damvilliers et des fils de ce dernier se juxtaposaient dans son esprit comme des portraits accrochés à des cimaises. Il ouvrit un soir le livre qu'il avait acheté à La Nouvelle-Orléans, ouvrage d'un certain Edgar Poe, poète et ivrogne tué à Baltimore, deux ans plus tôt, dans une rixe, et lut au hasard les deux dernières lignes d'un poème noyé dans un texte en prose et qui lui parurent à l'instant choisies par le fantôme de Marie-Adrien :

... Ce drame est une tragédie qui s'appelle [l'homme
... Et dont le héros est le ver conquérant[1].

1. *Ligeia,* d'Edgar Poe, dans la traduction de Baudelaire.

13

A BAGATELLE, on attendait l'arrivée d'Abraham Mosley. Rendue à sa quiétude après les drames qui s'y étaient succédé, la plantation ressemblait à ces vieux navires rescapés d'une tempête qui, vaille que vaille, reprennent la mer avec leur équipage dénué d'enthousiasme. La visite du vieil ami, qu'on n'avait pas vu depuis longtemps, constituerait un dérivatif, rappellerait à tous que le monde existait et évoluait au-delà des limites du domaine et des rives du Mississippi.

L'élégante Gratianne étant retournée à La Nouvelle-Orléans, Julie, languide et discrète, traînait sa mélancolie, de la maison au parc. Son peu d'aptitude aux études et cette « faiblesse de cœur », qui avait incité le docteur Murphy à déconseiller, pour elle, le pensionnat, faisaient de cette jeune fille fragile et craintive un être résigné. Sa présence, au temps où tous les enfants Damvilliers animaient la vieille demeure, passait le plus souvent inaperçue. Depuis qu'elle restait seule avec le petit Charles, on la remarquait davantage, comme on découvre les personnages secondaires sur une scène abandonnée par les héros. Brodant des napperons ou peignant des porcelaines avec application, elle pouvait s'enfermer pendant des heures dans un silence complet, sans faire plus de mouvements qu'il n'était nécessaire.

Depuis son enfance, on lui répétait : « Ne cours pas, ne saute pas, ne te mets pas en sueur, évite les courants d'air. » Le cheval lui était interdit, comme les longues marches au soleil et les danses prolongées. Si bien que, pour prévenir des malaises qui ne se manifestaient pas, on avait fait d'elle un être sans résistance ni appétit. Après avoir été une fillette laide, elle était devenue une adolescente d'une beauté mièvre. Quand elle sortait maintenant avec sa mère, pour la sempiternelle promenade en buggy, ou les visites au cimetière de Sainte-Marie, on la voyait toujours enveloppée dans un châle, même aux plus fortes chaleurs, convaincue d'avoir, comme disait son père, « le sang pauvre »; elle redoutait le vent et se dissimulait à la moindre ondée.

Les jeunes gens qui l'approchaient lui parlaient comme à un enfant ou à une infirme. Son teint d'ivoire mat, ses lèvres dont le rouge virait parfois au violet, ses yeux sombres et les palpitations rapides qui soulevaient sa poitrine étroite à la plus petite émotion les incitaient à une extrême courtoisie. Dans ce milieu où l'on appréciait les références florales, Adèle Barrow comparait « la pauvre petite » à « un lis tardif à tige de cristal ».

Au fils d'un planteur plus hardi que les autres, qui s'était risqué au cours d'un pique-nique à lui dire qu'il la trouvait jolie, elle avait répondu, étonnée :

« Vous croyez? Vous devez vous tromper, monsieur! »

Le lendemain, le garçon lui avait fait porter un recueil de poèmes. Personne ne savait si elle l'avait jamais ouvert.

Anna et les autres domestiques continuaient à l'appeler, comme quand elle était petite, « m'amselle Pom Pom », bien qu'elle ne chantonnât plus qu'en dehors de tout auditoire. Parce qu'elle n'émettait que rarement des opinions sur les gens et sur les choses, M. de Vigors, sexagénaire faunesque, la trouvait sournoise, alors qu'elle n'était que secrète. Virginie, irritée par son manque de vitalité, la houspillait souvent sans raison. Près de cette femme resplendissante, Julie tenait le rôle de faire-valoir. Elle s'en contentait, admirant une mère à laquelle ni les chagrins ni les épreuves n'avaient enlevé une once de séduction.

Alors qu'on lui déniait tout don – ses peintures sur porcelaine se révélaient d'une grande insignifiance et les lettres qu'elle écrivait à sa sœur d'un style correct jusqu'à la platitude – le vieux jésuite chargé de lui inculquer les quelques notions indispensables à une fille de planteur se disait convaincu de son intelligence et étonné par son intuition, la sûreté de ses goûts, la douceur de son caractère. Mignette Barthew semblait apprécier cette délaissée, qui s'animait à son contact.

Dandrige, lui, voyait en Julie une future vieille fille, capable de se nourrir de rôties et de thé, en lisant des romans anglais et en s'appliquant à des travaux de tapisserie! Peut-être même serait-elle un peu pateline et médisante, car il avait surpris parfois dans son regard une vague ironie, dont il ne voulut savoir à qui ou à quoi elle s'appliquait. En attendant, il la considérait, comme tout le monde à Bagatelle, ainsi qu'un être végétal, gracieux et inoffensif.

Depuis le dernier séjour de Mosley à la plantation, la mort, cette mégère importune dont l'évocation donnait au joyeux courtier de Manchester d'irrépressibles frissons, avait emporté Adrien et ses deux fils. Quand l'Anglais s'engagea, à bord d'un cabriolet de louage, dans l'allée de chênes, il s'était composé une tête de circonstance, bien que le décor, qu'il affectionnait, lui parût inchangé. Il fut bien aise de faire la connaissance du colonel de Vigors, bon vivant, chaleureux et franc, qui ne faisait pas étalage de tristesse.

Comme chaque fois qu'il venait en Louisiane, le courtier apportait des cadeaux : une trousse à broder en argent pour Julie, des albums à colorier au petit Charles, un curieux porte-plume contenant une réserve d'encre au colonel; à Virginie, une demi-douzaine de peaux d'hermines achetées à Beaver House, au siège de la Hudson Bay Company, et pour Dandrige le *Dictionnaire de la Fable* en deux volumes, imprimé à Paris par Le Normant, libraire rue des Prêtres, près de Saint-Germain-l'Auxerrois.

A sa filleule Gratianne, il destinait une pièce de shantung venue des Indes. Un peu déçu de la savoir enfermée pour plusieurs mois chez les dames ursulines, il se promit de lui rendre visite, si Mme de Vigors l'y autorisait.

Abraham Mosley, toujours aussi « bombé », jovial et sûr de lui, étalait une prospérité physique qui reflétait, affirmait-il, celle de son pays. John Bull triomphant, il ne tarissait pas d'éloges pour le gouvernement britannique, qui avait assuré la victoire du libre-échange, achevé la conquête des Indes, rétabli la liaison avec la Chine, étendu la colonisation aux lointaines contrées de l'Australie, du Cap et de la Nouvelle-Zélande et affirmé la vocation industrielle d'une nation de vingt-sept millions d'habitants qui, par son seul génie et la supériorité de sa flotte, dominait un empire de plus de vingt millions de kilomètres carrés, répartis sur tous les continents, et peuplé de deux cent quarante millions de gens de toutes races. Abraham Mosley n'eût pas été plus fier de la noble Angleterre s'il avait occupé le trône de Victoria. Il affirmait avoir en dix ans quintuplé sa fortune. Il exultait à la seule pensée de l'augmenter encore et plaignait les Américains de n'avoir pas compris, en 1776, qu'en choisissant l'indépendance ils avaient renoncé à partager la gloire d'Albion.

La présence de ce gros homme aux mains potelées, à la gaieté communicative, aux manières distinguées chassa de Bagatelle les séquelles des deuils. Virginie organisa des réceptions afin qu'il puisse rencontrer les planteurs et se remit au clavecin et au piano pour meubler les soirées. Mosley portait une attention particulière à Julie. Cette jeune fille pâle et réservée l'intriguait. En connaisseur, il appréciait sa grâce timide, la sveltesse de son corps. De la même façon que cet homme puissant et sanguin goûtait fort les miniatures, les petits saxes, les bibelots fragiles, qu'il maniait avec d'infinies précautions, il entourait Julie d'attentions, s'efforçant de l'amuser par d'impayables histoires de ladies snobs ou de maisons hantées. Mlle de Damvilliers, peu accoutumée à autant de prévenances, y prenait plaisir, consentait à chanter d'une voix fluette *O Susanna* et, dans les réceptions, acceptait le bras du courtier, assez fier de promener cette fleur de serre, étrange et périssable comme une orchidée. Il décida même Virginie à lui confier sa fille pour un bref voyage à La Nouvelle-Orléans, au cours duquel il rendrait visite à Gratianne, sa filleule. Imilie, bien sûr, servait de chaperon à m'amselle Pom Pom. Tout heureuse était la servante de voir enfin sourire sa petite maîtresse.

Au retour sur le bateau, Mosley fit sur le ton de la plaisanterie une confidence à Julie :

« Autrefois, quand on m'a demandé d'être le parrain de Gratianne, j'avais dit à votre père, le marquis : « Un jour, peut-être, pour faire comme « vous, j'épouserai ma filleule. » C'était façon de rire, bien sûr. Mais aujourd'hui, bien que je la trouve d'une beauté égale à celle de votre mère, si je devais choisir entre les demoiselles de Bagatelle, c'est vous, Julie, que je choisirais.

– Oh! merci, monsieur Mosley, fit Julie en rougissant... Mais...

– Mais je suis déjà un vieux monsieur, n'est-ce pas, et je le regrette!

– Ce n'est pas ce que je voulais dire, monsieur Mosley, je pensais seulement que Gratianne mérite mieux que moi d'être remarquée!

– Je n'aime pas les jeunes filles qu'on remarque, Julie. La plupart des hommes ne savent pas reconnaître la vraie beauté, celle qui se cache et qu'il faut révéler à elle-même. »

Ce n'était que badinage. Enchantée de son voyage à La Nouvelle-Orléans, où Mosley l'avait emmenée au théâtre pour lui montrer une danseuse nommée Lola Montès, dont les aventures avaient défrayé la chronique demi-mondaine en Europe, Julie de Damvilliers s'étonnait de ne pas ressentir cette fatigue et ces malaises que lui promettait sans cesse Imilie.

« Vous vous couchez trop tard, m'amselle Pom Pom, gourmandait la gouvernante.

– Laissez-la donc vivre un peu, intervenait Mosley; regardez-moi, je ne me suis jamais couché avant minuit... »

Le courtier anglais, qui ne passait ordinairement que deux mois à Bagatelle, ne parlait pas de départ.

« Nous ferez-vous l'amitié de passer avec nous les fêtes de fin d'année, monsieur Mosley? demanda un soir le colonel de Vigors.

– Cela dépendra, colonel, d'une affaire pour laquelle je n'arrive pas à me décider.

– Prenez votre temps, vous êtes ici chez vous, et si je puis vous aider dans cette affaire...

– Oh! oui, vous pourriez. Vous et Mme de Vigors pouvez tout!... dans cette affaire... qui n'est pas exactement une affaire! »

Le colonel, qui sirotait un mint-julep divinement dosé par Anna, posa son gobelet d'argent givré sur un guéridon.

« Si nous pouvons tout, cette affaire, qui n'est pas exactement une affaire, me paraît réglée, monsieur Mosley, mais dites-moi au moins de quoi il s'agit !

– J'aimerais mieux, pour ne pas avoir honte deux fois, le dire en présence de votre femme.

– On va la faire venir », dit le colonel, intrigué.

Quand Virginie se fut installée sur le sofa, dans l'attitude d'une dame de la bonne société qui attend le commencement du spectacle, Mosley se racla la gorge, caressa d'un index fébrile le flanc de son gobelet et commença :

« C'est un peu difficile et j'ai autant peur de vous voir rire que de votre courroux...

– ...

– Voilà, j'ai envie d'épouser votre fille !

– Gratianne ? répliqua aussitôt Virginie.

– Non, pas Gratianne. Julie, madame.

– Mon Dieu, monsieur Mosley, vous n'y pensez pas sérieusement; vous voyez comment elle est !

– C'est une enfant, intervint le colonel, que la surprise fit se précipiter sur son mint-julep pour se rafraîchir.

« Bien qu'elle paraisse plus mûre que son âge, elle vient tout juste d'avoir quatorze ans, poursuivit-il après une gorgée.

– Mais on m'a dit que, par ici, on marie les jeunes filles très tôt !

– C'est vrai, concéda Virginie, et vous m'embarrassez beaucoup, monsieur Mosley. Si vous m'aviez demandé Gratianne, je n'aurais pas été étonnée, mais Julie, vraiment... »

Le courtier, le visage empourpré jusqu'aux oreilles, se lança alors dans une longue démonstration des qualités et mérites de Julie, faisant l'éloge de sa grâce, de son maintien, de sa douceur et d'une beauté que lui, Abraham Mosley, avait perçue. Il termina en expliquant que sa fortune ferait de la jeune fille une des premières dames de Manchester et qu'eu égard à sa fragilité de constitution il se sentait capable de la dorloter comme un tanagra!

Virginie, moins perplexe que son mari, s'étonnait d'entendre décrire « m'amselle Pom Pom » avec des mots que les hommes utilisaient habituellement pour parler des femmes. Mosley venait de lui révéler que sa fille en était une et capable de séduire.

Le colonel, qui savait à quoi s'en tenir quant à l'attirance qu'exercent sur les hommes mûrs les adolescentes chez lesquelles on trouve réunis la fraîcheur un peu acide de la fillette et les charmes naissants de la femme, imaginait la gracile Julie dans les bras de ce petit homme rond, au regard facilement concupiscent.

Embarrassé, Mosley attendait un verdict qui tardait à venir.

« Vous voyez bien que nous n'avons pas ri et que nous ne sommes pas courroucés, monsieur Mosley, finit par dire Virginie, avec un grand sourire.

– Mais vous n'approuvez pas non plus.

– C'est difficile, émit le colonel; comprenez qu'une mère soit déroutée par une telle demande... Julie est si... particulière et...

– Je ne suis pas déroutée, intervint vivement Virginie, coupant la parole à son mari; M. Mosley est un parti... exceptionnel et, si Julie acceptait, je ne m'opposerais pas à une telle union. »

Cette fois-ci, le colonel aspira son mint-julep avec une vigueur qui lui amena de la glace pilée dans la bouche! Il connaissait assez l'esprit de décision de Virginie pour comprendre qu'elle livrerait sa fille à l'Anglais, si tel était son choix. Il espérait que Julie, pour une fois au moins, rirait aux éclats et que le courtier viderait les lieux en emportant sa honte et ses pensées libidineuses.

Le hussard se trompait. Quand, le soir même, Mme de Vigors rendit visite à sa fille, déjà couchée, elle comptait bien convaincre Julie d'épouser M. Mosley. Surprise de voir arriver sa mère dans sa chambre, Julie s'assit sur son lit, imaginant une catastrophe. Virginie s'assit près de sa fille, arrangea les plis de sa robe, lui caressa les cheveux.

« J'ai une bonne nouvelle à t'annoncer, ma chérie. M. Mosley vient de nous demander ta main !

– Quoi, il veut se marier avec moi ! Quelle drôle d'idée !

– Et pourquoi, mon Dieu ! Beaucoup de gens se marient, non ?

– Oui, mais pas moi, j'en ai pas envie... et puis M. Mosley, maman, il pourrait être mon père.

– Et alors ? Ton père avait plus du double de mon âge quand je l'ai épousé.

– Mais M. Mosley a le triple du mien ! »

Un peu décontenancée par l'habile résistance de sa fille, Virginie abandonna le domaine des âges, où évidemment Mosley n'apparaissait pas en bonne position.

« Tu comptes rester vieille fille, fit-elle, un peu méprisante.

– Je ne sais pas... Si j'ai plu à M. Mosley, je peux plaire à d'autres, non ?

– Et à qui, mon Dieu ? Regarde-toi, maigre, triste et bécasse comme tu es, qui peut vouloir de toi ?... Crois-moi, ne laisse pas passer l'occasion d'un bel établissement. Que feras-tu dans la vie, quand je ne serai plus là ?

– Voyons, maman... Tu n'as jamais été aussi jeune et aussi belle...

– Nous avons assez souffert dans cette maison, dit Virginie en levant les yeux vers le ciel de lit, pour savoir qu'on ne peut faire de pronostics de longévité... M. Mosley n'est-il pas gentil et prévenant avec toi ?

– Très gentil et très prévenant, mais...

– Eh bien, alors, il faut que tu saches, ma chérie, qu'une femme, crois-en mon expérience, n'est vraiment heureuse et choyée que par un homme plus âgé qu'elle. Avant d'épouser ton père, j'ai refusé plusieurs jeunes gens...

– Oui, je sais, Willy Tampleton entre autres.

– Et d'autres... parce que j'avais compris que les maris jeunes sont difficiles à dominer... Toi, tu pourras faire de Mosley ce que tu voudras et... il est incroyablement riche ! »

Cette discussion mettait à rude épreuve les nerfs fragiles de Julie. Sous la batiste de sa chemise de nuit, sa chétive poitrine palpitait comme lorsqu'elle montait trop vite l'escalier. Virginie sentit que sa fille fléchissait.

« Tu sais que tu es malade, ma chérie, que tu dois être entourée de beaucoup de soins, qu'il ne te faut aucun surmenage. Je ne te donnerais pas à un homme qui n'aurait pas compris cela et qui n'aurait pas les moyens de te faire une vie douillette et exempte de soucis. »

Le débat entre la mère et la fille dura plus d'une heure. Au cours de celui-ci, Virginie, avec une intelligence diabolique, fit à sa fille un certain nombre de confidences qui révélèrent à m'amselle Pom Pom des aspects du mariage qu'elle ne soupçonnait pas. Elle lui décrivit Manchester, l'hôtel particulier de Mosley, son appartement de Londres, la High Society, les théâtres, le confort raffiné dans lequel vivaient les Anglais riches, les courses de chevaux, les musées pleins de trésors, la campagne ordonnée comme un parc et cette liberté, inconnue dans le sud des Etats-Unis, dont jouissaient les épouses britanniques.

Les parades de Julie, la fatigue aidant, se firent moins vives, moins catégoriques. Par le jeu de son incroyable volonté, Virginie introduisit peu à peu dans l'esprit de sa fille une idée qui, la veille, lui eût semblé dérisoire. Tel était l'ascendant de la dame de Bagatelle sur les êtres purs et démunis. Quand Mme de Vigors quitta la chambre, emportant l'acceptation résignée de Julie, celle-ci se laissa retomber sur son oreiller et, les yeux grands ouverts sur l'obscurité, se demanda longtemps si elle ne délirait pas, comme autrefois quand lui venaient des fièvres soudaines et exténuantes, qui faisaient sauter son cœur.

Dès le lendemain matin, Mme de Vigors eut un long tête-à-tête avec Abraham Mosley. Elle ne lui cacha pas que les négociations qu'elle avait menées la veille avaient toutes chances d'aboutir, mais qu'un délai était de rigueur avant qu'une réponse définitive soit donnée.

« Voyez-vous, monsieur Mosley, ma fille étant maintenant informée de votre demande doit y réfléchir posément. Nous ne sommes plus à l'époque où les mères imposaient un mari à leur fille. Il faut que la décision vienne de Julie seule. »

A l'issue de l'entretien, le courtier se découvrit des raisons péremptoires de se rendre dans le Nord et au Canada pour affaires. Il prit aussitôt congé, annonçant son intention de repasser par Bagatelle dans trois mois, à la fin de mars probablement, avant de regagner l'Europe. Il baisa la main de Virginie et secoua frénétiquement celle du colonel, satisfait de voir s'éloigner, avec l'Anglais, la perspective d'un mariage qui lui procurait peu de satisfactions.

Mosley ne revit pas Julie avant son départ. Cette dernière, ayant passé une nuit blanche, fit savoir qu'elle garderait la chambre toute la journée, mais elle fit transmettre par sa mère « beaucoup d'amitié » au courtier. Virginie crut devoir ajouter au message que sa fille regrettait ce départ brusqué et souhaitait vivement revoir M. Mosley au printemps. C'est donc l'espoir au cœur et assez gaiement que le voyageur prit le bateau pour Saint-Louis, d'où il gagnerait New York.

Pendant les semaines qui suivirent, on évita soigneusement de parler mariage à Bagatelle. Julie reprit ses pinceaux et s'absorba dans la décoration de bonbonnières et de boîtes à poudre, cadeaux de fin d'année destinés aux demoiselles Tampleton, ses amies. Elle peignit aussi pour Dandrige un porte-montre et tressa, avec de fines lanières de cuir, un couvre-livre pour son beau-père.

On fêta Noël en famille et le petit Charles, qui, à sept ans, se montrait éveillé et plein de vie, fut comblé de cadeaux. Virginie aimait à faire, depuis la mort de Marie-Adrien, de longues promenades solitaires. Elle déclinait souvent les invitations qu'on ne manquait pas de lui adresser et passait des heures au piano à jouer les pièces que son fils aîné interprétait autrefois pour elle. On lui voyait un sourire las et, fréquemment, elle s'enfermait dans la chambre du « petit marquis », veillant à ce que tous les bibelots, les objets, les pierres dures et les lampes que ce dernier avait rassemblés au cours de sa vie à Bagatelle demeurassent aux places qu'il leur avait assignées. Elle utilisait comme signet ces pétales de magnolia, bruns et secs, que son fils plaçait entre les pages de ses livres. Parfois elle ouvrait l'armoire aux vêtements, palpait les étoffes, puis s'asseyait dans le fauteuil et se prenait à imaginer sans amertume le corps noir de la jolie Bessy sur le dessus-de-lit en dentelle blanche, attendant le bon plaisir du jeune maître.

Seul le petit Charles paraissait capable de la distraire. Par temps sec, quand le soleil d'hiver illuminait d'une clarté froide de grands espaces de terre brune, entre les forêts à demi dévêtues, elle l'emmenait en promenade avec le buggy. Ces escapades réjouissaient l'enfant et, plus encore, le colonel de Vigors, qui voyait de jour en jour son fils prendre à Bagatelle la place qui lui revenait.

Au cours de ces sorties, Virginie parlait à Charles du métier de planteur, des exigences de la terre, du bonheur qu'il pourrait lui procurer en prenant plus tard la charge de Bagatelle.

« Mais papa m'a déjà acheté une plantation à Saint-Francisville, disait l'enfant.

– Et alors, on la joindra au domaine de Bagatelle, Charles, et tu seras, si tu le veux, le plus grand planteur du pays.

– Moi, j' veux bien, mais il faut d'abord que j'apprenne, que j'aille dans les écoles, en France. Papa veut que je sois avocat, comme M. Barthew. Il dit que c'est mieux pour les affaires.

– Bien sûr, bien sûr, papa a raison, mais j'aurai de la peine quand tu t'en iras étudier. »

Et Virginie, tenant les rênes d'une seule main, attirait son fils contre sa poitrine, l'embrassait, remontait la couverture de fourrure pour le protéger du froid.

Charles découvrait la tendresse de cette femme parfumée aux mains si douces, dont l'indifférence l'avait inconsciemment fait souffrir. Le mot « maman » prenait à ses yeux une autre signification, il s'emplissait de sourires, d'attentions, de gestes câlins. Il ne le prononçait plus de la même façon. Virginie lui appartenait comme il lui appartenait. Il goûtait enfin, près de sa mère, cette chaleur et cette sécurité dont l'enfance a besoin. Il était heureux car il ne pouvait comprendre qu'il devait à la mort de ses deux demi-frères le bonheur d'être à part entière le fils de Virginie.

Le colonel se passionnait à la même époque pour les événements qui se déroulaient en France. Le coup d'Etat du 2 décembre, organisé le jour anniversaire de la bataille d'Austerlitz par le prince-président Louis-Napoléon Bonaparte, avait, semble-t-il, réussi. Les politiciens bavards et hâbleurs avaient été mis au pas, après avoir tenté de soulever Paris et la province. On annonçait quantité d'arrestations, mais un plébiscite avait donné l'occasion au peuple de se prononcer. Bien que républicain, M. de Vigors, qui appréciait par-dessus tout l'ordre et l'autorité, ne voyait pas d'un mauvais œil le pouvoir aux mains du neveu de son idole. Il croyait naïvement que, derrière un tel drapeau, la France allait retrouver le goût de la gloire et le sens de la grandeur.

Au mois de janvier 1852, il exultait. Le plébiscite du 21 décembre 1851 avait donné 7349000 oui, contre 646000 non. Le pays faisait donc confiance à celui qui, avant de dissoudre l'Assemblée, avait rétabli le suffrage universel.

M. de Vigors avait presque oublié l'existence de Mosley, quand arriva un télégramme annonçant le retour du courtier anglais pour la semaine suivante. Virginie, elle, n'avait pas oublié. Si son attitude vis-à-vis du petit Charles avait évolué spontanément, l'enfant comblant un vide sentimental, celle qu'elle affichait à l'égard de Julie relevait d'une stratégie subtile. Depuis le départ du courtier, Virginie, au cours de ses tête-à-tête avec sa fille, n'avait jamais négligé de lui dépeindre les avantages d'un bon établissement à l'étranger pour une fille de santé fragile, à laquelle le climat de la Louisiane ne convenait pas. Elle ne manquait pas de commenter les mariages dont elle avait connaissance dans la paroisse, laissant entendre que, peu à peu, toutes les jeunes filles de l'âge de Julie prenaient mari, que bientôt tous les garçons constituant des partis convenables seraient mariés et qu'il ne resterait plus que des fils de planteurs viveurs, désireux de faire une fin, pour demander la main de Julie. Ces considérations laissaient la jeune fille pensive et augmentaient la sensation qu'elle avait toujours eue d'appartenir à une caste particulière. Ce n'était certes pas celle des laissées-pour-compte comme les demoiselles Barrow, mais elle s'apparentait tout de même, malgré sa jeunesse et à cause de sa mauvaise santé, à la catégorie des filles qui ne trouvent pour époux que les hommes dont les autres n'ont pas voulu.

Au cours de l'hiver, Mme de Vigors s'était mise à traiter l'adolescente en grande personne. Quand Julie sollicitait naïvement, avec des mines de fillette indécise, un conseil pour choisir une tenue à l'occasion d'un bal ou d'une réception, ou se montrait incapable de donner correctement des ordres aux lingères, Virginie la gourmandait.

« Il est temps, Julie, que tu décides d'un certain nombre de choses, que tu saches organiser ta vie quotidienne. Je ne serai pas toujours près de toi pour penser à ta place. Ma pauvre chérie, que feras-tu si tu épouses un jour un homme qui ne puisse pas t'assurer une nombreuse domesticité ? Pense qu'à ton âge il y a des jeunes femmes qui ont un intérieur à tenir, un train de maison à gérer ! »

Ainsi, en apprenant le retour prochain de Mosley, Virginie n'eut-elle aucune peine à enlever la décision de Julie. Depuis le départ du courtier, cette dernière avait éprouvé à plusieurs reprises le sentiment désagréable de devenir peu à peu une étrangère à Bagatelle, une sorte de passager en surnombre. Elle finit par admettre que le moment était venu pour elle de franchir une nouvelle étape de sa vie, comme toutes les autres jeunes filles se trouvant dans la même situation.

« Mosley revient, Julie. Que lui dirons-nous ? »

Virginie posa cette question du ton gentiment excédé d'une mère qui est prête à entendre une réponse stupide. Julie, qui tirait l'aiguille devant son métier à tapisserie, demeura silencieuse, se troubla, se piqua l'index.

« Nous devons lui donner une réponse, Julie. Je m'y suis engagée... et dès son arrivée. Si tu refuses catégoriquement, ce n'est pas la peine de lui laisser défaire ses bagages. Il repartira tout de suite..., fâché probablement, car un homme de sa qualité sera mortifié par notre attitude... Tant pis, il faudra trouver un autre courtier sérieux pour nos cotons... Ce ne sera pas facile par les temps qui courent. Mais, enfin, Dandrige se débrouillera... »

Tout en suçant son doigt, Julie imaginait la plantation avec ses hangars pleins de coton invendable, et ce par sa faute; M. Mosley claquant la porte; Dandrige et M. de Vigors la regardant de travers; et encore la dernière des Tampleton se mariant avant elle. La jeune fille se redressa, respira à fond et dit enfin d'une voix qu'elle aurait voulue forte et enjouée :

« Mais, maman, tu ne me laisses pas parler... J'accepte. Oui, j'accepte d'épouser M. Mosley, quand tu voudras. »

Virginie se leva et vint embrasser sa fille.

« Enfin, Julie, te voilà raisonnable. Je crois que c'est une bonne décision que tu prends là. »

Puis elle soupira :

« C'est toujours un arrachement pour une mère de donner sa fille, mais c'est un sacrifice que toutes doivent faire, pour le bonheur de leurs enfants. Les saintes Ecritures ne disent-elles pas à peu près : « Tu t'en iras avec ton mari et tu laissseras ton père et ta mère »?

Julie, penchée sur sa tapisserie, considéra une grosse larme qui venait, sans même qu'elle l'ait sentie couler, de tomber sur une fleur de laine jaune où elle resta accrochée comme une goutte de rosée.

14

Quand, deux jours avant l'arrivée de Mosley, Mme de Vigors annonça à son mari que Julie agréait le courtier de Manchester, le hussard réagit vivement :

« C'est sainte Blandine livrée aux lions ! Si Julie était ma fille, je refuserais de revoir ce pot à tabac !

– Mais ce n'est pas votre fille... et je sais, moi, ce qui est bon pour elle.

– Elle ne sera pas heureuse, Virginie, ce n'est pas possible.

– Elle sera riche et en sécurité; l'amour viendra plus tard.

– Mais, enfin, tu la vois – le colonel tutoyait sa femme dans l'intimité – dans le lit de ce gros type aux chairs molles !...

– Il n'y a pas que ça dans la vie !

– Non, mais il n'y a que ça dans un lit.

– Elle a accepté, alors ça suffit, non ?

– Elle s'est soumise, tu veux dire, c'est différent ! »

Quand Dandrige apprit la nouvelle de la bouche du colonel, au cours de leur promenade à cheval, il demeura stupéfait.

« C'est curieux, dit-il simplement, en homme sachant contenir ses réactions.

– C'est contre nature, oui, vous voulez dire. Je donnerais bien mille dollars pour que cet Anglais crève d'une attaque d'apoplexie avant d'arriver à Bagatelle... D'ailleurs, les Anglais sont ainsi. Ils n'ont aucune décence. Quand ils ont envie de boire ou de forniquer, rien de les retient. Je les ai vus à la guerre, hypocrites, sournois, peloteurs de petites filles... et toujours la Bible dans la poche !

– Est-ce vraiment décidé, ou ne s'agit-il que d'un projet ?

– C'est décidé. Vous connaissez Virginie, l'idée lui a plu..., je me demande pourquoi..., et en deux heures tout a été réglé.

– Ça plaît à Julie ?

– Que peut-elle savoir, si ça lui plaît ? Elle est moins délurée qu'un poussin. Vous la voyez, vous, chevauchée par ce gros plein de soupe !... Ce sera un viol !

– La première fois, c'est toujours un viol, colonel », dit Clarence, amusé par l'indignation de Charles de Vigors.

Julie, dont l'imagination ne portait pas si loin, se montra aimable avec Abraham Mosley. Après tout, les filles se mariaient, c'était leur destinée. Tous les romans qu'elle avait lus finissaient par des mariages. Evidemment, les fiancés des livres semblaient tous jeunes et beaux, mais il arrivait que des rois barbus épousent de jeunes princesses et que ces couples vivent heureux, entourés de beaucoup d'enfants. La seule chose qui l'amenait à se poser des questions, maintenant qu'elle avait décidé d'obéir à sa mère, relevait de la qualité et de l'expression du sentiment qu'on appelait l'amour et qui tenait toujours une grande place dans toutes les histoires de mariage. Elle prenait plaisir, certes, à écouter M. Mosley parler de l'Angleterre, des usines et des chevaux, des boutiques et des châteaux, mais un plaisir différent cependant de celui que semblaient prendre, quand ils se promenaient ensemble, les fiancés dont les gravures de ses romans montraient les visages extatiques. Aussi, quand après le breakfast, au lendemain de son retour, M. Mosley l'avait entraînée dans le parc et avait posé ses grosses lèvres humides sur son cou, elle ne s'était pas pâmée d'aise, comme la dame de Quentin Durward. Elle avait même réprimé un petit frisson de dégoût.

Car l'ardent Mosley, se sentant autorisé à faire sa cour, montrait d'étranges impatiences. Seules sa bonne éducation, les mœurs puritaines et les conventions du Sud le retenaient d'initier Julie à des jeux moins innocents que le volant, qui l'essoufflait, ou le jacquet, qui lui donnait la migraine. Aussi pressait-il Virginie de fixer le mariage au plus tôt, arguant que ses affaires l'obligeaient à rentrer en Angleterre avant le 15 mai.

On fiança donc officiellement Julie et Abraham le 28 mars, dix ans, presque jour pour jour, après la mort du marquis de Damvilliers.

Le colonel constata à cette occasion que personne ne s'indignait, comme lui, de l'extrême jeunesse de la fiancée. Dans le Sud, les filles se mariaient parfois à treize ans, à peine pubères, « et il n'était pas rare d'y rencontrer des grand-mères de moins de trente ans »! Adèle Barrow elle-même, dont on connaissait la farouche vertu, ne trouva pas, dans la disproportion des âges, matière à commentaires. Elle suggéra simplement que « le lis tardif à tige de cristal devait avoir le feu au ventre, comme sa mère ».

Les Barthew, par contre, rejoignirent le camp du colonel, où l'on trouvait aussi le maréchal des logis Mallibert et Imilie. Ed Barthew avait sursauté en apprenant par Dandrige le mariage de sa filleule, qu'il tenait pour une gentille idiote. Comme sa femme, qui se rappelait avoir été serrée d'un peu près par un Mosley grassouillet et rose, il reconnaissait dans cette union la main de Virginie.

« Elle n'a vu que l'argent et la réussite sociale, dit-il à Dandrige. Je tremble pour Julie, dont personne ne connaît la sensibilité et la puérilité face aux choses de la vie.

– Je crois que Mosley, en vieux célibataire qui se résout à sauter le pas, fera tout pour la rendre heureuse. Ce n'est peut-être pas un si mauvais calcul.

– Heureuse..., soupira Mignette, quelle idée peut-elle se faire du bonheur ? »

Peu à peu, cependant, les objections formulées par ceux et celles qui, avec M. de Vigors, avaient critiqué la pression exercée par Virginie sur sa fille tombèrent. Les fiancés donnaient le spectacle d'une parfaite entente, effectuant des promenades en buggy, visitant les familles amies, passant de longues heures en tête-à-tête, au cours desquelles le courtier décrivait à Julie ce que serait leur vie en Angleterre. Virginie, ayant convaincu sa fille de s'habiller d'une façon plus austère « pour se vieillir un peu », présidait à la confection du trousseau. Toutes les couturières de la plantation tiraient l'aiguille pour « m'amselle Pom Pom ». Les fiancés étaient retournés ensemble avec Mme de Vigors à La Nouvelle-Orléans pour choisir des tissus, car il fallait prévoir des vêtements adaptés au climat britannique. Mosley en profita pour emmener les deux femmes au théâtre applaudir la cantatrice Jenny Lind, que les journaux nommaient « le rossignol suédois » et dont Barnum avait organisé la tournée à travers les Etats-Unis. Il paya leurs places cent cinquante dollars, ce qui impressionna Julie et ravit sa mère.

La cérémonie au cours de laquelle s'unirent Julie de Damvilliers et Abraham Mosley fut brève et relativement intime. Il y avait encore trop peu de temps écoulé depuis la mort de Marie-Adrien pour que l'on donnât une de ces grandes fêtes dont les planteurs raffolaient. La mariée, dans sa robe de dentelle blanche, légèrement maquillée par sa mère, afin de paraître moins pâle, ne ressemblait pas, comme l'avait craint Mignette Barthew, à une fillette déguisée en mariée. Elle souriait, donnant toutes les apparences de la satisfaction. Mosley, dans un frac gris-bleu, l'œil vif et la bedaine convenablement serrée dans un gilet très ajusté, faisait un époux tout à fait présentable. Virginie eût facilement passé pour la sœur aînée de Gratianne, laquelle ne manquait pas de chevaliers servants. Première demoiselle d'honneur, elle avait pris le bras du major Tampleton, dont la prestance, dans son bel uniforme bleu nuit à épaulettes d'or, contrastait avec la grâce de gazelle de la jeune fille, vêtue d'une robe à multiples volants d'organdi, au décolleté arrondi et souligné d'un feston.

« Après avoir vainement courtisé la mère, peut-être aura-t-il plus de chance avec la fille », susurrait Adèle Barrow.

Clarence Dandrige et Ed Barthew n'étaient pas éloignés de penser la même chose !

Le beau Willy, le visage recuit par les soleils du Mexique et de la Californie, où il avait fort honorablement guerroyé pour la plus grande gloire de l'Union, approchait la quarantaine et attendait ses galons de lieutenant-colonel. Virginie lui plaisait toujours autant et, en tout cas, davantage que Gratianne, cependant fort appétissante. Il enviait le colonel de Vigors, non seulement parce qu'il était l'heureux mari de la femme qu'il convoitait depuis si longtemps, mais aussi d'une façon un peu puérile qui était dans sa nature. Les décorations, dont la Légion d'honneur donnée par l'Empereur, que le hussard arborait entre les brandebourgs aux ors ternis de son somptueux uniforme prouvaient que l'officier avait pris part à de vraies guerres. Percy Tampleton, venu avec Isabelle, sa femme, et la demi-douzaine d'enfants qui faisaient la joie du patriarche des Myrtes, ressemblait de plus en plus à son père. Dans cette dynastie, les générations se succédaient sans hiatus. En voyant danser les garçons et les filles d'un homme auquel elle s'était autrefois donnée pour le seul plaisir, Virginie ressentait une vague tristesse. Marie-Adrien laissait un vide que Charles, qui s'empiffrait de gâteaux à la crème, ne parviendrait pas à combler.

Invitée par Dandrige pour une valse, celle qu'on appelait encore dans certains milieux « la marquise » se montra plus qu'amicale.

« Vous voyez que j'avais raison, Clarence, Julie est heureuse, n'est-ce pas ?

– Elle n'a pas l'air malheureuse, en effet.

– Vous qui me connaissez bien, vous savez que je suis intervenue dans son seul intérêt. Une mère n'est jamais contente de voir une de ses filles s'éloigner au bras d'un mari. »

Puis elle ajouta, le regard malicieux :

« Il faudra que je vous marie un jour, vous aussi ! Ou que je vous trouve une maîtresse digne de vous !

– J'ai déjà ce qu'il me faut, répondit l'intendant.

– Mon Dieu, qui est-ce ?

– Bagatelle ! »

Comme la danse s'achevait, Mme de Vigors dut clore cette conversation d'une pression plus appuyée sur le bras de son cavalier. Ils échangèrent un sourire, dont eux seuls connaissaient le sens profond. Un témoin ignorant les eût pris, à cet instant, pour de vieux amants.

Les mariés ne pouvant décemment passer leur nuit de noces à Bagatelle, Virginie avait obtenu des Tampleton qu'ils mettent à la disposition du couple une gentille petite maison, qu'ils possédaient en bordure de leur domaine, toute proche de Bagatelle et où ils hébergeaient parfois leurs invités.

Mme Tampleton, à laquelle ces préparatifs rappelèrent d'inavouables souvenirs, car elle était venue plus d'une fois, en cachette, dans cette annexe, retrouver des jeunes gens en mal d'initiation, avait, aidée de Mignette, fleuri le pavillon et fait allumer un bon feu dans la cheminée de la chambre nuptiale.

« Les nuits d'avril sont souvent fraîches et les jeunes mariées sont souvent dévêtues, avait-elle remarqué; nous en savons quelque chose, n'est-ce pas ?

– Je tremble en imaginant Julie dans ce lit, madame Tampleton.

– Eh bien, moi, j'aimerais bien être à sa place, madame Barthew. M. Mosley ne doit pas être, en amour, le premier venu ! »

Mignette haussa les épaules.

« Julie ne sait rien de ces choses !

– Elle apprendra, madame Barthew, elle apprendra ! »

Quand, à la nuit tombée, tandis que les invités dansaient sous les lumières du grand salon de Bagatelle, Julie vint trouver sa mère, la jeune fille semblait fatiguée et inquiète.

« Maman, M. Mosley veut m'emmener maintenant.

– Eh bien, va, n'as-tu pas assez dansé ?

– Oh ! si; je suis si lasse... Quelle journée ! »

Virginie donna un baiser à sa fille, signifiant ainsi que le moment de la séparation était venu, mais Julie demeura figée, indécise.

« J'ai un peu peur, maman; j'aimerais mieux dormir ici, encore cette nuit !

– Ne sois pas idiote, ma chérie, tu sais bien qu'une femme doit dormir avec son mari, non ?

Que peut-il t'arriver de mal?... Ne prends pas froid, c'est tout.

– Alors, je m'en vais, maman.

– C'est ça, filez discrètement », recommanda Virginie, qui ne voulait pas voir des jeunes gens éméchés manifester autour du cabriolet qui devait emmener les époux.

A pas lents, Julie vint rejoindre son mari, qui l'attendait près de la porte des cuisines, car il ne tenait pas, lui non plus, à entendre les propos gentiment grivois que le départ des mariés au soir de leurs noces ne manque pas de susciter. Il prit la main de Julie, la tira dans la cuisine. Elle suivit docilement, traversant, ainsi conduite, la grande pièce qui communiquait avec l'extérieur, par une porte que n'empruntaient que les domestiques. Anna, assise sur un tabouret, bien droite pour ne pas froisser son tablier blanc, son madras de dentelle posé de guingois sur ses cheveux lustrés au suif, vit passer le couple furtif : « Mon Dieu, m'amselle Pom Pom! » ne put-elle s'empêcher de dire, devinant vers quel sacrifice s'en allait sa petite maîtresse.

Entraînée par Mosley, la jeune fille se retourna vers la cuisinière, lui lança sans rien dire un regard tragique d'animal enchaîné, dans lequel Anna lut une détresse qui lui fit mal.

« Pauvre Pom Pom! » soupira-t-elle en entendant s'éloigner le cabriolet que M. Mosley avait fait conduire derrière la maison.

On ne sut jamais ce qui se passa exactement dans la petite maison des Tampleton, encore que beaucoup de gens purent l'imaginer. Mosley se tut et Julie ne put le dire.

Les derniers invités, émoustillés et bruyants, avaient depuis longtemps quitté Bagatelle et les domestiques remis un semblant d'ordre, en grignotant les reliefs du buffet avant d'éteindre les chandelles, quand les chiens aboyèrent furieusement. Ceux de Dandrige, qui couchaient sur le seuil de sa chambre, se joignirent au concert. Clarence, les entendant dévaler l'escalier, se leva et, sans allumer sa lampe, enfila prestement le pantalon et la redingote qu'il avait quittés deux heures plus tôt, puis il sortit sur le seuil de la galerie et s'appuya à la balustrade. Saisi par le froid, il essaya de percer la nuit. La grande maison demeurait silencieuse et obscure. Personne ne semblait se soucier des aboiements. Il suffisait parfois qu'une famille de tatous traversent le parc ou qu'un rat musqué plus audacieux que les autres s'approchât de la cuisine pour déclencher la fureur des chiens.

Attentif aux jappements, Dandrige s'aperçut qu'ils ne semblaient pas traduire la colère, mais plutôt la crainte ou l'embarras. Il se munit d'une lampe à huile et se dirigea, protégeant la flamme de la main, vers la façade de la maison. Aussitôt les chiens s'approchèrent, tout en continuant, la tête tournée vers l'obscurité du parc, à donner de la voix. Sitôt qu'ils l'eurent reconnu, ils firent demi-tour et repartirent en aboyant de plus belle, du côté de l'allée de chênes.

Intrigué, l'intendant les suivit tout en s'efforçant de les calmer. Dans le halo de la lampe, il vit enfin ce qui excitait pareillement les animaux : une forme blanche étalée au pied du premier arbre. « Quelque châle oublié, pensa Clarence, ces chiens sont idiots. » Comme il se penchait pour ramasser ce qu'il croyait être un vêtement, il vit qu'il s'agissait d'un corps, vêtu d'une robe de dentelles. Avec quelque hésitation, tout en se demandant laquelle des invitées pouvait être allongée là, à cette heure, il secoua l'épaule de la dormeuse. Son geste fit basculer le corps léger. Dans le rayon de la lampe, il reconnut le visage de Julie. Les chiens s'étaient tus. Avec d'infinies précautions, Clarence adossa la jeune fille inerte au tronc du chêne. C'est alors qu'il comprit, en voyant sa bouche béante, ses yeux grands ouverts et fixes, qu'elle était morte.

Il demeura un instant immobile, puis, avec le fol espoir qu'il ne s'agissait peut-être que d'un évanouissement, il tâta le cœur. A travers l'étoffe fine, il ne perçut aucun battement. Comme il se redressait, un pas fit crisser le gravier de l'allée. En levant sa lampe, il reconnut Bobo, qui, une hache à la main, s'avançait en roulant des yeux blancs.

« Ah! c'est vous, m'sieur Dand'ige! Quand j'ai vu la lumière, j'ai cru que c'était des voleu'...

– Regarde, Bobo, dit l'intendant en abaissant sa lampe.

– ... Mais c'est m'amselle Pom Pom, m'sieur; elle est malade?

– Va réveiller les maîtres, Bobo, puis attelle un buggy et va vite chercher le docteur Murphy.

– Oui, m'sieur, mais par cette nuit noire!

– Va, et vite!... »

Tandis que le cocher tambourinait à la porte de la maison, Clarence arrangea la robe de Julie, puis, après une hésitation et pensant qu'il valait mieux ne pas attendre l'arrivée de Virginie, il lui ferma les yeux.

Quand les lumières s'allumèrent, Dandrige se dirigea vers la maison et gravit pesamment l'escalier; sur le seuil il se heurta à Anna, qui, enroulée dans une couverture, venait aux nouvelles. Il allait lui parler quand Virginie apparut, suivie du colonel, l'un et l'autre en robe de chambre. Voyant la mine de l'intendant, Mme de Vigors n'osa même pas poser une question, ne sachant qu'imaginer, mais devinant quelque drame.

« Julie... est là! » dit simplement Dandrige en désignant la lampe qu'il avait laissée près du corps, au pied du chêne.

Aussitôt Virginie s'élança, suivie par Anna,

dévalant l'escalier comme s'il eût fait plein jour. Dandrige retint un instant le colonel qui s'apprêtait à suivre sa femme et la cuisinière.

« Elle est morte. J'ai envoyé chercher Murphy, mais je crains qu'il ne puisse rien faire. »

Virginie, s'étant penchée sur le corps de sa fille, se releva aussitôt, les yeux démesurément agrandis par l'horreur, la mâchoire tremblante. Quand son mari la rejoignit, elle n'avait pas prononcé un seul mot. A la maigre lueur de la lampe à huile, Mme de Vigors avait un visage de folle, un affreux tic lui faisait sursauter le menton. Sa fille, affalée, les bras allongés le long du corps, les paumes ouvertes, comme offerte aux génies de la nuit, avait le visage douloureux et résigné des martyrs. Anna, qui, elle, s'était agenouillée, criait en sanglotant :

« M'amselle Pom Pom, m'amselle Pom Pom, elle est toute froide, m'ame, elle est toute froide... »

Le colonel entraîna sa femme, silencieuse et trébuchante, vers la maison. Clarence, précédé d'Anna qui portait la lampe, ramassa le corps de Julie dont la longue traîne blanche balayait le sol. Les domestiques, tirés de leur sommeil et rassemblés sur la galerie, s'écartèrent pour laisser passer l'intendant et son fardeau. Brent, qui, depuis peu, remplaçait le vieux James dans les fonctions de maître d'hôtel, se signa comme il avait vu des gens le faire au passage des morts.

Julie fut déposée dans sa chambre de jeune fille où Murphy la trouva quand, une bonne heure plus tard, il apparut, sa trousse à la main.

« Son cœur a lâché », dit-il, laconique, à Dandrige en quittant la chambre où Virginie, comme frappée de stupeur, assise droite et glacée au pied du lit, veillait sa fille.

Puis le médecin ajouta à haute voix pour être entendu de tous :

« Cette petite n'était pas faite pour le mariage. C'est exactement comme si on l'avait tuée !

– Taisez-vous, intervint vivement le colonel, Virginie pourrait vous entendre.

– Et alors ? dit le médecin, vous avez peur de la vérité ? »

Cette allusion au mariage rappela au colonel que Julie avait un mari :

« Mais où est-il, Mosley ? L'a-t-on vu ? »

Puis, nerveusement :

« Je vais aller le chercher, moi...

– Laissez-moi faire, dit Dandrige. Restez auprès de Virginie, elle a besoin de vous. »

M. de Vigors se résigna. Murphy ramassa sa trousse et sortit avec l'intendant. La nuit était exceptionnellement froide, l'aube révélait à la surface des prairies une fine gelée blanche. De la vapeur sortait des naseaux du cheval que Bobo avait conduit à un train d'enfer pour ramener Murphy :

« Je vais avec vous, proposa le médecin; ce gros type pourrait bien nous faire une attaque en apprenant ce qui s'est passé.

– En tout cas, il se soucie peu de sa femme, observa Dandrige; il a dû tout de même s'apercevoir qu'elle s'était enfuie !

– Je parie qu'il dort, ce porc, dit Murphy en serrant les dents.

– Parce que vous croyez qu'elle ne se serait enfuie qu'après... le...

– Je ne crois rien, je sais, fit le médecin. J'ai examiné la petite... Elle n'est pas morte vierge, mon vieux ! »

Dandrige eut une moue de dégoût. L'aspect bestial de cette union, qui ne l'avait pas dérangé outre mesure, lui apparaissait soudain. Il fit claquer le fouet et prit le chemin du pavillon Templeton.

Ainsi que l'avait prédit le médecin, Abraham

Mosley dormait à poings fermés. Il fallut cinq bonnes minutes pour qu'il ouvrît la porte de cette maison où ne vivait aucun domestique. En se réveillant, il avait constaté l'absence de Julie.

« Que se passe-t-il, où est ma femme? Je ne comprends rien! »

Au petit lever, l'élégant Mosley n'était pas beau à voir. Malgré sa robe de chambre de soie à ramages et des mules brodées à son chiffre, il ressemblait, avec ses cheveux clairsemés et teints qui lui retombaient sur les oreilles, à un vieux faune adipeux.

« Julie est à Bagatelle, Mosley, fit Dandrige.

– Déjà? fit le courtier; mais le jour n'est pas levé!

– Elle est morte, dit le médecin, qui se souciait peu de ménager ce gros homme inconscient.

– Morte! Ce n'est pas vrai, c'est impossible. Pourquoi dites-vous une chose pareille!

– Parce que c'est la vérité, Mosley, reprit Clarence. Elle s'est enfuie pendant que vous dormiez, a couru jusqu'à Bagatelle... Elle est tombée avant d'atteindre la maison.

– Mais, alors, elle est vraiment morte? »

Sous le regard des deux visiteurs, Abraham Mosley parut soudain se friper, comme une baudruche qu'on dégonfle. Son visage, brusquement décoloré, devint flasque comme de la gomme. Il chercha un siège, le trouva et se mit à sangloter. Sa robe de chambre, en s'écartant, révéla des mollets grêles et variqueux. Dandrige se détourna.

« Vous feriez bien d'aller là-bas, maintenant, conseilla Murphy, toujours aussi sec.

– Je vais y aller, bien sûr, dans un moment, mais j'aimerais mieux ne pas la voir..., vous comprenez..., pour garder d'elle un beau souvenir. Elle était si jolie, si gentille et... tout... Ça s'était si bien passé... Pourquoi est-elle partie comme ça, en pleine nuit !

– Peut-être que vous la dégoûtiez », lança le médecin.

Puis il fit signe à Dandrige et les deux hommes quittèrent la maison, laissant le veuf hébété pleurant à chaudes larmes, le visage enfoui dans ses mains potelées, comme un vieux bébé auquel on a pris son jouet.

On ne revit jamais Abraham Mosley à Bagatelle. Quelques heures après avoir appris par Dandrige et Murphy la mort de Julie, il fit porter une lettre au colonel de Vigors, par laquelle il exprimait son désespoir, ses regrets, mais aucun remords. Il quittait à jamais, écrivait-il, *ce pays où il avait failli être heureux.* Charles de Vigors en était encore à lire ces mots, que déjà le courtier louait un petit vapeur pour regagner au plus vite La Nouvelle-Orléans, comme s'il craignait d'être poursuivi.

« Quel pleutre ! fit le colonel.

– Mosley a horreur du spectacle de la mort, murmura Virginie, comme pour excuser le fuyard.

– Elle finira bien par le rejoindre, va, comme tous ! »

La fin si soudaine et si scandaleuse de m'amselle Pom Pom plongeait la plantation dans une sorte d'anéantissement. Les domestiques oubliaient leur service. Il avait fallu arracher Anna et Imilie du chevet de Julie et maintenant que Virginie, s'étant ressaisie, évaluait le drame, elle-même demeurait prostrée près du lit où reposait sa fille dans sa toilette nuptiale. Tandis que le médecin examinait le corps, elle avait vu comme lui les traces de sang sur la face interne des cuisses de Julie. Cette vision lui souleva le cœur. Ainsi l'amour pouvait être autre chose que cette exubérance de la chair et cette fête des corps qu'elle-même appréciait si fort. La rebutante brutalité masculine lui avait été épargnée par son premier amant, un initiateur d'une grande tendresse, mais il lui était arrivé ensuite de la subir, puis de la souhaiter, sachant, en amoureuse experte, jouir de l'impétuosité parfois sans délicatesse d'un partenaire.

La pauvre Julie, certes, n'était pas préparée à la violence d'un désir mâle. En livrant sa fille innocente à Mosley, elle avait misé sur le tact et la sensibilité de cet homme, si raffiné dans ses goûts et si courtois dans son comportement. Sa brusque passion pour Julie, les attentions dont il l'avait entourée pendant leurs brèves fiançailles, cette espèce de dilection qu'il avait pour un être dont il disait connaître la fragilité auraient dû le rendre patient, capable de refréner l'ardeur faunesque de sa nature.

Or Julie avait été traitée comme une fille à soldats, sans même comprendre ce qui lui arrivait. Son cœur ne s'était peut-être arrêté de battre qu'après sa longue course dans la nuit, mais le viol qu'elle avait subi dans la maisonnette des Tampleton ne suffisait-il pas pour la tuer ? Au chagrin insupportable de perdre un troisième enfant s'ajoutait pour Virginie le remords secret d'être — elle pensait seulement de paraître — responsable de la mort de sa fille. Pour la première fois de sa vie, cette femme orgueilleuse connaissait la honte qui accable les provocateurs à la vue des drames qu'ils ont suscités. Elle entendait l'accusation que son mari aurait pu porter contre elle, s'il avait été moins épris. La réserve de Dandrige confirmait le ressentiment unanime qu'elle lisait dans les yeux des domestiques, percevait à travers le chagrin véhément d'Anna et que Murphy avait exprimé sans ambages.

Face à la jeune morte, maintenant coiffée et propre, elle se redressa. Elle relèverait le défi des ragots avec arrogance et saurait interdire l'accès de son esprit aux insinuations de sa propre conscience. Elle ne permettrait pas que l'on puisse, non seulement dire, mais penser que Julie avait été détruite par la faute de sa mère.

Quand Virginie retrouva, au salon, les hôtes silencieux et pensifs de Bagatelle, elle était redevenue maîtresse de ses nerfs et capable de prendre des décisions.

« Je ne veux aucune cérémonie, dit-elle aussitôt. Nous enterrerons Julie chez nous et non au cimetière. Au pied du chêne où Clarence l'a trouvée et dans sa robe de mariée ! »

Le colonel de Vigors, accablé, approuva d'un hochement de tête le choix d'une aussi bizarre sépulture. Gratianne, pelotonnée dans un fauteuil, redoubla de sanglots. Dandrige, lui, leva sur la dame de Bagatelle ce regard paralysant et glacé qu'elle détestait. « Lui, pensa-t-elle, comprend ce que je ressens ! »

Une fosse fut donc creusée, dès le lendemain au petit jour, au pied du premier chêne de la rangée de droite, à partir de la maison. Entre les fortes racines de l'arbre, planté cent ans plus tôt par le premier marquis de Damvilliers, on descendit l'étroit cercueil de chêne, béni par le père jésuite, précepteur de Julie. Ni les Barthew, ni les Tampleton, ni les Barrow n'avaient été conviés et aucun domestique ne fut autorisé à sortir de la maison pendant l'inhumation. Clarence soutenait Gratianne, la dernière des Damvilliers. La mort, visiteuse insatiable et méthodique, paraissant s'acharner sur cette famille, comme si elle voulait l'anéantir, était désormais une habituée de Bagatelle.

Le petit Charles, écartant les rideaux de la chambre où Virginie l'avait laissé sous la garde de Brent, vit deux esclaves inconnus égaliser le sol autour de l'arbre, une fois la tombe refermée.

« Julie est devenue un ange, maintenant, soupira Brent.

– Mais les anges, on les voit pas, dit le petit garçon, et moi, j'aimais bien voir Julie.

– Quelquefois on les voit la nuit, m'sieur Charles, quand y reviennent dans leur maison de la terre ! »

Plus tard, le colonel de Vigors et sa femme vinrent déposer au pied du chêne, sur cette tombe que rien ne distinguait et où l'herbe déjà repoussait, une pierre gravée de la taille d'un gros livre sur laquelle on lisait : *Julie de Damvilliers (1837-1852),* et une phrase choisie par Dandrige : *Tous me doivent cet ombrage.*

15

QUAND on sut, dans la paroisse, la fin tragique de Julie de Damvilliers, les gens commencèrent à parler de la malédiction de Bagatelle. Les moins superstitieux voyaient dans les quatre morts, dont celles des trois enfants, qui s'étaient succédé en dix années, dans une des plus anciennes familles de Louisiane, une mystérieuse rancune divine. On avait beau chercher dans le passé du marquis, on ne trouvait rien qui puisse, sinon justifier, du moins rendre plausible un pareil acharnement du destin. Personne n'osait le dire, mais beaucoup pensaient que le malheur était arrivé à Bagatelle avec le retour de Virginie Trégan. A l'avenir, ce serait une femme qu'il vaudrait mieux éviter, d'autant plus que les esclaves affirmaient que, depuis l'inhumation de Julie, on avait vu sous les chênes une ombre blanche aller et venir. Certains affirmaient avoir entendu des plaintes; d'autres expliquaient que les chiens contournaient l'arbre sous lequel reposait « m'amselle Pom Pom » et que parfois, vers minuit, ils gémissaient sans raison.

Sans ajouter foi à ces histoires, que lui racontait Brent en roulant des yeux blancs, le colonel de Vigors éprouvait une sorte de malaise à vivre dans la grande maison silencieuse. La santé de

Virginie l'inquiétait chaque jour davantage. Après avoir bien surmonté son chagrin, au cours des semaines qui suivirent le drame, elle affichait une résignation exagérée et souriante, qui n'était pas dans sa manière. Une douceur béate, une condescendance anormale, des absences au milieu des conversations les plus banales lui donnaient les attitudes et les réflexes d'une femme sous l'empire d'un soporifique ou d'un charme annihilant sa volonté. Elle retenait près d'elle en permanence Gratianne et Charles, qu'elle couvait du regard en remuant la tête, comme si elle craignait de les voir atteints à leur tour par quelque malheur.

« Il faut que nous quittions Bagatelle un certain temps, dit finalement le colonel de Vigors, même si ce départ a l'air d'une fuite. »

Huit jours plus tard et sans avoir revu personne, Mme et M. de Vigors, accompagnés de Gratianne et de son demi-frère Charles, de Brent et de Rosa, s'embarquaient pour l'Europe. Au moment où l'intendant les aidait à s'installer dans le grand landau armorié, Virginie dit d'une voix lasse :

« Nous ne savons pas quand nous reviendrons ici, Clarence. Disposez de tout à votre gré. Les vivants et les morts vous confient Bagatelle. »

Dandrige s'inclina sans un mot, baisa la main qu'on lui tendait, serra celle du colonel, embrassa Gratianne et Charles, puis fit signe à Bobo de démarrer. Quand l'attelage, que précédait un chariot plein de bagages, bifurqua pour s'engager sur le chemin de la berge, dans la brume matinale qui montait du Mississippi, Virginie se retourna. Sous la longue voûte des chênes frangés de mousse grise que le vent secouait, comme les mouchoirs qu'agitent ceux qui restent pour un ultime au revoir à ceux qui partent, elle vit Dandrige immobile, rigide comme une sentinelle au milieu de l'allée. Elle fut reconnaissante à cet homme de lui permettre de quitter l'univers paisible qu'elle avait tant convoité et qui lui paraissait aujourd'hui hostile.

Clarence revint vers la maison d'un pas vif, pour se réchauffer à la cheminée du salon. Mains au dos, il laissa son regard errer sur les portraits suspendus aux murs. Les trois marquis de Damvilliers, dont les larges épaules emplissaient les cadres tarabiscotés, semblaient considérer avec bienveillance ce fidèle mainteneur de la plantation. Marie-Adrien, le quatrième, disparu avant d'avoir pu donner sa mesure, conserverait à jamais ce sourire provocant que Dandrige lui avait connu. Un sourire de parieur, fort bien rendu par le peintre et qui paraissait maintenant s'adresser à cet homme dont le destin faisait depuis tant d'années le gestionnaire de la fortune des Damvilliers. Quand son regard s'arrêta sur Julie, Clarence se souvint que Planche avait dit que la seconde fille de Virginie avait « le cœur transparent ». Son destin s'était accompli, puisque son corps reposait au pied d'un chêne, dans lequel passerait son âme pure, si l'on en croyait Anna. Quant au portrait de Pierre-Adrien, pour lequel, il s'en souvenait, le garçon avait posé sans enthousiasme, il lui rappelait les rares moments de tendresse quasi paternelle qu'il avait éprouvés dans sa vie. Seule Gratianne, de tous les Damvilliers présents dans le salon, disposait encore d'un avenir. Il comprit alors que la fuite de Virginie avait peut-être pour objet de soustraire la dernière fille d'Adrien et le jeune Charles de Vigors à l'incompréhensible malédiction de Bagatelle. Il regretta à cet instant qu'il n'y eût aucune image de Mme de Vigors dans cette pièce où l'on reconnaissait partout la marque de son goût et de ses choix. « Ne suis-je plus que le gardien d'un cimetière ? » pensa Clarence.

Mais Bagatelle exigeait ses soins. Les cotonniers étaient déjà hauts de plus d'un pied; le sarclage avait commencé et ce printemps trop sec inquiétait tous les planteurs. Dandrige demanda à Bobo de seller son cheval. Au pas, il prit le chemin des champs pour une inspection. La terre qu'il examina, pétrit, effrita, lui parut dure, récalcitrante et lourde comme ces dormeurs qu'on ne parvient pas à éveiller. Les cotonniers s'inclinaient avec mollesse dans les sillons, manquant de force pour soutenir leurs jeunes feuilles. A nouveau en selle, les deux mains au pommeau, il observa cette plaine ocre, dont pas un arpent ne lui était inconnu, entre la forêt et le fleuve; puis il regagna la maison vide et silencieuse.

Enfin vint la pluie, et le cycle des travaux retrouva le rythme ancestral, qui réglait la vie des planteurs. Clarence reprit ses habitudes. On le vit chasser avec Barthew et quelques voisins, dîner chez les Tampleton, jouer au billard chez les Barrow. Souvent, il se rendait à Saint-Francisville où le maréchal des logis Mallibert avait besoin de ses conseils pour mettre en culture les terrains acquis par M. de Vigors.

« Le colonel m'a dit que la première récolte serait pour moi, alors vous pensez si je tiens à ce qu'elle soit bonne », avait expliqué l'ordonnance devenue planteur à son corps défendant.

Dandrige lui ayant fourni assez de graines de cotonnier pour ensemencer une terre que les défricheurs venaient de domestiquer, la cueillette fut abondante et Mallibert prit goût au métier. L'intendant ne lui reprochait que de faire manœuvrer ses esclaves comme un bataillon d'infanterie, ce qui ne plaisait pas à tous !

« La méthode est la même qu'il s'agisse de faire un bon soldat ou un bon ouvrier; de la discipline, voilà ce qu'il faut d'abord et des mouvements coordonnés », disait Mallibert. Ainsi, en quelques années le maréchal des logis, républicain intransigeant, était-il devenu un parfait esclavagiste du Sud. La notion de liberté, dont il se disait le défenseur acharné, ne s'appliquait pas, d'après lui, aux esclaves, incapables d'être utiles à la société hors du cadre rigide d'une plantation.

Cependant les Noirs libres formaient en Louisiane une population de près de vingt mille personnes. Certaines familles d'affranchis jouissaient d'une réputation méritée. Dandrige avait connu le temps où les jeunes filles de couleur contractaient avec des Blancs des unions auxquelles, pour les différencier du mariage, on donnait le nom de « placements ». Or ces unions devenaient plus rares. Les Noirs émancipés, charpentiers ou maçons, gagnaient bien leur vie. Ceux, plus intelligents ou plus doués, qui se mêlaient de commerce connaissaient une aisance que les petits Blancs des bayous et les cajuns pouvaient leur envier. Cependant, s'ils étaient admis dans les affaires, ces Noirs-là se voyaient tenus à l'écart de la société blanche. On leur reprochait de se montrer glorieux, irascibles, vindicatifs et volontiers batailleurs. Ils tenaient eux-mêmes à marquer la distance qui, désormais, les séparait des esclaves, leurs anciens compagnons envers lesquels il leur arrivait de se montrer plus méprisants que les Blancs.

D'autres Noirs libres, le plus souvent robustes et adroits, gagnaient de un à deux dollars par jour en se louant à un maître chez lequel ils vivaient et auquel ils devaient donner de quinze à vingt dollars par mois.

Dans les campagnes, par contre, l'esclavage demeurait la règle générale. La population servile de Louisiane comptait plus de deux cent cinquante mille Noirs cultivant un million deux cent mille acres de terre à coton ou à canne. Le sort de ces travailleurs, parfois importés de Virginie, ce qui leur valait de la part des Noirs louisianais le surnom de « cougo », dépendait entièrement du maître. Beaucoup d'esclaves de plantations avaient dans les veines le sang de la famille à laquelle ils appartenaient. Bien que personne n'osât l'avouer, les Blancs par honte et les Noirs par crainte, il existait entre eux une complicité qui se traduisait chez les premiers en indulgence relative, chez les autres en dévouement.

Les gens qui connaissaient bien les villes du Nord, comme Willy Tampleton, expliquaient que dans les Etats anti-esclavagistes les Noirs libres constituaient le dernier échelon de la hiérarchie sociale, alors que dans les Etats du Sud les Noirs libres se situaient au deuxième échelon. Ayant au-dessus d'eux la classe privilégiée des Blancs, ils se consolaient de leur infériorité en la comparant « à l'ignominie des esclaves ».

Un incident avait eu lieu le 12 mars 1852 à Richmond (Virginie), qui prouvait que le fait d'être noir constituait, en cas de délit, un coefficient d'aggravation. Un esclave, employé dans une fabrique de tabacs, ayant tué avec une barre de fer un surveillant qui lui avait donné un coup de bâton, venait d'être condamné à mort. Le gouverneur Johnson, un homme sain d'esprit, avait décidé, au vu du dossier, de commuer la peine de mort en expulsion pure et simple des territoires du Sud. Aussitôt connue, cette décision d'une clémence inattendue suscita des protestations. Des politiciens, ameutant la population, organisèrent un meeting, considérant que le gouverneur avait abusé du droit que lui donnait la Constitution, en graciant un assassin. « Il fallait pendre ce nègre parce qu'il était nègre », soutenaient les gens.

A La Nouvelle-Orléans – était-ce dû à l'influence française encore puissante en Louisiane ? – la population se montrait moins vindicative à l'égard des esclaves coupables de délits et faisait la part de la provocation dans les démêlés que les Noirs avaient parfois avec les Blancs. En dix années, on n'avait vu qu'une seule pendaison d'esclave. Par contre, la justice se montrait impitoyable vis-à-vis des aventuriers étrangers. Ainsi le 1er octobre 1852, lors de l'exécution de deux assassins, l'un Français, nommé Delisle, l'autre Anglais, nommé Adams, les cordes s'étaient rompues et les deux suppliciés avaient été relevés en triste état après leur chute sur le pavé. Comme il s'était trouvé des âmes charitables pour demander le pardon des deux hommes dont la mort ne semblait pas vouloir, le juge avait menacé le shérif de suspension s'il n'exécutait pas, sur l'heure, les condamnés blessés. Ce qui fut accompli.

Une telle rigueur avait pour but de prouver aux Noirs que la justice était la même pour tous. Les esclaves, cependant, ne se laissaient pas convaincre aussi aisément, car ils savaient bien que, si les malfaiteurs blancs, gens de sac et de corde, ne pouvaient espérer aucune indulgence particulière, il n'en allait pas de même pour les Blancs nantis et les riches créoles.

Les abolitionnistes qui, imprudemment, développaient leurs théories risquaient les pires ennuis, comme ce James Dyson qui tenait une école pour enfants noirs à La Nouvelle-Orléans et qu'on avait interné au « Lunatic Asyleum », la maison des fous de la ville. Le maître d'école, qui avait déjà comparu en justice pour des escroqueries dans lesquelles de pauvres Noirs avaient servi d'instruments, s'était, paraît-il, mêlé d'organiser un soulèvement d'esclaves. Le signal devait être un incendie. Devant l'énormité du projet, les juges examinèrent attentivement le cas de Dyson et décidèrent qu'il fallait peut-être voir en lui un agent abolitionniste, mais qu'à coup sûr on avait affaire à un fou. C'était un moyen comme un autre de lui sauver la vie.

Face à tous ceux qui proclamaient « Dieu a imposé l'esclavage à la race de Cham, comme un châtiment éternel », des hommes clairvoyants tel le docteur Murphy prévoyaient le jour où l'émancipation des Noirs deviendrait inéluctable.

« L'esclavage finira, disait le médecin à Dandrige. Il est juste qu'il finisse et le plus tôt sera le mieux pour l'honneur de l'humanité. Mais ce ne sont ni les abolitionnistes du Nord ni les fous comme Dyson qui avanceront l'heure de la délivrance de la race noire. L'émigration européenne et les travailleurs blancs et libres suffiront.

– Nos nègres seront-ils plus heureux, alors ? » demandait Dandrige.

Le médecin semblait en douter.

« Quand cette heure sera venue, la race noire aura à souffrir d'autres et bien terribles épreuves. Les Etats libres qui ménageront les hommes de couleur, tant qu'il y aura des Etats esclavagistes, s'uniront alors aux Etats à esclaves dépossédés, pour faire à cette race infortunée une guerre plus acharnée, plus terrible encore que celle qui se terminera bientôt par l'extinction totale de la race indienne. »

Murphy n'aurait certes pas tenu pareil langage devant le lieutenant-colonel Tampleton, récemment promu et qui commandait la cavalerie de Charleston. Mais il savait avoir en Dandrige un auditeur discret qui partageait, au fond de lui-même, ses opinions.

En attendant que le temps confirme ou infirme les prophéties du docteur Murphy, les citoyens des Etats-Unis venaient d'élire un nouveau président, Franklin Pierce, un démocrate qui avait battu le général Winfield Scott, candidat des whigs désigné par son parti quelques jours avant la mort du célèbre Henry Clay, emporté par la tuberculose à l'âge de soixante-quinze ans.

A la fin de l'été, un événement fournit à Dandrige et à ses amis, comme à tous les Sudistes amateurs de livres, matière à longues discussions. Un livre faisait scandale dans le monde des planteurs. Sous le titre anodin *La Case de l'oncle Tom*, une certaine Harriet Beecher Stowe venait de publier un ouvrage qui, bien qu'étiqueté « roman », constituait un véritable réquisitoire contre les esclavagistes. Le succès du livre avait été tel dans le Nord que George L. Aiken en avait tiré une pièce qui faisait les belles soirées du National Theater de New York. Les abolitionnistes s'étaient empressés de diffuser *La Case de l'oncle Tom* dans les Etats du Sud. On se repassait le livre d'une famille à l'autre, ce qui décuplait la fureur contre cet auteur en jupons de quarante ans, en train de faire une fortune sur le dos des planteurs. Née à Litchfield (Connecticut) d'un pasteur congrégatiste de la tradition de Jonathan Edwards, puritaine et pourvue d'un long nez triste, que pouvait savoir cette femme de la condition véritable des esclaves ?

« Son livre est conçu de la même façon que les discours des abolitionnistes qui gesticulent dans les clubs de Washington et à la tribune du Congrès, disait M. Tampleton.

– Elle fait du nègre Tom un Prométhée dont l'esclavage est le vautour, criait Adèle Barrow.

– Elle flatte la plus vulgaire sentimentalité, ajoutait sa sœur, quand par exemple elle fait donner par Mme Bird les vêtements de son enfant mort à un esclave fugitif ! »

Dandrige, qui entendait toutes ces critiques, pensait, comme Murphy et comme les Barthew, que ce livre plein de bons sentiments et d'exagérations manifestes ferait plus pour la cause antiesclavagiste que toutes les déclarations des politiciens et des philosophes. Ces derniers ne touchaient qu'un public limité et convaincu d'avance; Harriet Beecher Stowe s'adressait aux âmes sensibles et pénétrait les foyers. Par le jeu d'une fiction ambiguë, elle tenait meeting dans toutes les familles. La masse des Nordistes, jusque-là assez indifférente, n'allait plus voir l'esclave que sous les traits de Tom et le planteur du Sud sous ceux de l'affreux Locker.

« On m'a dit qu'elle ne se contente pas d'écrire des inepties, observa Percy Tampleton, mais qu'elle assiste la bande du chemin de fer souterrain de l'affreuse Tubman... »

Ed Barthew regarda Clarence Dandrige à la dérobée. Si Tampleton avait su que l'intendant avait usé de la filière du « général Tubman » pour faire passer au Nord la jeune Ivy, qui coulait maintenant des jours tranquilles à Concord, il eût peut-être provoqué l'intendant en duel !

« Tout cela passera comme le reste, intervint l'avocat, comme les écrits des sœurs Grimké, comme ceux de Frédéric Douglass; vous attachez trop d'importance à un livre qui ne donnera mauvaise conscience qu'aux mauvais maîtres !

– Pour les Yankees, sachez que nous sommes tous dans le même panier, quelle que soit la façon dont nous traitons nos nègres, reprit le vieux Tampleton. Ils se moquent pas mal du sort des esclaves; ce qu'ils veulent, c'est s'emparer des richesses du Sud et cet écrivain de malheur leur apporte une arme nouvelle et... populaire ! »

A Paris, où le livre de Mme Beecher Stowe fut vite connu, on se souciait peu dans le monde que fréquentaient les Vigors de savoir si cette jolie femme, qui ne souriait que rarement, et l'homme épanoui qui lui tenait lieu de mari étaient ou non propriétaires d'esclaves. Quand ils l'apprenaient la plupart des gens trouvaient cela exotique et excitant. Les amies de Virginie lui empruntaient à l'occasion le beau Brent comme extra. Etre servies par un nègre aussi stylé et que sa maîtresse aurait pu fouetter, si tel avait été son bon plaisir, faisait se pâmer les bourgeoises.

Les Vigors avaient trouvé Paris en pleine béatitude capitaliste. Après la grande peur de 1848, les nantis, rassurés par le coup d'Etat du 2 décembre 1851, ne se souciaient plus de dissimuler leur fortune. Ceux qui avaient craint le désordre dans la rue, toujours préjudiciable aux affaires et à la prospérité, voyaient s'éloigner avec satisfaction les spectres de la spoliation et de la violence, puisque les gens du peuple eux-mêmes se montraient amateurs de paix sociale et d'ordre. Les caisses d'épargne, baromètres de la confiance, recevaient de plus en plus de versements. Les banques, celles de MM. de Rothschild notamment et des frères Pereire, prospéraient d'une façon étonnante. Les actions du Crédit mobilier, ouvert le 19 novembre 1852, étaient cotées 1500 francs. Les hommes d'affaires, entre deux prises de participation dans les chemins de fer ou les télégraphes, interrogeaient le colonel de Vigors sur cet or de Californie auquel la Bourse s'intéressait. On entrait dans l'ère du progrès technique. Les compagnies de chemin de fer commandaient les rails par dizaines de kilomètres. La raffinerie de Bourdon traitant le sucre de betterave se développait; les mines modernisées fournissaient à pleins bras le charbon indispensable aux usines, les moulins à café de Peugeot s'enlevaient comme des petits pains. Encouragés par le gouvernement, les investisseurs furetaient pour trouver à placer leur argent de la manière la plus profitable. La bourgeoisie, enthousiasmée par les desseins grandioses de Louis-Napoléon qui voulait faire de la France une grande nation industrielle, envisageait sans peur des plans de financement à long terme, assurée qu'elle était maintenant, après des années incertaines, de pouvoir engager ses capitaux pour en retirer de substantiels bénéfices.

Mme Drouin, qui, l'âge venant, roucoulait plus souvent avec les banquiers qu'avec les poètes faméliques, eut tôt fait d'indiquer à M. de Vigors le meilleur chemin pour accéder au Tout-Paris de la finance. Ce chemin passait par l'entourage du prince-président, dans lequel elle comptait de bons amis dont le duc de Morny, fils de la reine Hortense et du général-comte Flahaut, et par conséquent demi-frère du maître que la France s'était donné par plébiscite.

Virginie, à qui son deuil et aussi son réel chagrin interdisaient encore les manifestations mondaines, fut cependant présentée à ce duc, gaillard et séduisant, que l'on disait aussi ardent affairiste que coureur de jupons. Il venait de démissionner de son poste de ministre de l'Intérieur à la suite d'intrigues destinées à l'abaisser dans l'estime de Louis-Napoléon, et se consolait de cette disgrâce en spéculant et en gagnant beaucoup d'argent. Cet homme, qui, avec sa moustache cirée et son impériale, « ressemblait comme une seconde édition plus attrayante et plus affinée » au modèle qu'avait fourni le prince-président, trouva Virginie « suprêmement distinguée et délicieusement romantique ». Pour se réserver un avenir auprès de cette Franco-Américaine qui ne serait pas toujours confinée dans son si respectable deuil, il introduisit M. de Vigors dans les milieux d'affaires où l'aristocrate ne dédaignait pas de redorer son blason.

C'est ainsi que le colonel se vit invité à l'inauguration du grand magasin Au Bon Marché, que venait de fonder Aristide Boucicaut, lequel entendait appliquer une nouvelle formule commerciale, séduisante et riche de promesses. Il s'agissait de vendre quantité de produits et d'objets à des prix accessibles au plus grand nombre, avec une marge de bénéfice limitée, mais rendue fort appréciable par le volume des transactions.

Quand Virginie, redevenue elle-même, put sans déroger renoncer aux vêtements noirs, c'est chez « Camille », la couturière à la mode de la rue de Choiseul, que Mme Drouin emmena sa nièce. Cette dernière y renouvela sa garde-robe, choisissant pour la journée de courtes vestes boutonnées, genre boléro, à porter sur d'amples jupes évasées du bas, et pour le soir des robes largement décolletées, coupées dans des failles scintillantes ou des velours moelleux. Les couleurs nouvelles : aubergine, vert cru, gris tendre, brun havane, seyaient à une femme dont la peau conservait la pâleur sudiste et dont les formes retenaient les regards masculins. Pendant que Virginie reprenait ainsi goût à paraître dans toute sa grâce, son mari, étant retourné au Jockey-Club dont il était membre depuis sa fondation en 1843, fréquentait le gratin parisien : le duc d'Albufera, le duc de Fitz-James, Charles Laffitte, le duc de Gramont-Caderousse occupé à dilapider sa fortune sur les tapis verts des tables à jeux.

Entre le Club, les restaurants, le Café Anglais ou le Tortoni, le théâtre, tous lieux où l'on rencontrait des cocottes de haut vol, des financiers, des journalistes, des écrivains et des officiers barbus revenant d'Algérie, M. de Vigors, marié et père de famille, retrouvait ses anciens plaisirs de célibataire. Il lui arrivait même de rentrer fort tard rue du Luxembourg, pour avoir suivi quelque grisette ou quelque trottin qui l'avait entraîné jusqu'à Belleville, dans une soupente où le parfum du patchouli se mêlait désagréablement à celui de la soupe à l'oignon. En vieillissant, le hussard avait besoin de la stimulation que peut offrir une chair supposée fraîche. Virginie fermait les yeux sur ces incartades. Elle ne manquait pas d'admirateurs, prêts à la consoler, si l'envie lui en était venue.

Le petit Charles mis en pension chez les pères jésuites, Gratianne jouait les filles uniques, allant d'un bal à l'autre et dépensant des sommes folles chez les couturières et les modistes.

Le fils d'un banquier, ayant été agréé par Virginie comme chevalier servant attitré de sa fille, avait emmené celle-ci au théâtre voir *La Dame aux camélias* et *Le roi s'amuse*. Le jeune homme, « bien de sa personne », faisait à Gratianne une cour méthodique et sage. Elève de Polytechnique, il appliquait aux sentiments les raisonnements des sciences exactes, ce qui semblait lui réussir auprès de la belle Louisianaise. Gratianne, frivole par jeu, mais réaliste à la manière des Damvilliers, s'accommodait de déclarations en formes d'équations. Sans toujours comprendre les formules, elle en appréciait la sincérité, car elle se méfiait des hommes doués de trop d'imagination.

« Vous parlez d'amour comme s'il s'agissait de géométrie, dit-elle un jour à son cavalier.

– Si l'amour était de la géométrie, je serais cercle vicieux », répondit le jeune homme, qui ne manquait pas d'humour.

Tandis que Dandrige s'activait au bord du Mississippi pour assurer des revenus à cette famille qui, sortant d'épreuves hors du commun, se reprenait, au bord de la Seine, à jouir de la vie, le temps fuyait à une vitesse prodigieuse.

« Nos Parisiens ne parlent-ils pas de rentrer? demanda Willy Tampleton à l'intendant, un soir de l'été 1854.

– J'ai chaque mois une lettre du colonel ou de Virginie, dit Clarence, mais, à ce jour, personne ne parle de retour. Dans son dernier courrier, M. de Vigors me racontait qu'il avait ses petites et ses grandes entrées aux Tuileries et que l'empereur, puisque empereur il y a depuis le 2 décembre 1852, l'a invité avec sa femme à Compiègne. Gratianne est pratiquement fiancée au fils d'un grand banquier et le peintre Dubuffe fait le portrait « plus grand que nature » de notre Virginie. Voilà tout ce que peut vous dire, Willy, l'oublié de Bagatelle ! »

Clarence souriait en prononçant ces mots, car la longue absence des propriétaires de la plantation le conduisait à se poser des questions sur le désir réel que pouvait avoir Virginie de revenir en Louisiane. Au pied du chêne où reposait Julie, la mousse était devenue assez dense pour recouvrir en partie la minuscule épitaphe posée deux ans plus tôt.

« Ces gens-là ont une chance inappréciable de vous avoir pour intendant, grogna le lieutenant-colonel. On commence à jaser dans les plantations, car ceux de chez nous qui ont rencontré les Vigors à Paris affirment qu'ils sont lancés dans le monde, font des affaires comme des Yankees et considèrent maintenant la Louisiane comme une contrée lointaine où ils ont quelques biens. Sans vous, que deviendrait Bagatelle, livrée à un régisseur ordinaire ?

– Vous savez, Willy, je travaille cette terre comme si elle était mienne. C'est d'ailleurs mon devoir et je ne me plains pas de mon sort. On ne discute jamais mes comptes et je mène la plantation comme je veux.

– C'est encore heureux. Mais je croyais Virginie plus attachée que cela à ce pays. Elle me déçoit. »

Tout en dégustant le vieux porto, que le cadet des Tampleton paraissait préférer à tout autre breuvage, y compris le mint-julep dont Clarence faisait ses délices, les deux hommes abordèrent d'autres sujets.

Comme tous les militaires désœuvrés, Willy

aimait à parler politique. La création d'un nouveau parti républicain réclamé à Ripon, dans le Wisconsin, par d'anciens whigs et des abolitionnistes de toutes origines prouvait la décomposition de la vieille formation qui défendait traditionnellement les intérêts du Sud.

C'était la loi du Kansas-Nebraska, laissant aux habitants de ce territoire le droit de décider s'ils pouvaient être propriétaires d'esclaves ou non, qui venait de semer la perturbation dans les milieux politiques. Les abolitionnistes du Nord et de l'Ouest voyaient là une violation du compromis du Missouri et paraissaient décidés à agir. Depuis longtemps les whigs du coton s'opposaient aux whigs nordistes « de la conscience ». Maintenant, ces derniers, soutenus par des démocrates indépendants, étaient capables de constituer un parti. Cependant, parmi les politiciens qui poussaient au lancement de cette nouvelle formation existaient déjà deux tendances : les radicaux, qui prônaient la libération immédiate et sur tout le territoire de l'Union de tous les esclaves; et les modérés, qui admettaient encore pour le Sud « l'institution particulière », à condition que l'esclavage ne sorte pas des limites fixées par la ligne Mason et Dixon.

L'inquiétude des planteurs venait de ce que personne ne paraissait capable de dire, pour l'instant, quelle tendance l'emporterait. Cette nouvelle menace pour les Etats esclavagistes risquait d'être aggravée par un programme jugé démagogique et qui prévoyait l'attribution gratuite de cent soixante acres de terre à tout fermier qui s'engagerait à les mettre en valeur sans le concours d'esclaves, l'augmentation du tarif douanier et la construction d'un chemin de fer transcontinental.

Clarence Dandrige, écoutant discourir Willy Tampleton sur ce thème, voyait, dans la fondation d'un nouveau parti hostile au Sud, une manifestation de la fatalité qui, un jour ou l'autre, conduirait à l'abolition de l'esclavage. Un livre de Henry David Thoreau, *Walden ou la vie dans les bois*, qu'il venait de terminer, lui confirmait ce qu'il savait déjà : « Si un arbre ne peut vivre selon sa nature, il dépérit : un homme de même », écrivait Thoreau. Le sage de Concord, ermite et philosophe, exprimait par ailleurs clairement les raisons profondes qui avaient toujours rapproché inconsciemment Virginie de Clarence : le désir « de sucer toute la moelle de la vie ». Ils avaient naturellement choisi des chemins différents pour parvenir à leur but. Elle, l'ambition, le pouvoir, la réussite sociale, l'argent qui peut tout procurer; lui, une existence quasi spartiate « pour mettre en déroute ce qui n'était pas la vie », c'est-à-dire tout le superficiel quotidien.

« Je gagnai les bois, écrivait Thoreau, pour expliquer sa retraite à Walden, parce que je voulais vivre à bon escient, n'affronter que les données essentielles de la vie et non pas découvrir à l'heure de la mort que je n'avais pas vécu. »

Depuis qu'il vivait seul à Bagatelle, dans un confort que le philosophe sylvestre eût certes condamné, Dandrige avait beaucoup réfléchi à tout cela. Et, paradoxalement, il rejoignait maintenant Adrien de Damvilliers quand celui-ci disait : « La terre, Clarence, rien que la terre. Tout vient de là et tout y retourne. Le bonheur d'un homme ne peut pas être ailleurs qu'au milieu de son champ, si petit que soit celui-ci. »

Or Virginie semblait maintenant emportée par le tourbillon de la vie facile, dans une ville où la corruption des mœurs et le reniement des consciences allaient de pair. Peut-être les frôlements de la mort l'incitaient-ils à une pareille gloutonnerie d'honneurs, de mondanités, d'hommages. La moelle de la vie n'était pas là. Mais peut-être avait-elle renoncé à dépasser les apparences du bonheur et se satisfaisait-elle des signes extérieurs de celui-ci. Cependant, Clarence ne doutait pas de son retour, de sa progression. Paris, ses soupers, ses crinolines et les fastes d'une cour impériale que Bismarck comparait aux petites cours allemandes intrigantes et puériles ne pouvaient constituer qu'une distraction dans la vie de cette femme intelligente. Inaltérable, elle apparaîtrait un jour comme l'enfant prodigue, enfin consciente que les vraies valeurs, que l'achèvement idéal de sa destinée se trouvaient là, sur les bords du Mississippi, et nulle part ailleurs.

Elle revint en effet au printemps de l'année 1855. Dandrige, qui était allé au-devant des Vigors à La Nouvelle-Orléans, reconnut de loin sa silhouette à côté de celle du colonel, auquel des moustaches blanches, une canne et une lourde démarche donnaient l'aspect d'un vieillard. Virginie se jeta dans les bras de l'intendant, comme s'il se fût agi d'un parent. Il respira son parfum, remarqua quelques fils gris dans l'opulente chevelure toujours lustrée et le visage à peine marqué de fines rides au coin des yeux et à la commissure des lèvres.

« Nous avons marié Gratianne avant de prendre le bateau, dit-elle. Nous sommes bien aises de rentrer chez nous ! »

Le colonel, qui souffrait manifestement d'un pied goutteux, fut lui aussi chaleureux. Il expliqua comment Charles, qui venait d'avoir dix ans et restait en pension à Paris, décrochait tous les premiers prix. « Ainsi, pensa Dandrige, les enfants sont à l'abri, semble-t-il, de la fameuse malédiction de Bagatelle. »

Sur l'*Eclipse*, en remontant le Mississippi, tandis que M. de Vigors, bien calé dans un fauteuil du fumoir, bavardait avec des planteurs, échangeant des nouvelles de France contre celles de

Louisiane, Virginie vint s'accouder au bastingage près de Dandrige.

« Ce fut une longue absence, Clarence, vous ne m'en voulez pas ?

– Pourquoi vous en voudrais-je, Virginie? Vous aviez tant de jours malheureux à oublier! »

Elle demeura un moment silencieuse à suivre le vol des moqueurs et des martins-pêcheurs.

« Comme tout est grand, ici! dit-elle enfin. Comme on a conscience de la solitude dans ces espaces! Je l'avais oublié aussi. A Paris, je n'étais jamais seule. Jamais inoccupée. J'avais mis ma pensée en veilleuse. Ici tout se rallume, avec les souvenirs qui reviennent. Quand je pense qu'il y a un quart de siècle je me trouvais ainsi à votre côté sur un bateau qui remontait le fleuve! Qu'étais-je alors? Une jeune fille prétentieuse, qui comptait bien mener la vie à la baguette...

– C'est bien ce que vous avez fait, Virginie.

– En êtes-vous certain, Clarence? Ne me suis-je pas plutôt bercée d'une immense illusion, en croyant que je serais toujours seule à décider de tout ?

– On ne commande pas à la mort, si c'est ce que vous voulez dire!

– On ne commande pas à la vie non plus. Nous sommes tous comme des chiens tenus en laisse. Nous courons librement jusqu'au moment où elle se tend et nous arrête brutalement. Nos laisses sont peut-être d'inégales longueurs, mais il arrive toujours un moment où elles nous retiennent.

– Alors, nous revenons vers le point d'attache, dit Dandrige avec un sourire. C'est cela?

– Oui, nous revenons doucement, mais pour préparer un nouvel élan!

– Qui sera stoppé comme les autres, non?

– Un jour, peut-être, la laisse se rompra...

— Et alors ?

— Alors on pourra courir droit devant..., jusqu'au bout de la route.

— Nous savons bien ce qui nous attend, Virginie !

— Mais quelles rencontres ne peut-on faire... avant ! »

Ainsi Clarence retrouvait cette femme de quarante-trois ans, aussi résolue qu'autrefois. Comme une écuyère désarçonnée qui remonte aussitôt en selle, elle paraissait prête à poursuivre, à sa façon, cette quête de la moelle de la vie. Impétueuse et lucide, elle revenait à Bagatelle après un bain prolongé de futilités parisiennes, bien décidée à prendre au Sud ce qu'il ne lui avait pas donné. « Elle a encore de quoi me surprendre », pensa Dandrige en regagnant le fumoir où le colonel plastronnait dans la fumée des cigares, en racontant quelques fameuses parties jouées sous les lustres du Jockey-Club.

Quelques jours après leur arrivée, les Vigors donnèrent un grand dîner, pour reprendre contact avec tous leurs amis. Ce ne fut pas une fête, mais des retrouvailles au cours desquelles on évoqua sans tristesse le souvenir des morts. Désormais, ils avaient leur place assignée dans la saga des Damvilliers. Virginie montra aux dames les robes à crinolines qu'elle avait rapportées de Paris, tandis que les hommes, au salon, s'efforçaient d'apprendre du colonel ce que les Français pensaient de la rivalité Nord-Sud et du maintien de l'esclavage.

« Ils n'en pensent pas grand-chose de bon, mais le Sud a la sympathie de l'empereur. Brent et Rosa, croyez-moi, ont fait beaucoup, par leur simple présence au milieu de la domesticité parisienne, pour redresser des jugements stupides quant au sort de nos esclaves... »

Bagatelle, qui vivait au ralenti pendant l'absence de Virginie, retrouva son animation. Le cycle conventionnel des thés et des barbecues reprit. La plantation se trouva à nouveau intégrée dans la vie louisianaise.

Le colonel, s'il avait quelque peine à marcher, se tenait à cheval comme un jeune homme. Les comptes que lui rendit Mallibert l'encouragèrent à investir encore du côté de Saint-Francisville. Comme, en tant que citoyen français, M. de Vigors ne pouvait plus, depuis la loi de 1848, être propriétaire d'esclaves, ceux-ci furent mis au nom de son fils Charles, dont il avait tenu à faire un citoyen américain.

Les années qui suivirent apportèrent leur lot de joies et de peines. En 1856, par une belle matinée de printemps, le vieux Tampleton rendit son âme à Dieu, entouré de ses enfants et de ses petits-enfants. Un de ces départs édifiants, d'homme laissant ses affaires en ordre et conscient d'avoir bien rempli sa vie. Il avait eu le temps d'assister au mariage de deux de ses petites-filles. Percy était ainsi devenu le maître des Myrtes. L'année suivante, la veuve du patriarche, qui ne se consolait pas de la perte d'un vieil époux qu'elle avait abondamment trompé, mourut à son tour, sans que Murphy ait pu diagnostiquer sa maladie.

« Elle était lasse de vivre, tout simplement », dit-il à Willy.

Quelques jours avant ce décès, Mignette Barthew donna le jour à un fils. L'avocat, ancien bohème repenti, parut le plus heureux des hommes quand la jeune mère lui proposa de donner au bébé le prénom de Clarence, puisque l'intendant acceptait d'en être le parrain et Virginie la marraine.

On enterra aussi le vieux James, tandis que Rosa mettait au monde un enfant dont Brent revendiqua la paternité. On les maria et la dame de Bagatelle exigea que le petit Noir soit élevé dans la grande maison. On découvrit à l'occasion du mariage que les deux domestiques n'avaient pas perdu leur temps à Paris. Avec l'autorisation de leurs maîtres, ils avaient appris à lire et à écrire, ce qui leur donnait sur tous les autres serviteurs une supériorité qu'ils ne manquaient pas de faire ressortir.

16

Le Sud connaissait une période de tranquillité. Certes les campagnes abolitionnistes continuaient, agressives et irritantes, mais le coton se vendait facilement et, les affaires étant bonnes, les planteurs n'y attachaient pas une importance capitale. Mme Beecher Stowe, dont l'ouvrage *La Case de l'oncle Tom*, traduit en plusieurs langues, avait, paraît-il, été vendu à un million d'exemplaires, récidiva avec un autre roman, *Dred*, dans lequel elle brossait, non sans perfidie, un portrait du planteur sudiste, tout en s'efforçant de démontrer que ce genre d'individu, Hamlet campagnard, reflétait la décadence d'une société condamnée à court terme : « Grand, élancé, avec quelque chose de dégingandé dans l'allure et de négligé dans le vêtement, qui aurait pu le faire paraître gauche, si l'expression raffinée et intellectuelle de la tête et du visage n'était venue corriger cette première impression. Le haut du visage marquait la réflexion et la force avec une teinte de gravité mélancolique et il y avait parfois dans son œil... cette lueur inquiète et farouche qui révèle un tempérament hypocondriaque. »

« Mis à part l'hypocondrie et le négligé du vêtement, c'est à peu de chose près votre portrait,

Clarence, dit Virginie après avoir lu ce passage à l'intendant.

– Je ne me vois pas ainsi, mais peut-être avez-vous raison, après tout. Les hommes de toutes les décadences se ressemblent. Ils pensent plus qu'ils n'agissent. »

Au Kansas, esclavagistes et anti-esclavagistes s'affrontaient, parfois violemment. On parlait de guerre civile et le président Franklin Pierce, avant de céder la Maison-Blanche au démocrate James Buchanan, avait mis en garde le Congrès contre « ce conflit de passions » qui déshonorait l'Union.

Parmi les abolitionnistes fanatiques qui se battaient au Kansas figurait un certain John Brown qui, aidé de ses fils et de quelques-uns de ses partisans, avaient massacré à Pottawatomic Creek cinq pro-esclavagistes, le 24 mai 1856. Le 25 août de la même année, ce meneur, à barbe de neige, avait bien failli connaître à son tour le même sort. Attaqué, lui et sa bande de quarante hommes, par trois cents esclavagistes à Osawatomic, il s'était défendu comme un lion. En Utah, des mormons dirigés par un certain John D. Lee, alliés aux Indiens, avaient attaqué un camp d'émigrants à Mountain Meadows, tuant cent trente-trois personnes et ne laissant que dix-sept survivants, pour la plupart des enfants. Le gouvernement fédéral ayant décidé une expédition punitive, Brigham Young, chef des mormons, dictateur impitoyable, nanti de vingt et une épouses, avait levé une armée pour défendre l'Utah. Leur première action, l'attaque d'un convoi de soixante-douze wagons fédéraux et la destruction de plusieurs mois de ravitaillement destiné aux troupes de l'Union, prouvait leur combativité et leur détermination.

Tous ces événements se passaient trop loin de la Louisiane pour que la tranquillité de la plantation en soit troublée. Seuls des gens comme Murphy, Barthew ou Dandrige y voyaient les prémices d'une offensive sérieuse contre le Sud. A La Nouvelle-Orléans, la politique locale donnait lieu à des conflits autrement scandaleux. Le parti des « know-nothing », qui depuis plusieurs années régnait sur la ville par des procédés douteux, dont la violence n'était pas exclue, entendait bien, une fois de plus, gagner les élections municipales. Tandis que le Kansas et l'Utah retrouvaient le calme, la capitale de fait du Sud – car qui se souciait de ce qui se passait à Baton Rouge, capitale officielle? – vivait des jours difficiles. Les élections ayant été annoncées pour le 7 juin 1858, les citoyens honorables écœurés par les menées des « know-nothing » étaient décidés à leur opposer des candidats indépendants et à protéger les électeurs menacés par la racaille, sur laquelle s'appuyaient leurs adversaires. Assassinats, attaques à main armée avaient conduit à la création d'un comité de vigilance qui, pour prévenir toute action de masse, s'était emparé de l'arsenal fédéral bourré de fusils. Le maire de la ville, M. Waterman, soutenu par une bande de nervis, avait menacé d'attaquer l'arsenal, défendu par les membres du comité de vigilance, dont le major Beauregard était un membre actif. Devant la détermination des occupants, le maire, abandonnant une partie de ses électeurs, avait finalement renoncé à son projet et accepté la présence de cette police spéciale. Celle-ci avait d'ailleurs été amenée à tirer sur une patrouille de « know-nothing », tuant quatre hommes et en blessant douze. Destitué, le maire, réfugié à l'hôtel Saint-Charles, s'était refusé à briguer un autre mandat, laissant la voie libre à un de ses amis du parti « américain » qui, aux côtés des « know-nothing », s'opposait, lui aussi, au comité de vigilance des indépendants. Finalement, les élections municipales s'étaient déroulées dans le calme, mais cinq mille votants seulement sur treize mille inscrits avaient osé se rendre aux urnes. Le parti américain l'ayant emporté, les gens qui soutenaient le comité redoutaient maintenant des représailles. Le nouveau maire, homme énergique et nettement moins corrompu que le précédent, semblait toutefois capable de maintenir l'ordre et de museler les aventuriers de tous poils qui avaient si bien servi jusque-là l'ancienne municipalité.

Pendant ce temps-là, Bagatelle avait matière à réjouissances. Le colonel de Vigors, qui s'était rendu seul en France au cours du printemps 1858, en était revenu général. Ses relations avec l'empereur et l'amitié que lui portaient certains membres influents de la cour avaient suffi pour qu'il soit promu à ce grade, au demeurant parfaitement honorifique, puisque assorti seulement du titre de conseiller extraordinaire de l'Etat-Major impérial, ce qui ne voulait rien dire.

« Un jour peut-être, nous ferons appel à votre expérience, lui avait dit Napoléon III. La France peut avoir besoin de vous. » Et le souverain avait aussitôt transformé la rosette d'officier de la Légion d'honneur du nouveau général en cravate de commandeur.

Un grand bal sanctionna cette promotion, si flatteuse pour les Français de Louisiane. L'ambassadeur de France fit le voyage de Washington et se plaignit auprès des deux sénateurs présents du fait que certains Américains tendaient une oreille un peu trop complaisante aux propos des expulsés français qui avaient trouvé refuge aux Etats-Unis.

Quelques-uns d'entre eux, commémorant à leur manière, à New York et à Boston, le dixième anniversaire de la révolution de 1848, n'avaient-ils pas tenu, au cours de banquets « socialistes », des propos offensants pour le chef de l'Etat français ?

Un certain Caussidière, chargé aux Etats-Unis du placement des vins de M. de Lamartine, s'était attablé avec Artaud, Chantard, Cognard et Pietri, pour applaudir au toast porté par un horloger italien, nommé Ranchani, aux assassins Orsini et Pietri, qui, le 14 janvier, avaient tenté de tuer l'empereur.

« Leur phraséologie mi-sentimentale, mi-féroce, qui constitue le fond de l'éloquence démagogique, dit l'ambassadeur, ne devrait pas être tolérée par les Américains. Quant au pamphlet rédigé par Caussidière et publié à Boston sous le titre *Ultimate objects of Napoléon III*, je compte bien qu'on ne le laissera pas traduire en français !

– Heureusement que nous avons ici des compatriotes de votre trempe, avait observé un attaché d'ambassade à l'intention du général, car les exilés donneraient au peuple américain une bien piètre idée de nos mœurs politiques. »

Charles de Vigors et la plupart des convives sourirent. Sur ce point-là tout au moins, les Etats-Unis valaient largement la France !

Tout en dégustant le gombo d'Anna et une crème glacée particulièrement réussie, les invités de Virginie évoquèrent ce jour-là John Brown qui venait de faire encore parler de lui. Avec douze Blancs abolitionnistes et trente-quatre Noirs, il avait organisé à Chattham, dans l'Ontario, une réunion secrète au cours de laquelle ce chef de bande avait exposé son plan pour une insurrection générale des esclaves.

Prenant prétexte d'une récente décision de la Cour suprême à l'encontre d'un esclave noir du Missouri retrouvé dans le Wisconsin, Brown avait déclaré que les Noirs se trouvaient privés de protection légale et proposé un texte, que les abolitionnistes s'étaient empressés d'adopter, visant à modifier la Constitution. Il ne s'agissait, pensaient les gens du Sud, que de palabres d'exaltés.

Le comportement des esclaves en Louisiane était tel que les meneurs du Nord n'avaient aucune chance de les décider à la rébellion.

Quelques semaines plus tard, le 17 juin, en ouvrant la campagne électorale pour le siège de sénateur de l'Illinois qu'il briguait, M. Abraham Lincoln, ancien du parti whig passé au parti républicain, s'en prit brusquement à « l'institution particulière » qu'il avait jusque-là parfaitement tolérée.

Fixé en Illinois depuis 1830, Lincoln, né dans le Kentucky, avait fait à peu près tous les métiers avant de devenir avocat. Grand, robuste, le visage taillé à coups de serpe, toujours mal vêtu, cet homme avait tâté de la politique dès 1834. Ses électeurs le considéraient comme un excellent administrateur. On savait dans le Sud qu'il n'éprouvait aucune sympathie particulière pour les Noirs. « Je ne suis pas et je n'ai jamais été en faveur de l'égalité politique et sociale de la race noire et de la race blanche... Je désire tout autant qu'un autre que la race blanche occupe la position supérieure », disait-il. Mais il considérait cependant que l'esclavage se fondait sur l'égoïsme de la nature humaine et que le Sud devait changer lui-même son organisation sociale.

Cette déclaration, suivie de quelques autres de même acabit, émut les Sudistes qui, jusque-là, s'en étaient toujours tenus à la ligne du parti whig. Quand on apprit en Louisiane que le siège de sénateur de l'Illinois avait été ravi à Lincoln par le démocrate Stephen A. Douglas, qui, lui, ne cachait pas ses sympathies esclavagistes, on fut rassuré. Pas pour longtemps, car les abolitionnistes, harcelant à chaque occasion le Sud, se manifestaient par des pamphlets, des envois d'agents, des articles dans les journaux du Nord. Enfin le « vilain John Brown » allait apparaître comme l'homme du destin, en démontrant que le risque d'une rébellion pouvait survenir à chaque instant.

Après avoir effectué une tournée dans le Nord pour réunir des subsides, le barbu, que l'on présentait aux enfants du Sud comme un croquemitaine, réapparut brusquement le 16 octobre à Harper's Ferry, une petite ville de Virginie située près de la frontière du Maryland, où se trouvait un arsenal fédéral. Entré dans la ville avec dix-huit hommes, dont cinq Noirs et ses deux fils, il s'était emparé de l'arsenal après avoir tué quatre personnes et pris des otages, dont le colonel Lewis W. Washington, petit-neveu du premier président des Etats-Unis.

A Bagatelle, on ne connut cet événement qu'après la capture de Brown, mais avec tous les détails, car, le lieutenant-colonel Tampleton ayant été dépêché avec un peloton à Harper's Ferry, son témoignage permit à ses amis de savoir exactement ce qui s'était passé.

Brown et ses hommes tinrent l'arsenal pendant deux jours, jusqu'à l'arrivée des forces de l'U.S. Marine, commandées par le colonel Robert E. Lee. Comme les rebelles avaient coupé les voies de chemin de fer et les fils du télégraphe, on avait envoyé de Richmond trois compagnies de volontaires qui, avec leur fusil rouillé et leur air martial, ressemblaient aux vainqueurs de Sébastopol. Fort heureusement, les quatre-vingt-treize soldats de marine du gouvernement des Etats-Unis étaient à pied d'œuvre avant ces foudres de guerre.

Dans l'arsenal, où Brown se trouvait, il y avait une grosse somme, en or. Les gens de Harper's Ferry n'auraient pas demandé plus que de voir les bandits s'enfuir avec l'argent. Mais ni Brown ni ses hommes n'étaient des brigands. Ils attendirent de pied ferme les forces chargées de les déloger, ce qui fut rapidement fait. La plupart des occupants illégitimes du bâtiment fédéral furent tués au cours de l'attaque. Parmi eux, on reconnut des meneurs abolitionnistes venus de différents Etats. Brown reçut deux coups de baïonnette dans l'aine et quatre coups de sabre sur la tête. Ses deux fils tombèrent à son côté. On découvrit que les insurgés, armés de « Sharpe's Rifle », s'étaient, avant l'attaque, réunis dans une ferme voisine de Harper's Ferry.

Ce coup de main avait provoqué une grande émotion dans toute la Virginie. Le gouverneur de l'Etat, M. Wise, se rendit sur les lieux avec une compagnie de la milice de Richmond. Il fit aussitôt transférer Brown à Charleston, pour y être jugé. Arrêtés par les troupes fédérales après s'être emparés de vive force d'un arsenal appartenant au gouvernement, les insurgés auraient dû être jugés par la Cour fédérale. Mais les Virginiens ne tenaient pas à lâcher leurs proies, sachant bien que Brown et ses amis auraient à Washington une chance d'en réchapper. Or ils méritaient la mort et, si les prisonniers avaient été livrés à la population, « des mains calleuses et des mains gantées les auraient étranglés ». Willy Tampleton, qui, en garnison à Charleston, avait plus tard assisté au procès de John Brown, le 10 novembre 1859, expliqua que les débats avaient été rondement menés.

Les journalistes du Nord protestaient dans leurs articles contre le parti pris manifeste du jury. Pour le lieutenant-colonel, Brown n'était pas à proprement parler un bandit ou un assassin, mais plutôt un fanatique insensé d'une extraordinaire témérité. Il savait, en attaquant l'arsenal, qu'il avait peu de chance d'en sortir vivant, mais il avait voulu, disait-il, réveiller la conscience morale de ses compatriotes, face à la question de l'esclavage. Doué d'une énergie peu commune, l'homme qui avait sacrifié ses deux fils à la cause anti-esclavagiste eut, pendant le procès, une attitude digne.

Son meilleur défenseur se révéla être David Thoreau, le sage de Concord, l'ermite de Walden dont Clarence Dandrige appréciait la philosophie. Il ne put faire le voyage de Charleston, mais, quinze jours après l'échauffourée de Harper's Ferry, il sonna lui-même le tocsin à Concord pour inviter les gens à venir entendre le plaidoyer qu'il avait préparé. Les journaux abolitionnistes en donnèrent de larges extraits, qui furent, on s'en doute, sans influence sur le jury. Dans le Sud, la plupart des gens tenaient Thoreau pour un illuminé. N'avait-il pas soutenu Emerson quand ce dernier avait proposé en 1855 que le gouvernement consacre deux cents millions de dollars pour racheter tous les esclaves à leur propriétaire afin de les émanciper !

Thoreau connaissait bien le rebelle qu'on allait juger. Il l'avait rencontré en 1857, car la mère du philosophe tenait à Concord une pension de famille accueillante aux abolitionnistes. Dans son plaidoyer, Thoreau commençait par faire le portrait de cet homme, que l'on représentait comme un brigand sanguinaire. Paysan de la Nouvelle-Angleterre, il était à la fois positif et réfléchi. Il considérait que l'esclavage s'opposait à l'esprit de la Constitution qu'il respectait, c'est pourquoi il en était devenu « l'implacable ennemi ». Après avoir été arpenteur puis producteur de laine, Brown avait visité l'Europe. Il disait lui-même avoir fait ses études « à la grande université de l'Ouest » et confessait : « Je ne sais pas plus de grammaire qu'un taurillon. »

« C'est un homme d'élite, avait dit Thoreau de l'accusé, il n'accorde aucune valeur à la vie terrestre comparée à son idéal. Il n'a jamais reconnu les lois iniques, mais leur a résisté conformément à ses principes. Pour une fois, nous voici arrachés à la poussiéreuse vulgarité de la vie politique et transportés dans le royaume de la Vérité et de l'Humanité. » Et l'écrivain avait ajouté devant un public attentif : « John Brown dit ceci : " Vous tous, gens du Sud, vous devriez vous préparer à régler cette question (l'esclavage), car il faudra la régler plus vite que vous n'êtes prêts à le faire. Le plus tôt sera le mieux. Vous pouvez m'éliminer très facilement : c'est presque fait. Mais cette question, il faudra la régler – cette question des Noirs – vous n'en avez pas encore vu la fin. " »

Enfin, Thoreau concluait : « Je vois venir le temps où le peintre s'inspirera de cette scène – la prise d'Harper's Ferry – et n'aura plus besoin d'aller chercher un sujet à Rome; le poète la célébrera; l'historien en fera la relation; avec l'arrivée des pères pèlerins sur notre sol et la Déclaration de l'indépendance, ce tableau sera l'ornement de quelque galerie à venir, quand l'esclavage, sous la forme que nous connaissons, n'existera plus chez nous. Alors nous serons libres de pleurer le capitaine Brown. Alors et alors seulement, nous nous vengerons ! »

« Cette affaire, dit Clément Barrow qui écoutait avec les gens de Bagatelle le récit de Willy Tampleton et les extraits de presse lus par M. de Vigors, fera peut-être avancer le moment de la sécession de la Virginie, dont on parle beaucoup. Il y a maintenant le germe de la guerre civile dans notre pays. »

Mais le lieutenant-colonel Tampleton, certain d'avoir été témoin d'un événement historique, tenait à raconter l'exécution de Brown, à laquelle il avait assisté, car toutes les troupes furent mobilisées à cette occasion. On craignait en effet que des abolitionnistes ne tentent de délivrer celui que le jury avait condamné à mort, comme ses complices Stephens, Coop, Green et Coplands.

« Tous les habitants de Charleston étaient

armés. Les bruits les plus inattendus couraient, raconta Willy. On disait que cinq mille anti-esclavagistes arrivaient de l'Ohio. Nous étions prêts à les recevoir. M. Fernando Wood, ancien maire de New York, avait écrit au gouverneur de la Virginie pour lui demander si Brown serait gracié. M. Wise avait répondu : « Brown sera certaine-
« ment pendu le 2 décembre prochain et son
« corps sera remis aux chirurgiens pour être
« transporté hors de l'Etat, afin que sa carcasse
« ne puisse souiller le sol de la Virginie ! »

« Les gens avaient si peur d'une attaque des Nordistes ou de quelque attentat, que l'on soupçonnait tous les étrangers de nourrir les plus noirs desseins. C'est ainsi qu'un Blanc, homme obscur et citoyen des Etats-Unis, qui avait, en bavardant avec des amis, montré quelque sympathie pour John Brown fut arrêté sur-le-champ. La haine du Nord devenait telle qu'on obligeait des gens désignés comme suspects à quitter la ville sous vingt-quatre heures. A Savannah, des citoyens énervés roulèrent dans le goudron puis dans la plume un honorable marchand de la ville. Trois jours avant l'exécution, à Harper's Ferry, des voyageurs de l'Ohio qui se rendaient en chemin de fer dans le Nord, sans aucun désir de s'arrêter en Virginie, furent retenus deux jours, parce qu'ils avaient causé trop librement de l'affaire Brown. Le gouverneur fit retarder la malle des Etats-Unis pour nous la faire fouiller. On avait, en effet, trouvé à la poste de Richmond un ouvrage abolitionniste : *Compendium of the impending crisis at the South,* dont l'auteur, Hinton Rowan Helper, fut appelé renégat. La vue de ce livre interdit dans le Sud mit la population en fureur, surtout quand on sut qu'il avait été tiré à cent mille exemplaires grâce à une souscription à laquelle avaient participé le gouvernement de l'Etat de New York et des membres du Congrès !

– Mais l'exécution ? intervint Clément Barrow, impatienté par toutes ces considérations.

– Elle se déroula normalement le 2 décembre, reprit Tampleton. On avait reçu l'ordre de renvoyer tous les journalistes des Etats du Nord aussi bien de Charleston que d'Harper's Ferry. Mme Brown est venue. Elle a pu passer quatre heures avec son mari et nous l'avons reconduite au ferry pour attendre le corps. Personne ne pouvait approcher de l'échafaud. Brown y fut amené dans une tapissière, à onze heures. Pendant le trajet, il a parlé aux soldats qui l'entouraient et avec le shérif Campbell et le capitaine Avis, son geôlier.

« Autour de la tapissière où Brown se trouvait avec son cercueil marchaient six compagnies d'infanterie. Il y avait des gardes à cheval dans les bois, des sentinelles avancées dans la montagne de Shenondoah et, autour de l'échafaud, deux carrés concentriques de fantassins. On a lié les mains de Brown. Il a refusé toute cérémonie religieuse. Il a dit quelques mots d'adieu au shérif Campbell. Comme j'étais assez près, j'ai entendu quelque chose comme : « Je suis bien tranquille... » On lui a passé la corde au cou et à onze heures et quinze minutes on a ouvert la trappe. Il est mort aisément. On a laissé le corps pendu trente-cinq minutes. Puis on l'a mis dans son cercueil de sapin et on l'a porté au ferry, où sa femme l'attendait. Voilà, on n'a pas vu un seul abolitionniste. S'il s'en était montré un, les gens l'auraient écharpé !

– Et maintenant, que va-t-il se passer, Willy, avec toute cette haine que ce Brown a allumée ? demanda Virginie.

– Je me demande si la mort de Brown n'est pas plus dangereuse que ne le fut sa vie, intervint le général de Vigors.

– A mon avis, il ne se passera rien, reprit

Willy. Toute cette agitation va se calmer. Les Nordistes ont compris ce qu'est notre justice. Naturellement, les Virginiens sont très en colère. Ils veulent supprimer toutes les relations commerciales avec le Nord. Ils disent qu'il faut créer des usines, des lignes de bateaux, qu'il faut commercer directement avec l'Europe, ne plus rien acheter de ce qui vient du Nord et construire des chemins de fer. Qu'il faut aussi affamer les Nordistes et désigner un gouvernement pour le Sud. Les jeunes de seize ans et les vieillards veulent se faire soldats et les femmes jurent qu'elles porteront des robes de bure plutôt que de se vêtir d'étoffes fabriquées dans le Nord. Il y a même eu un meeting de dames, pour définir une nouvelle mode propre à la Virginie ! »

Ainsi, l'année finissait sur un drame dont les conséquences n'apparaissaient pas clairement à tous. Mais les gens plus clairvoyants que Willy Tampleton n'étaient pas loin de penser que la rupture entre le Nord et le Sud serait bientôt consommée. Si c'était là ce qu'avait souhaité ce fou courageux de John Brown, il aurait un jour l'occasion de se réjouir dans le monde incertain où les juges de Charleston venaient de le dépêcher, avec sa barbe de prophète et ses yeux vitreux de pendu.

A quelques jours de là, au moment de la présentation des vœux, le 1er janvier 1860, on reparla encore de ce gaillard qui, décidément, occupait un peu trop les pensées. Le plus grand écrivain français, Victor Hugo, exilé à Guernesey, venait d'adresser une « Lettre aux États-Unis d'Amérique » que tous les journaux du Nord reproduisaient. Quand l'auteur de *Bug-Jargal* avait envoyé son texte, il croyait qu'un sursis avait été accordé à Brown jusqu'au 16 décembre et il souhaitait influencer la décision du gouverneur Wise, auquel la Constitution donnait le droit de gracier John Brown. Victor Hugo appelait Brown « libérateur » et « combattant du Christ » et concluait : « Oui, que l'Amérique le sache et y songe, il y a quelque chose de plus effrayant que Caïn tuant Abel, c'est Washington tuant Spartacus. » La grandiloquence d'un génie que les Vigors avaient rencontré à Paris pouvait émouvoir, mais la lettre comportait un paragraphe que bien peu d'Américains remarquèrent et qui devait cependant acquérir, avec les événements, valeur de prophétie : « Au point de vue politique, écrivait le proscrit, le meurtre de Brown serait une faute irréparable. Il ferait à l'Union une fissure latente qui finirait par la disloquer. Il serait possible que le supplice de Brown consolidât l'esclavage en Virginie, mais il est certain qu'il ébranlerait toute la démocratie américaine. Vous sauvez votre honte, mais vous tuez votre gloire. »

Ayant lu et commenté la lettre de l'écrivain français, les gens de Bagatelle et leurs invités, nombreux ce soir-là, mangèrent de la dinde, burent quantité de vins de Champagne et dansèrent. L'année qui commençait ne serait-elle pas pour le Sud, comme toutes celles qui l'avaient précédée, une suite harmonieuse de travaux et de plaisirs ? Le coton ne fleurirait-il pas en son temps et, sur le Mississippi, les bateaux blancs ne poursuivraient-ils pas leurs navettes ? Dieu merci, John Brown avait échoué et les esclaves dociles souriaient à leur maître.

Comme souvent dans ces manifestations mondaines, Clarence Dandrige se tenait à l'écart, sirotant un vieux bourbon du Tennessee, admirant la grâce des danseuses. Il sentait intensément que ce bonheur plat, cette fatale splendeur, cette aimable indolence du Sud étaient mortels. Tel le spectateur d'une pièce de théâtre attrayante, il redoutait de voir tomber le rideau qui rendrait chacun à de cruelles réalités. Longtemps, il demeura seul et silencieux à jouir de la musique, du ballet ordonné de ces femmes belles et insouciantes et de ces hommes en frac, racés et forts, de ces jeunes filles cambrées qui tentaient de lire dans les yeux de leurs cavaliers un avenir bleu, de ces serviteurs familiers, empressés et gais, de ces meubles polis et de ces bibelots précieux, rassemblés par trois générations de Damvilliers, dont les lumières aux reflets frisants diluaient les visages dans leurs cadres dorés.

Quand Virginie vint à lui, exigeant qu'il la fasse danser « au moins une valse », il l'accueillit avec toute la chaleur dont il était capable et l'enleva au son des violons.

« Quel couple magnifique! susurra Adèle Barrow à sa voisine; il n'y a pas meilleur danseur dans la paroisse que Clarence Dandrige. »

Et de fait, ce soir-là, il dansait bien. Tournoyant avec Virginie dans un crissement de soie balancée par le rythme, il souriait avec ce rien d'ironie dans le regard qu'elle savait être de la pudeur. Leurs pas s'emboîtaient très exactement, comme si la valse était le mouvement naturel et inconscient de leurs corps. Pour la première fois, Dandrige eut le souvenir du désir et Virginie s'avoua que cet homme lui importait plus que tous ceux qu'elle avait aimés charnellement. Les jeunes couples, comme pour offrir plus d'espace à l'évolution des valseurs, s'étaient éloignés du centre de la pièce. Par-dessus l'épaule de leur cavalier, les jeunes filles admiraient l'aisance de l'intendant et l'abandon de Virginie. Il semblait que l'orchestre jouât pour eux seuls.

Quand la fin du morceau les sépara, Dandrige s'inclina profondément, tandis que spontanément les invités applaudissaient. Virginie vit ses cheveux argentés, sa nuque étroite de lévrier, ses épaules larges sous l'habit ajusté et lui abandonna, comme une partenaire de théâtre, sa main à baiser. Il se redressa et la conduisit dans le coin des dames. Alors, tandis qu'une autre danse commençait, elle se décida à lui dire ce qu'elle ressentait au milieu de cette fête.

« J'ai peur... pour demain, Clarence.

– La laisse est tendue, Virginie.

– Que croyez-vous qu'il finira par arriver ?

– Tout et rien, dit-il doucement, la fin d'une splendeur ! »

17

APRÈS cette soirée où Virginie et Clarence avaient connu la même angoisse intuitive de l'avenir, le destin sembla accorder un répit au Sud. Les élections à la présidence des Etats-Unis mobilisaient toutes les forces politiques et, dans les meetings, les orateurs débattaient de la question de l'esclavage. Ils annonçaient clairement leur position. Chaque citoyen saurait donc à quoi s'en tenir quand il glisserait son bulletin dans l'urne.

Le 2 février, M. Jefferson Davis, sénateur du Mississippi, proposa au Sénat plusieurs résolutions sur les aspects constitutionnels de l'esclavage, qui furent adoptées. Ce brillant officier de West Point, ayant servi avec éclat l'Union au cours de la guerre des Flèches Noires et de la guerre du Mexique, était devenu sénateur du Mississippi en 1847, puis secrétaire d'Etat à la Guerre, quand Franklin Pierce occupait la Maison-Blanche. Les planteurs de Pointe-Coupée le connaissaient bien, surtout les Tampleton, car il résidait parfois à Rosemont, que Sam et Jane Davis, ses parents, avaient construit en 1810, sur le territoire de la paroisse de West Feliciana, au nord de Saint-Francisville. C'est dans cette maison de bois sans prétention, à fronton triangulaire, que vivait Lucinda, la sœur de Jefferson

Davis. Elle veillait sur les morts de la famille, enterrés dans le parc.

Un tragique accident, survenu au cours de son voyage de noces, avait enlevé au colonel sa première femme, Sarah, fille du général Zachary Taylor, qui devait être élu président des Etats-Unis en 1849. Il s'était remarié en 1845 avec Varina Howell, fille du propriétaire de la plantation Les Briars, près de Natchez. Le couple résidait le plus souvent dans une autre plantation appartenant aux Davis.

Cet homme haut et frêle, toujours coiffé d'un chapeau cylindrique pareil à un tuyau de poêle, se montrait ardent défenseur des intérêts du Sud. Il s'employait au Sénat à les faire valoir, tout en s'efforçant de comprendre ceux du Nord. Mais le temps paraissait révolu où l'on aurait pu faire entendre raison aux Yankees. Que les Sudistes leur parlent économie, agriculture, tarifs douaniers, ils répondaient invariablement « esclavage ». L'« institution particulière » leur fournissait un cheval de bataille propre à transporter toutes leurs ambitions hypocrites.

Aussi, quand le 6 novembre 1860 Abraham Lincoln, candidat républicain, fut élu président des Etats-Unis, les planteurs du Sud comprirent que ce modéré, dont on ignorait les intentions réelles et qui, chef d'une minorité, aurait quelques difficultés à s'imposer au Congrès, ne pouvait qu'être manipulé par les abolitionnistes.

« Nous avons commis une erreur tactique, observa Clément Barrow au lendemain de l'élection. Si nous avions fait voter pour Stephen Douglas, de l'Illinois, homme du Nord, certes, mais admettant « l'institution particulière », il aurait été le candidat de tous les démocrates et serait aujourd'hui président. En choisissant un candidat esclavagiste intransigeant comme Breckenridge, du Kentucky, nous avons laissé échapper la proie pour l'ombre. Les comptes sont faits, désormais le Nord commande. »

Clément Barrow ne se trompait pas. Quand Willy Tampleton, venu en permission, révéla qu'à Charleston, à l'annonce du succès de Lincoln, on avait remplacé la bannière fédérale par le drapeau de la Caroline du Sud et qu'un officier de l'Union avait été empêché par les autorités locales de transférer des équipements de l'arsenal au fort Moultrie qui commandait le port, l'infirme sut que, désormais, les choses ne pouvaient aller que de mal en pis.

Tandis que Dandrige surveillait l'expédition de la mélasse et de l'indigo et mettait en train l'égrenage du coton, on parlait ouvertement de sécession. Les Etats cotonniers : la Caroline du Sud, la Georgie, l'Alabama, les Florides, le Mississippi, le Texas et la Louisiane, s'y préparèrent. Toutes les conversations des planteurs portaient sur ce sujet.

« Quoi qu'il arrive, dit Virginie, j'organiserai un grand bal comme l'an dernier. »

Comme tous, Mme de Vigors essayait de dissimuler son inquiétude. Elle devinait que Clarence l'approuvait. Eux deux, au moins, savaient que le sursis approchait de son terme.

Pendant ce temps, le général de Vigors faisait ses bagages, aidé de Mallibert. Une dépêche confidentielle, transmise par l'ambassadeur de France à Washington, mais émanant de Napoléon III, lui avait été remise par un porteur du Pony Express. L'empereur lui demandait, « s'il avait le goût et le désir de servir », de se rendre au Mexique, à La Vera Cruz, pour se renseigner sur l'esprit de la population et prendre contact avec les ennemis de Juarez, lequel venait de reconquérir, avec Mexico, le pouvoir que lui avaient ravi les conservateurs. Promu agent secret, M. de Vigors sauta sur l'occasion. Il emmenait avec lui son ordonnance, enchanté « de bouger un peu ». Mis comme un planteur qui voyage pour ses affaires, il emportait néanmoins son uniforme dans sa malle et une paire de ces nouveaux pistolets Colt dont on disait grand bien. En mari galant, il avait demandé à Virginie l'autorisation de s'éclipser. Elle l'accorda sans réticence, comme on permet à un enfant d'aller jouer chez les voisins.

Dandrige regrettait en un tel moment le départ de cet homme sain et franc, dont la bonne humeur inaltérable constituait un soutien moral apprécié de tous. Le général confia à l'intendant les raisons profondes qui l'amenaient à saisir l'occasion de s'éloigner de la plantation.

« Il va se passer dans le Sud des événements graves auxquels je ne peux ni ne veux prendre aucune part. Certains penseront peut-être que laisser Bagatelle en de telles circonstances est une forme de lâcheté ou au moins d'indifférence. Mais Virginie et vous savez qu'il n'en est rien. Je crains que tous les hommes honnêtes ne soient promptement amenés à choisir leur camp. Or je ne peux m'y résoudre. Du fond de mon cœur, je réprouve l'esclavage, mais ce serait trahir ce pays qui m'a accueilli et la femme que j'aime que de le dire à haute voix. Je ne veux donc pas choisir. J'emprunte la voie médiane qui m'est offerte en tant que Français. Mais croyez-moi, Dandrige, je suis malheureux et inquiet.

— Je vous comprends. Pour moi, le choix n'est clair qu'en apparence. Le sentiment que j'ai à l'heure présente me conduit à vous donner tort..., mais l'idée que je me fais de la justice dans sa pérennité, et au-delà des circonstances, me conduit à vous donner raison. J'aurais peut-être à lutter d'une façon ou d'une autre contre les Yankees, mais aussi, certainement, avec ma conscience. Et ce ne sera pas le moins dur combat ! »

A peine le général eut-il quitté Bagatelle, que les nouvelles se multiplièrent. Le 26 décembre, la législature de Louisiane vota un crédit de 500000 piastres pour l'achat d'armes destinées à la milice régulière et au corps de volontaires dont elle autorisait la formation. On annonçait également à La Nouvelle-Orléans que les électeurs seraient convoqués le 7 janvier 1861 pour élire les délégués à une convention qui se réunirait le 23 janvier, « afin de décider des mesures à prendre pour sauvegarder l'Etat contre les dangers dont il est menacé par l'élection de Lincoln ».

Déjà, le 20 décembre, la Caroline du Sud, prenant l'initiative de la sécession, s'était séparée de l'Union. Toute espérance de conciliation entre le Nord et le Sud avait disparu. James Buchanan avait déclaré, avant de laisser son fauteuil à Lincoln, que les Etats du Sud ne pouvaient pas faire sécession, mais que, si tel était leur désir, il ne voyait pas le moyen de les en empêcher.

« Les Etats-Unis n'existent plus dans leur majestueuse et féconde unité », observait Percy Tampleton, qui ajoutait avec l'assurance commune à tous les Sudistes : « Le Nord plus que le Sud, croyez-moi, est effrayé. Dans quatre ans, au moment des élections présidentielles, ce sont les Yankees qui rechercheront l'entente. »

Du Nord arrivaient, par les voyageurs, les bruits les plus contradictoires. Les uns affirmaient que les Yankees admettaient une partition territoriale qui clarifierait la situation. Le fait de ne plus appartenir au même Etat que les régions où l'esclavage existait suffisait à mettre leur conscience au repos. D'autres estimaient que tout se passerait dans le calme et la légalité, puisque la Caroline du Sud avait envoyé à Washington des commissaires habilités à traiter de la livraison des propriétés fédérales, à régler la dette publique de l'Etat, à établir de nouveaux types de relations entre Etats souverains.

Certains, par contre, assurés que le premier souci de M. Lincoln paraissait être de maintenir l'intégrité de l'Union, évaluaient les risques de guerre civile dans le cas où le gouvernement fédéral essaierait l'intimidation. Tous ceux qui se déclaraient opposés à la sécession se voyaient traités de « soumissionnistes ». Leur nombre diminuait de jour en jour. Un événement passé inaperçu aux yeux de beaucoup donnait cependant, plus que tous les discours et que tous les articles de journaux, une idée de la gravité du ressentiment des Nordistes. Commémorant l'anniversaire de l'exécution de John Brown, des abolitionnistes forcenés s'étaient réunis à Plymouth, à New Bedford, à Albany et à New York.

« Toute cette excitation, de part et d'autre, ne me dit rien qui vaille. Il y a dans les deux camps des « mangeurs de feu » qui risquent de faire parler les fusils », disait Clarence.

Les extrémistes du Nord clamaient en effet qu'il fallait mettre au pas les trois cent cinquante mille propriétaires d'esclaves du Sud, fermer le port de La Nouvelle-Orléans, étouffer l'économie sudiste pour amener les esclavagistes à résipiscence.

Les extrémistes du Sud allaient répétant que les Etats esclavagistes et ceux de l'Ouest ne consentiraient jamais à voir fermer le Mississippi, qui portait à La Nouvelle-Orléans et à la mer les produits de la terre qui les faisaient vivre. « Assurons la libre circulation sur le fleuve, revoyons les traités internationaux, annulons les tarifs douaniers, suggéraient les plus réalistes, ce seront des actes d'hostilité efficaces contre le Nord et qui satisferont nos clients et nos fournisseurs de France et d'Angleterre. »

Le 28 janvier 1861, la convention de Louisiane

se prononçait, par cent treize voix contre dix-sept, pour la séparation immédiate de l'Union. Elle suivait en cela l'exemple du Mississippi, de la Floride, de l'Alabama, de la Georgie, tous Etats qui, depuis le 9 janvier, avaient fait tour à tour sécession, imitant la Caroline du Sud. Le Delaware, par contre, bien qu'esclavagiste, avait voté le 3 janvier son maintien dans l'Union. On attendit peu de temps pour que le Texas rejoigne les rangs des sécessionnistes. Malgré l'opposition du gouverneur Sam Houston, ce fut chose faite le 1er février.

En Louisiane, M. Pierre Soulé et ses amis, qui souhaitaient une entente préalable entre Etats sécessionnistes, n'avaient pas été écoutés. Comme le bruit courait que le gouvernement fédéral se préparait à envoyer des troupes pour renforcer les garnisons des forts qui commandaient autour du golfe l'accès au delta du Mississippi et à La Nouvelle-Orléans, les milices de La Mobile avaient occupé ceux-ci et deux cent cinquante hommes avaient quitté La Nouvelle-Orléans pour Baton Rouge, afin de s'emparer de l'arsenal fédéral, contenant soixante mille fusils. D'autres détachements devaient occuper les forts Jackson et Saint-Philippe, à vingt miles de l'embouchure du fleuve, ainsi que le fort des Rigolets, sur le lac Pontchartrain, ouvrage qui permettait de surveiller la voie de La Mobile à La Nouvelle-Orléans.

Toutes ces manœuvres s'effectuèrent sans violence. Le commandant de l'arsenal de Baton Rouge, qui ne disposait que de cinquante hommes, dit aux sécessionnistes « qu'il se rendrait s'il était investi par une force imposante ». La milice orléanaise fut sans doute considérée comme telle.

Le major Beauregard, très estimé à La Nouvelle-Orléans, ne cachait pas son inquiétude en cas d'attaque yankee. « Il n'y a pas une ville plus facile à approcher que La Nouvelle-Orléans, disait-il. Il faut remettre les forts en état de défense. » C'est ainsi que le fort Jackson fut pourvu de trente et un canons et le fort Saint-Philippe de quatre-vingts. Quand, au milieu de ces préparatifs fébriles et pour l'instant sans objet, parut l'ordonnance de dissolution de l'Union, les gens de Bagatelle et leurs amis, que l'agitation n'avait pas gagnés au milieu de leurs champs de coton, eurent tous au cœur un petit pincement douloureux. Ils se sentaient engagés dans une aventure irréversible. Le texte, apporté par Barthew à Bagatelle, ne laissait pas de doute à ce sujet.

Toutes les lois et ordonnances, était-il écrit, *en vertu desquelles l'Etat de Louisiane est devenu un membre de l'Union fédérale sont abrogées et l'Union maintenant existant entre les autres Etats sous le titre « Etats-Unis d'Amérique » est par la présente dissoute. Nous déclarons de plus et ordonnons que l'Etat de la Louisiane reprenne par la présente tous les droits et pouvoirs délégués jusqu'à aujourd'hui au gouvernement des Etats-Unis d'Amérique, que ses citoyens soient dégagés de toute allégeance envers ledit gouvernement et que la Louisiane soit remise en possession et dans l'exercice de tous les droits de souveraineté qui appartiennent à un Etat libre et indépendant.* Cette déclaration était assortie d'une résolution « reconnaissant le droit de libre circulation sur le Mississippi et ses tributaires ». On annonçait encore que les délégués de la Louisiane à la Convention des Etats du Sud, qui se tiendrait le 4 février à Montgomery, étaient MM. Perkins, Sparrow, Declouet, Kenner, Maréchal et Conrad, ancien ministre de la Guerre sous le président Fillmore.

Tous ces hommes, grands propriétaires terriens, étaient d'accord pour s'opposer à la réouverture de la traite des Noirs, que quelques délégués souhaitaient, mesure qui eût suscité une antipathie générale contre les Etats sécessionnistes.

Bien que les gens modérés eussent un moment espéré que les délégués des « Etats frontières » Virginie, Kentucky, Missouri, Tennessee et Maryland, en mission à Washington, puissent amorcer une réconciliation entre le Nord et le Sud, la Convention sudiste de Montgomery (Alabama) sonna le glas de cette échappatoire.

La Confédération naquit le 4 février. Elle rassemblait les sept Etats sécessionnistes et se donna pour président M. Jefferson Davis. Dans les jours qui suivirent, elle adopta la Constitution des Etats-Unis comme « loi fondamentale » et choisit un drapeau. C'est ainsi que les « Stars and Stripes » de l'Union furent remplacées par les « Stars and Bars », trois bandes longitudinales, une blanche entre deux rouges, avec, en canton dans l'angle supérieur gauche, sept étoiles disposées en cercle sur fond bleu. Quand d'autres Etats rejoindraient la Confédération, il suffirait d'agrandir cette constellation circulaire.

Pressés de légiférer, les délégués du Sud décidèrent encore que la politique commerciale de la Confédération serait fondée sur le libre-échange avec toutes les nations et se préparèrent à faire fonctionner l'administration. La Confédération faisant le bilan de ses ressources et de ses possibilités, on constata que la population des sept Etats était composée de 2623147 Blancs et de 2350607 esclaves.

Dès son entrée en fonction, le président Jefferson Davis se montra à la fois modéré et déterminé. Son discours inaugural avait fait grosse impression dans le Sud : « Le but déclaré, avait-il dit, du pacte social des Etats-Unis d'avec lesquels nous venons de nous séparer était d'établir la justice, d'assurer la tranquillité domestique, de pourvoir à la défense commune, d'encourager la prospérité générale et de garantir les bienfaits de la liberté, à nous-mêmes et à notre postérité. Maintenant que, d'après l'opinion des Etats composant cette Confédération, ce pacte a été détourné du but pour lequel il avait été créé et a cessé de répondre aux fins pour lesquelles il avait été établi, un appel pacifique au scrutin a déclaré qu'en ce qui concernait ces Etats le gouvernement créé par ce pacte devait cesser d'exister. En cela, les Etats ont simplement affirmé le droit que la Déclaration de l'indépendance du 4 juillet 1776 définissait comme inaliénable. Le verdict impartial et éclairé du genre humain réhabilitera votre conduite. »

Comme pour montrer que tout le monde avait compris le sens de ce discours, l'anniversaire de la naissance de George Washington, le 22 février, fut célébré cette année-là avec une particulière solennité dans tout le Sud. Les journaux ne manquèrent pas de rappeler à cette occasion que le fondateur de la République était lui-même propriétaire d'esclaves. A La Nouvelle-Orléans, les autorités passèrent la milice en revue, soit deux mille hommes. Les dames de la ville offrirent un drapeau à la compagnie d'artillerie Washington. Sous les girandoles et malgré la pluie, c'était la fête. Les libations aidant, chacun se rassurait en proclamant, certain d'être approuvé, que désormais une prospérité nouvelle était promise à la cité, qui concurrencerait facilement New York et Boston.

M. Benjamin, ancien sénateur de Louisiane, maintenant attorney général, se montrait moins optimiste. Il confia à Dandrige, rencontré chez les frères Mertaux, qu'une séparation pacifique lui paraissait impossible et qu'on devait se préparer aux plus tristes éventualités. La Confédération, soucieuse de s'attirer des sympathies à l'étranger, avait décidé de déléguer en France M. Rosté, un Français né à La Rochelle, installé depuis quarante ans aux Etats-Unis. Arrivé sans fortune et pour se familiariser avec la langue anglaise, il avait fait ses études de droit en Louisiane, puis, après un séjour aux Natchitoches, s'était établi à La Nouvelle-Orléans. Ayant su se faire un nom au barreau avant de contracter un riche mariage, il avait été nommé par le gouverneur Roman membre de la Cour suprême. Il possédait, dans la paroisse de Saint-Charles, une belle plantation produisant sucre et coton.

« Mme de Vigors qui a tant de relations à Paris et son mari, dont on m'a dit qu'il était fort bien introduit auprès de l'empereur, pourraient l'un et l'autre servir les intérêts du Sud ! »

Clarence promit d'en parler à Virginie, le général étant « en voyage » au Mexique.

Avant d'embarquer sur le vapeur qui devait le ramener à Pointe-Coupée, Dandrige s'en fut, au milieu d'une foule qui, manifestement, cherchait des raisons d'être joyeuse, jusqu'à Absinthe House. On y fêtait un héros équivoque : le général Twiggs, qui venait d'arriver à La Nouvelle-Orléans. Cet officier supérieur, qui commandait au Texas les quatre mille soldats de l'Union chargés de tenir les forts qui protégeaient la population des incursions des Indiens, avait remis tous les bâtiments ainsi que le trésor de sa petite armée aux Confédérés. Un seul officier, le capitaine Hill, commandant le fort Brown, avait refusé de le suivre, expliquant que ses hommes et lui-même ne se rendraient que sur un ordre du gouvernement de Washington. Reçu comme un héros, le général Twiggs n'était aux yeux de Clarence qu'un homme qui avait fait son choix. Il n'avait pas à plastronner pour cela.

« Ce qui se prépare s'appelle la guerre », pensait Dandrige en regagnant la plantation. Tous ces volontaires fanfarons qu'il avait vus manœuvrer sans ensemble à La Nouvelle-Orléans ne rêvaient que d'en découdre, tant ils paraissaient certains que le Sud pouvait aisément triompher du Nord.

Les Nordistes semblaient à distance moins belliqueux. Le fait qu'ils soient plus de vingt millions face à quatre millions de Blancs du Sud, car les trois millions de Noirs ne pouvaient entrer en ligne de compte, leur donnait peut-être l'assurance de l'ours devant le roquet. Mais il suffirait du moindre heurt aux frontières pour que se déclenche un orage dévastateur.

Depuis que l'intendant passait la plupart de ses soirées en tête-à-tête avec Virginie, des rapports nouveaux s'étaient établis entre eux. Si elle se souvenait de l'étrange exaltation ressentie lors du bal du jour de l'An 1860, elle n'en laissait rien paraître. Clarence, de son côté, toujours capable de s'adapter parfaitement aux circonstances, ne sortait pas de l'affectueuse réserve qu'il avait toujours montrée à l'égard de la dame de Bagatelle. Mais l'un et l'autre étaient maintenant capables, sans aucune gêne, de demeurer silencieux de longs moments, en regardant les flammes dévorer les bûches dans la cheminée du salon. Comme beaucoup d'hommes et de femmes de Louisiane, ils attendaient la réplique du Nord à la détermination sudiste. Chaque jour qui passait atténuait leurs craintes d'une réaction violente. Le divorce, après tout, serait peut-être prononcé sans drame. Ils l'espéraient vaguement sans y croire.

Mais quand le nouveau président de l'Union prêta serment, le 4 mars 1861, il apparut que le conflit était inévitable. Certes, la procession patriotique qui conduisit Abraham Lincoln à travers Washington, de l'hôtel Willard au Capitole, était celle de toute l'Union mais il s'agissait pour les Sudistes d'une démonstration factice.

« L'Association républicaine, qui triomphait dans l'élection du " rail spitter[1] ", avait décoré un char allégorique qui rappelait les fêtes de notre première Révolution. Sur ce char atttelé de quatre chevaux blancs, tout brillants de dorures, de tentures, de drapeaux et de trophées, deux jeunes filles de quinze ans se tenaient par la main. L'une, vêtue d'une tunique bleue, recouverte de fourrures, symbolisait le Nord; l'autre portait une tunique blanche et semblait s'alanguir sur les touffes de fleurs qui foisonnaient autour d'elle : cette jeune fille représentait le Sud. Trente-quatre autres jeunes filles de dix ans, les trente-quatre Etats de l'Union, portaient chacune la bannière de l'Etat dont elle était l'emblème[2]. »

A Washington on voulait considérer que l'unité nationale n'était pas morte, comme si pareil aveuglement pouvait conjurer le danger de guerre civile né de la sécession.

Dans son discours de ce jour-là, Abraham Lincoln avait affirmé clairement son intention de maintenir l'intégrité fédérale : « Un démembrement de l'Union fédérale, jusqu'ici à l'état de menace seulement, est aujourd'hui devenu une tentative formidable », avait-il reconnu. Puis : « Je maintiens que, dans l'extension de la loi universelle et de la Constitution, l'Union de nos Etats est perpétuelle... Il suit de là qu'aucun Etat ne peut légalement sortir de l'Union de son propre mouvement, que les résolutions et les ordonnances à cet effet sont légalement nulles et que les actes de violence dans n'importe quel Etat ou quels Etats, contre l'autorité des Etats-Unis, sont insurrectionnels ou révolutionnaires, suivant les circonstances. Je considère donc qu'au point de

1. Bûcheron qui débitait les traverses pour les voies ferrées. Ce fut un des métiers qu'exerça Lincoln, qui fut aussi batelier, arpenteur, épicier, maître d'école et avocat.
2. D'après Achille Arnaud, envoyé spécial de *L'Opinion nationale*.

vue de la Constitution et des lois l'Union n'est pas rompue et, autant qu'il sera en mon pouvoir, je veillerai, comme la Constitution me l'enjoint expressément, à ce que les lois de l'Union soient fidèlement exécutées dans tous les Etats. Sans recourir à la violence et à l'effusion de sang, je considérerai comme mon devoir de tenir, d'occuper, de posséder les propriétés et les points du territoire qui appartiennent au gouvernement, de percevoir les droits et les impôts; en dehors de ce qui pourra être nécessaire pour arriver à ce but, il n'y aura aucune invasion, aucun emploi de la force contre n'importe quel Etat. » Avant de prêter serment, le président avait ajouté à l'intention des citoyens du Sud : « C'est dans vos mains à vous, mes citoyens mécontents, et non dans les miennes, que se trouve la terrible question de la guerre civile. Vous n'aurez pas de conflit si vous n'êtes pas les agresseurs. »

Malgré ces propos destinés à laisser aux séparatistes toutes les responsabilités de ce qui pourrait advenir, le président prit, trois semaines plus tard, deux décisions que les Sudistes considérèrent comme des actes d'hostilité.

En annonçant qu'il allait envoyer des troupes à Fort Sumter, en Caroline du Sud, pour soutenir le major Anderson et une expédition à Pensacola pour protéger Fort Pickens d'une éventuelle agression sudiste, Abraham Lincoln tentait d'intimider des gens qui ne souhaitaient que voir confirmer une situation que le gouvernement voulait méconnaître.

Le 10 avril, le général Beauregard, envoyé par Jefferson Davis devant Fort Sumter avec quatre mille hommes, demandait au major Anderson d'évacuer la citadelle. Celui-ci ayant refusé, les Sudistes ouvrirent le feu, le 11 avril, à quatre heures trente du matin. La première balle tirée par un milicien de Beauregard contre la porte du fort allait peser d'un poids considérable dans le destin de l'Union. Anderson, ses quatre-vingt-cinq officiers et soldats et ses quarante-trois travailleurs enfermés dans le fort résistèrent trente-huit heures, mais, les magasins à poudre ayant sauté, la garnison dut se rendre.

Comme Anderson tendait son épée à Beauregard, le général lui répondit « qu'il ne saurait désarmer un officier aussi brave ». La timide déesse de la Paix, voulant peut-être adresser un ultime signe de connivence à tous ces hommes, fit que ce jour-là, malgré la canonnade et la fusillade, aucune goutte de sang ne fut répandue. Ce miracle passa inaperçu et la violence eut désormais le champ libre.

18

QUAND on apprit à Bagatelle « l'affaire » de Fort Sumter, ni Virginie ni Clarence ne se réjouirent, au contraire de beaucoup de Sudistes qui, puérilement, voyaient dans cette action une victoire de nature à impressionner les Nordistes. Elle ne fit que susciter leur colère et, tandis que l'Arkansas, la Caroline du Nord, la Virginie et le Tennessee rejoignaient la Confédération, le gouvernement fédéral appelait sous les armes les soixante-quinze mille miliciens qu'il pouvait armer. Aussitôt, six mille Sudistes se mirent en marche vers Washington, que seul le Potomac séparait de la Virginie désormais ralliée au camp sudiste. Envoyé sur le point menacé, un régiment fédéral du Massachusetts fut accueilli à coups de pierre par les habitants de Baltimore. Les armes à nouveau parlèrent. Cette fois-ci, douze morts restèrent sur le pavé. Le sang de ces inconnus, apposé comme un cachet rouge au bas de la liste des Etats séparés, rendait vaine toute espérance de conciliation.

C'était la guerre.

Tandis que, dans une euphorie puérile, les volontaires couraient s'enrôler à La Nouvelle-Orléans, on vit arriver à Pointe-Coupée le lieutenant-colonel Tampleton. Comme la grande majorité des officiers de l'armée régulière originaires du Sud, il venait d'adresser sa démission au ministre de la Guerre, suivant en cela l'exemple du colonel Robert E. Lee, dont le général Scott, chef de l'armée fédérale, avait pensé faire son successeur. Willy, courroucé comme quelqu'un qui a dû, pour l'honneur de sa caste, rompre un serment devenu équivoque, avait usé du même argument pour expliquer sa décision que la plupart de ses camarades, en s'inspirant d'une phrase de Robert E. Lee : « Malgré ma dévotion à l'Union, malgré le sentiment de loyalisme et de devoir que j'éprouve comme citoyen américain, disait cet officier, je n'ai pas été capable de me résoudre à lever la main contre mes proches, mes enfants, mon foyer. »

Avant d'aller se présenter au général Beauregard, chef de l'armée sudiste, Willy Tampleton se fit tailler un uniforme destiné à remplacer celui qu'il abandonnait. De bleu, le dolman de Willy devint gris, mais conserva au col les deux feuilles d'érable en argent, insignes de son grade. Pour cet homme qui comptait bien rejoindre au plus tôt le colonel John Impleton Mosby, de la cavalerie confédérée, la guerre ne pouvait être que de courte durée.

« Nous allons donner une bonne leçon aux Nordistes, afin qu'ils apprennent à respecter une frontière, et puis nous reviendrons ! »

Cet optimisme, à ses yeux justifié par la panique qui, disait-on, régnait à Washington, ne convainquit pas Clarence. Certes le Sud possédait les meilleurs West Pointers, les meilleurs cavaliers, les volontaires les plus enthousiastes, mais les usines, les fabriques d'armes et les munitions étaient au Nord et, si les Fédéraux réussissaient à bloquer les ports sudistes, comment s'approvisionnerait-on ?

Déjà, le 27 mai, six navires de guerre de l'Union

s'étaient présentés à l'embouchure du Mississippi. Le *Brooklyn* fermait la « passe à loutres » et le *Powhatan* la passe sud-ouest. La *Sabine*, le *Wyandot*, le *Crusader* et le *Waterwich* montaient la garde devant Fort Pickens, toujours aux mains des Fédéraux. Ils obligeaient tous les bateaux étrangers à rebrousser chemin. Le gouvernement confédéré invitait bien les armateurs et les capitaines sudistes à prendre des lettres de marque pour jouer les corsaires, mais le commerce de La Nouvelle-Orléans se ressentait déjà du blocus, que Lincoln voulait rendre efficace et paralysant. Revenu de la surprise et de l'indignation provoquées par la prise de Fort Sumter, le Nord, méthodiquement, s'organisait pour la guerre et le *New York Tribune* écrivait, pour mettre en garde, semble-t-il, les pays étrangers que le libre-échange sudiste pouvait séduire : « Les nations d'Europe peuvent être assurées que Jeff Davis et compagnie se balanceront aux créneaux de Washington au plus tard le 4 juillet ! »

Ces menaces, ces rodomontades de journalistes, amusaient beaucoup les planteurs et leurs amis. Chaque jour, des fils de nobliaux du coton ayant pourvu eux-mêmes aux frais de leur équipement et montant leur meilleur cheval rejoignaient la cavalerie confédérée. La plupart de ces jeunes gens, excellents cavaliers, aussi habiles à manier le fusil de chasse que l'épée, s'en allaient, applaudis par les jeunes filles, encouragés par leur propre mère, comme si la guerre eût été un grand bal qu'il ne fallait pas manquer. La plupart d'entre eux emmenaient leur valet noir, promu ordonnance, afin que soient épargnées à cette graine d'officiers les besognes les plus rebutantes du soldat.

D'Artagnan partant pour Maestricht ne devait pas être plus fier que Tampleton le jour où il vint faire ses adieux à Virginie. Cette dernière glissa dans les fontes de la selle de Willy quelques bouteilles de son porto préféré et lui remit une écharpe de soie jaune, qu'il noua à la poignée de son sabre, comme un chevalier les couleurs de sa dame.

« Ça ne vous dit rien, Dandrige, de m'accompagner pour tirer quelques Yankees comme vous tirez les daims ? demanda Willy en quittant Bagatelle.

– Que deviendrait la plantation sans Clarence ? fit Virginie, répondant avant l'interpellé.

– C'est juste, observa le lieutenant-colonel, et qui veillerait sur vous ? »

Clarence crut percevoir un peu de persiflage dans cette phrase, mais il se tut. Ce jour appartenait aux héros du Sud partant pour la bataille... Il n'allait pas entamer une discussion avec l'homme qui avait conquis ses galons en pourchassant les Indiens !

Dès lors, à Bagatelle comme ailleurs, on s'installa dans la guerre. Grâce au télégraphe électrique et aux journaux, qui avaient tous délégué des rédacteurs à l'état-major de Richmond et dans les corps d'armée, les nouvelles arrivaient vite. Par contre, le service postal fédéral était interrompu et toutes les lettres venant d'Europe par le Nord et destinées au Sud s'entassaient à Washington, au service des rebuts. Quand on sut que le gouvernement de Napoléon III exigeait que tous les Français résidant à La Nouvelle-Orléans observent la plus stricte neutralité dans le conflit, Virginie se félicita que son mari soit au Mexique, occupé à d'autres tâches. Elle le savait à l'abri d'un cas de conscience qu'il n'eût pas manqué de se poser, surtout depuis que le prince Camille de Polignac avait rejoint les rangs sudistes tandis que les exilés, opposants du Second Empire, comme le prince de Joinville, le duc de Penthièvre, le duc de Chartres, le comte de Paris et le comte Régis de Trobriand[1], rejoignaient ceux du Nord.

Après de brefs combats à Saint-Louis, lors de la capture par les Fédéraux d'une petite unité sudiste, la première vraie bataille fut livrée sur un cours d'eau appelé Bull Run, en Virginie, entre l'armée du Nord commandée par le général McDowell et celle du Sud emmenée par les généraux Beauregard et Johnston. Ce jour-là il y eut 481 tués, 1011 blessés et 1460 disparus. Ce fut une éclatante victoire pour le Sud et qui fit tout de suite bien augurer de la suite de la guerre. Le président Jefferson Davis, venu par chemin de fer de Richmond, était présent sur le front.

Cet échec, cuisant pour le Nord, incita aussitôt Lincoln à remplacer McDowell par McClellan et à autoriser le recrutement de 500 000 volontaires.

Le 10 août, à Wilson's Creek, et le 21 octobre, à Ball's Bluff, les Fédéraux recevaient encore deux leçons sanglantes, ce qui provoquait à Washington la création d'un comité fédéral, chargé d'enquêter sur « l'inactivité des armées de l'Union et des défaites trop nombreuses ».

Le Sud, bien sûr, pavoisait. Si les soldats de Beauregard manquaient d'équipement, des goélettes venant de Cuba, d'Europe et des Antilles commençaient à en apporter. Elles débarquaient leurs cargaisons dans la baie de Berwick, à Bayou Vista, forçant ainsi le blocus. Cependant, comme celui-ci handicapait sérieusement le commerce orléanais, une expédition fut montée, au cours de la nuit du 11 au 12 octobre 1861, contre les navires fédéraux qui, à cause du mauvais temps, avaient dû repasser la barre à l'embouchure du Mississippi. On vit donc appareiller, à la nuit tom-

1. Les Nordistes firent ce dernier général de division de l'armée des Etats-Unis. Ce fut le deuxième Français, après La Fayette, à porter ce grade.

bée, une escadre hétéroclite. Huit brûlots remorqués par un vieux rafiot, le *Tug,* descendirent le fleuve, précédant des bateaux armés, pour la circonstance, de quelques canons empruntés aux forts. Le *Watson,* le *Calhoun,* le *Mac Raë,* l'*Ivy,* le *Jackson* et le *Tuscarora* encadraient un étrange bâtiment dont la forme générale rappelait celle d'une carapace de tortue. Pourvu d'une seule et forte cheminée plantée comme un arbre au milieu du dôme de fer qui tenait lieu de pont, ce dernier était capable de se propulser à treize nœuds. Baptisée *Manassas,* du nom d'une des récentes victoires sudistes, cette carcasse d'un ancien remorqueur avait été complètement fermée et blindée par des plaques de fer. Sous cette carapace, hommes et machines se trouvaient à l'abri. Le « cuirassé », pourvu d'un éperon de fer comme un espadon, était monté par des volontaires bien décidés, sous les ordres du commodore Hollins, chef de l'escadre improvisée, à attaquer les navires yankees. Ces derniers : *Richmond,* quatorze canons; *Prebel,* quatorze canons; *Vincennes,* dix-huit canons; *Waterwich,* trois canons, virent venir sans crainte, à l'aube naissante, les unités adverses. Les marins de l'Union comprirent vite cependant qu'un danger sérieux les menaçait. L'engagement fut bref et confus, mais la victoire navale revint aux Sudistes.

Tandis que les frégates nordistes fuyaient devant les brûlots, le *Manassas* éperonnait le *Prebel* et le coulait après avoir ouvert dans son flanc une voie d'eau de vingt pieds de long. Un transport de troupes, atteint par un obus, subissait le même sort. Les Fédéraux choisirent de s'éloigner de l'embouchure. Sans s'en douter, les Orléanais venaient, pour la première fois dans l'histoire navale, d'utiliser un cuirassé. Le résultat paraissait fameux. Un officier de marine français, M. Ribour, commandant le *Lavoisier,* qui avait assisté au départ des bateaux et qui vit revenir à La Nouvelle-Orléans le *Manassas* l'éperon tordu mais victorieux, observa que cette « tortue » de fer ressemblait étrangement au navire de guerre conçu et dessiné par l'empereur Napoléon III lui-même!

Accueillis à La Nouvelle-Orléans comme s'ils étaient les vainqueurs de Trafalgar, les vaillants marins du cuirassé bricolé furent fêtés par la population.

Le gouvernement confédéré décida aussitôt la construction de deux unités du même genre.

Cependant, la guerre se déroulait en Virginie, c'est-à-dire fort loin de Bagatelle. En Louisiane, on se souciait surtout de trouver le moyen d'expédier le coton en Europe, d'autant plus que, aucune relation commerciale n'étant possible avec le Nord, les planteurs se devaient d'exploiter au maximum les débouchés européens. Or un des navires corsaires qui ravitaillaient le Sud, le *Savannah,* avait été saisi par les Fédéraux qui, au mépris, disait-on, des lois de la guerre, venaient de condamner à mort tout l'équipage. M. Jefferson Davis avait envoyé à Washington le colonel Taylor, fils de l'ancien président des Etats-Unis, pour demander à Lincoln un peu de clémence et le menacer de représailles sur les personnes des prisonniers fédéraux détenus au Sud.

Reçu par le général Scott, l'envoyé de Davis avait été traité courtoisement, mais ne rapportait pas de réponse. Il est vrai qu'il avait précisé que celle-ci ne serait acceptée que si elle était adressée au « président des Etats confédérés ». Ce dernier, tandis que ses troupes menaçaient directement Washington, lançait un emprunt de 100000 dollars, organisait l'armée qui devait compter 400000 hommes et créait une taxe de 50 *cents* par 100 dollars sur toutes les propriétés, immeubles, esclaves, marchandises, bestiaux, bijoux, argenterie, etc. On n'accepterait pas qu'un citoyen osât déclarer qu'il possédait moins de 500 dollars de biens.

Virginie, aidée de Clarence, fit scrupuleusement ses comptes et paya sans sourciller cet impôt sur le capital, qui devait renflouer les finances sudistes.

C'est à peu près à cette époque que Willy Tampleton vint en mission, envoyé par Beauregard, pour activer la création de fabriques d'armes à La Nouvelle-Orléans. Les treize mille fusils et les mille carabines Infield arrivés récemment d'Angleterre – depuis le début du blocus, cinq cent dix navires l'avaient forcé – ne constituaient, au dire de l'officier, qu'un maigre effort. Il se plaignait que les trois fabriques de La Nouvelle-Orléans soient incapables de produire de bonnes armes.

« Il nous faut des fusils rudimentaires, certes, pour nos jeunes recrues, mais, si nous avions plus de fusils Minié à canon rayé et plus de carabines Infield, on pourrait faire du bon travail. Je me demande si à Paris, à Londres, nos fameux commissaires ne passent pas leur temps au bal ! »

Clarence sourit. Il entendait exprimer là le ressentiment du combattant contre ceux de l'arrière qui ne font pas tout pour lui assurer les meilleurs moyens de se battre. Une telle attitude était vieille comme la guerre. Les archers de Guillaume le Conquérant devaient déjà penser qu'on ne leur fournissait pas assez de flèches !

Virginie, qui, jusque-là, écoutait d'une oreille discrète cette conversation technique, parut soudain s'y intéresser plus intensément. Elle laissa Willy Tampleton poursuivre un moment, puis intervint :

« Ces armes, Willy, il faut que vous les ayez... Je vais aller les chercher ! »

L'arrivée du général McClellan dans le salon

de Bagatelle n'eût pas provoqué plus d'étonnement chez Dandrige et Tampleton.

« Et comment ça ? dit Willy.

– Eh bien, je vais me rendre en France et en Angleterre pour acheter des fusils, des canons, des... – que sais-je... – ce dont vous avez besoin... Vous n'avez qu'à préparer une liste, car je n'y connais rien !

– Mais ce serait folie que de risquer une traversée maintenant, avec le blocus. Savez-vous que les Fédéraux sont capables de tout...

– Je suis mariée à un général français, qui se trouve présentement au Mexique; mon fils est à Paris, nous avons des affaires en France. Qui donc m'empêcherait d'y aller ? »

Dandrige savait déjà que la décision de Mme de Vigors était prise. On ne pourrait l'en dissuader.

« Mais c'est dangereux, je vous assure, insistait Tampleton.

– Moins dangereux que ces raids de cavaliers en territoire ennemi, dont vous vous êtes fait, avec Mosby, une spécialité, d'après ce que l'on m'a dit. Moi aussi, j'ai envie de me battre pour le Sud.

– Clarence pourrait aller en France à votre place, Virginie, avança Willy.

– Non, sa place est ici. Je peux acheter des armes comme on achète un jupon. Je ne peux pas diriger quatre cents esclaves et faire pousser le coton. C'est dit ! »

Le lieutenant-colonel Tampleton passa trois heures à rédiger une liste impressionnante d'armes et de munitions. Quand il eut fini, il tendit le papier à Virginie.

« Même si vous n'en obtenez que le quart, ce sera déjà bien... »

Après le départ de l'officier, Clarence revint sur le sujet :

« Croyez-vous que ce soit raisonnable, Virginie ?

– Tout à fait raisonnable. La guerre a ses raisons. En tout cas, c'est aussi raisonnable que l'expédition que vous projetez avec Barthew !

– Vous êtes au courant ?

– Mignette m'en a parlé.

– Ce que nous allons faire est sans aucun danger. Charger nos balles de coton sur un vapeur, descendre le fleuve et, de là, avec des chariots que j'ai retenus, transporter le coton jusqu'à Bayou Vista n'a rien d'un exploit... Et ça fera rentrer pas mal d'argent !

– Et qui vous l'achète, ce coton ?

– Un armateur de Rouen, ami des Mertaux. Le meilleur forceur de blocus, d'après eux !

– Pourquoi ne m'en aviez-vous pas parlé ?

– Parce que je considère que cela fait partie des soucis de l'intendant, non de ceux de la dame de Bagatelle.

– Je pourrais partir avec le coton... Quand comptez-vous l'expédier ?

– Dans une semaine..., mais je crains que la promenade en chariot de Oak Alley à Bayou Vista ne soit pas des plus agréables. A partir de Grand Bayou, il faudra traverser des marécages.

– J'irai avec vous, Clarence, c'est la meilleure solution. »

C'est ainsi que, huit jours plus tard, on vit un steamboat chargé de cinq cents balles de coton descendre le Mississippi. A Oak Alley, à deux miles et demi d'un village appelé Vacherie, le bateau fut amarré à la berge. Les esclaves de la belle plantation appartenant au frère de l'ancien gouverneur de la Louisiane avaient tous été mobilisés, pour transférer le coton sur les chariots que Dandrige et Barthew avaient eu bien du mal à rassembler.

En accueillant Virginie et son intendant, le maître de Oak Alley, un aristocrate à moustache blanche, qui les avait conviés à passer la nuit sous son toit, fit observer qu'il ne se trouvait plus un seul chariot dans la paroisse...

« Sans Edward Barthew et ses nombreuses relations, dit Dandrige, nous n'aurions jamais pu constituer un tel convoi, mais, si tout se passe bien, ce sera la preuve que nous tenons le moyen d'expédier notre coton malgré le blocus yankee. »

A l'aube, la longue file des quatre-vingts chariots se mit en route à travers la cyprière. Clarence et deux contremaîtres de Oak Alley, obligeamment délégués par M. Roman, allaient devant, précédant le cabriolet prêté par le maître de Oak Alley où Virginie se tenait à côté d'un cocher hiératique, dont la moue indiquait qu'il désapprouvait cette promenade sur des chemins défoncés, dans une forêt humide, bourdonnante d'insectes agressifs et où l'on pouvait rencontrer toute sorte de bêtes sinon féroces, du moins effrayantes.

A plusieurs reprises, les esclaves de Bagatelle, auxquels on avait confié des pelles et des planches, durent peiner pour tirer d'ornières glaiseuses des chariots embourbés, mais on parvint avant la nuit à Bayou Vista, ainsi que l'avait prévu Clarence. Le capitaine du *Volontaire*, un brick ventru, fut un peu étonné d'avoir à transporter en France, en plus du coton annoncé, une dame de qualité. Français, donc galant, il offrit aussitôt sa chambre à Virginie, dont les marins apprécièrent, lors de l'embarquement, la grâce hautaine et la silhouette juvénile.

19

Au cours des mois qui suivirent, et avant même que s'achevât l'année 1861, les observateurs avaient compris que cette guerre ne ressemblerait pas à celles du passé. On allait essayer des armes nouvelles, jamais utilisées sur un champ de bataille ou sur la mer, se servir pour les déplacements de troupes et du matériel les chemins de fer, qui devenaient ainsi, pour l'adversaire, un objectif militaire. On apprenait à construire les fortifications de campagne en terre battue, rudimentaires mais utiles. Le génie inventif des hommes, s'appuyant sur des techniques récentes, allait donner à des combattants qui n'étaient pas des soldats de métier des moyens inédits pour s'observer et se combattre.

Les Sudistes, prenant conscience de l'infériorité que constituaient pour eux le manque de cultures vivrières, l'absence d'industries textiles et métallurgiques et l'indiscipline de leurs troupes, d'une bravoure exemplaire, mais ignorantes des manœuvres de masse, comprirent qu'il leur fallait emporter rapidement la décision. Le Nord paraissait, en dépit des revers, capable d'une longue résistance grâce à ses ressources en hommes et à ses possibilités d'armements.

La pénurie due au blocus commençait à se faire

sentir, en Louisiane comme ailleurs, dans les Etats confédérés, où les prix des marchandises d'exportation montaient sans cesse.

C'est pourquoi il se trouvait des stratèges de salon pour critiquer le manque d'audace de Beauregard et de Johnston, après la victoire de Manassas-Bull Run qui avait amené les troupes confédérées à deux pas de Washington. Le général Beauregard affirmait dans un rapport qu'il s'apprêtait à marcher sur la capitale de l'Union quand le président Jefferson s'y était opposé. De son côté, ce dernier soutenait qu'« au milieu de la fumée de la bataille, il allait donner des ordres en ce sens, quand Beauregard et Johnston avaient cru devoir interrompre cet élan par leurs conseils ». Une polémique était ouverte à Richmond, tandis que les banquiers de Boston offraient, dans un élan patriotique, quatre millions de dollars au gouvernement fédéral pour intensifier la guerre.

Les Etats confédérés, pour ne pas être en reste, organisaient la conscription, construisaient des fabriques de canons à Richmond et à Selma, en Alabama, improvisaient, dans les régions où ne poussaient jusque-là que du coton, de la canne à sucre et du tabac, des cultures céréalières et des élevages.

Cependant, bon nombre de gens, se disant informés, estimaient que le gouvernement du Nord se lasserait d'une guerre qui, jusque-là, n'avait apporté que des échecs à ses armées et qui ne suscitait chez les citoyens de l'Union qu'un enthousiasme mitigé.

La Constitution ne pouvait en effet autoriser l'abolition de l'esclavage. Le président Lincoln lui-même ne cachait pas que son but était de maintenir l'existence de l'Union et non de forcer les Etats du Sud à renoncer à « l'institution particulière ». « Mon objectif est de sauver l'Union, disait-il, non de sauver ou de détruire l'esclavage. Si je pouvais sauver l'Union sans libérer aucun esclave, je le ferais; si je pouvais la sauver par la libération de tous les esclaves, je le ferais; et si je pouvais la sauver en libérant certains et en laissant les autres de côté, je le ferais également... »

« Ce sont là des propos de politicien opportuniste et démagogue, dit un soir Clément Barrow. Sachant qu'une guerre pour l'abolition de l'esclavage ne ferait pas l'unanimité dans le Nord et que les Border States[1] nous rejoindraient, il veut ménager les électeurs dont il aura besoin plus tard. Mais son but véritable est de nous contraindre à changer notre mode de vie, pour nous livrer, pieds et poings liés, aux mercantis nordistes! »

Clarence Dandrige, qui avait consenti à donner à l'armée une centaine d'esclaves de la plantation, maintenant employés à des travaux de terrassement du côté de Richmond et de Yorktown, attendait avec impatience des nouvelles de Virginie. Une longue lettre lui parvint finalement peu après que l'on eut appris à Pointe-Coupée que, le 6 février 1862, le général Grant s'était emparé avec une armée nordiste de Fort Henry, citadelle qui commandait, par le Tennessee, la route du Sud.

Mme de Vigors annonçait son retour pour le début de mars *à l'endroit même où elle s'était embarquée et avec quelques jouets qui plairaient au petit Tampleton.* Elle espérait être attendue par Dandrige *avec le même équipage qui l'avait accompagnée.*

1. Le Missouri, le Kentucky, le Delaware et le Maryland, « Etats à esclaves », étaient demeurés fidèles à l'Union, ce qui donnait aux Nordistes des avantages stratégiques. Le Maryland commandait les communications entre le Nord et Washington, le Kentucky les voies de pénétration vers le Sud. Ces « Border States » fournirent cependant aux Sudistes de nombreux volontaires.

« Que comprenez-vous ? dit l'intendant à Barthew.

– Qu'elle revient par Bayou Vista avec les armes et qu'il convient de rassembler les chariots pour transporter celles-ci !

– C'est aussi ce que je comprends. Il faut prévenir Tampleton à Richmond. »

Ayant subi à leur tour quelques revers, les Sudistes étaient maintenant persuadés que la victoire ne leur serait donnée qu'au prix d'efforts nouveaux. Le 8 février, les Nordistes s'étaient emparés de l'île de Roanoke, qui commandait les côtes de la Caroline du Nord. Le 16 février, sur le front de l'est, la garnison de Fort Douelson s'était rendue à Grant « sans condition » et, le 9 mars, les Fédéraux avaient lancé leur premier cuirassé, le *Monitor,* qui avait affronté sans succès le *Merrimac,* sorti, lui, des chantiers de La Nouvelle-Orléans.

Aussi, quand le lieutenant-colonel Tampleton fut prévenu par un émissaire de Bagatelle qu'un bateau apporterait bientôt les armes européennes aux Confédérés, il se réjouit, mais invita Dandrige à se montrer fort discret, les espions nordistes, dirigés par le fameux détective Alan Pinkerton, se montrant fort actifs.

Les chariots, une fois de plus rassemblés à Bayou Vista, durent attendre une semaine l'arrivée du brick anglais qui amenait Virginie et les « jouets ». Les traits tirés, car la traversée avait été mauvaise et le capitaine avait dû, à plusieurs reprises, manœuvrer pour échapper aux frégates de l'Union qui surveillaient les côtes, Mme de Vigors raconta son odyssée.

Grâce à ses relations parisiennes, elle rapportait des fusils Minié, treize canons avec leurs munitions, des médicaments, des chaussures et des couvertures. Mais la France s'était montrée moins généreuse qu'elle n'escomptait, bien que l'empereur Napoléon III ne lui ait pas caché qu'il voyait dans la séparation des Etats-Unis en deux fédérations indépendantes un événement propre à faciliter les projets qu'il nourrissait vis-à-vis du Mexique. Virginie, comprenant ce que son mari préparait à La Vera Cruz, sut faire valoir ce dévouement à l'empereur. On l'autorisa à acheter dix mille fusils Minié.

Afin de compléter la cargaison, en fonction des demandes de Tampleton, elle était alors passée en Angleterre où elle avait rencontré à Londres, dans les milieux officiels, une attention courtoise mais peu d'empressement à satisfaire ses exigences. En proclamant, dès le 13 mai 1861, sa neutralité, le gouvernement britannique avait reconnu la réalité d'un conflit et prononcé ainsi une reconnaissance de fait de la Confédération. En capturant le 8 novembre 1861, à bord de la malle anglaise *Trent*, deux représentants que le Sud envoyait à Londres, MM. Mason et Slidell, les Nordistes du *San Jacinto* avaient mis contre eux l'opinion publique britannique. Il s'agissait, à n'en pas douter, d'un outrage à la Marine de Sa Majesté. Les Anglais avaient obtenu la libération des deux hommes et des excuses de la part du président Lincoln.

Malgré une sympathie évidente pour les sécessionnistes, les ministres britanniques se montraient prudents, préférant sans doute envisager ce que proposait le gouvernement français : une médiation commune pour ramener la paix entre Sudistes et Nordistes, plutôt que de fournir des armes aux Confédérés. Virginie rapportait cependant d'Angleterre une bonne quantité de fusils.

Pendant qu'à travers les marécages et les cyprières les chariots, lourdement chargés, effectuaient le parcours Bayou Vista-Oak Alley où Willy Tampleton attendait le convoi avec un vapeur de la marine confédérée, Clarence, qui chevauchait à côté du cabriolet où Virginie avait pris place, se demandait comment Mme de Vigors s'était procuré toutes ces caisses de fusils.

A l'étape de Oak Alley, elle le lui expliqua.

« Je suis allée voir Mosley à Manchester. »

L'intendant ne cacha pas sa stupéfaction.

« Cette démarche peut vous paraître équivoque, mais je l'ai faite. Quand Mosley m'a vue, il s'est mis à trembler comme une feuille, il transpirait à grosses gouttes et frissonnait en même temps. Il ne quittait pas mon sac des yeux, comme s'il s'attendait à m'en voir sortir un pistolet. Je lui ai dit : « Je vous offre un moyen de « réparer en partie le mal inouï que vous avez « fait à ma famille et de prouver que vous pou- « vez, à l'occasion, ne pas vous conduire toujours « comme un lâche! Il me faut douze mille fusils « Infield! »

– Et il a obtempéré?...

– Il a tergiversé en disant que le commerce des armes n'était pas sa partie. Alors je lui ai dit : « Si vous ne me procurez pas ce que je vous « demande d'ici à une semaine, je vous abats « comme un chien », et j'ai fait mine d'ouvrir mon sac...

– Alors?...

– Eh bien, toujours aussi pleutre, il a fait ce qu'il fallait. Je me suis installée chez lui et j'ai attendu.

– Vous étiez vraiment armée?

– Pas quand je suis arrivée à Manchester, mais le lendemain j'ai acheté un revolver... et Mosley, dès cet instant, a su que je pourrais bien le tuer!

– L'auriez-vous fait?

– Sans hésitation, Clarence, ce type est abject... C'eût été une façon de venger la mort de ma pauvre Julie.

– Et comment l'avez-vous payé?

– Je ne l'ai pas payé. Je lui ai dit que le gouvernement de Richmond le dédommagerait en coton dès que la paix serait revenue !

– Et il a accepté ?...

– Il n'avait pas le choix et ne souhaitait que me voir quitter Manchester ! »

« Quelle autre femme que Virginie, pensa Dandrige, eût osé agir de la sorte ! »

« C'est une amazone redoutable, dit-il à Tampleton émerveillé par le volume de la cargaison.

– Une femme comme il en existe peu dans le Sud, concéda l'officier avec un soupir qui contenait tous les regrets de n'avoir pas su trouver le chemin de ce cœur indomptable. Mais qu'est ceci ? fit-il en désignant une immense caisse rectangulaire de peu d'épaisseur, moins rudimentaire que celles contenant les fusils.

– Ça, c'est à moi, intervint Virginie. C'est mon portrait peint par Edouard Dubuffe. Je l'emporte à Bagatelle. »

Quand plus tard, à la plantation, les esclaves déballèrent la grande toile de trois mètres cinquante sur deux, tendue dans un cadre de bois sculpté qui pesait à lui seul près de cent kilos, Clarence put apprécier le talent du peintre de la cour de Napoléon III. L'artiste avait représenté Virginie debout dans une robe de soie puce, dont le large décolleté découvrait des épaules rondes et lisses. L'avant-bras droit reposant sur le dossier d'un fauteuil négligemment recouvert d'une étole d'hermine, la dame de Bagatelle joignait mollement les mains. Tournée de trois quarts vers l'observateur, elle esquissait un sourire vague et grave. L'ovale parfait du visage, dont Dubuffe avait su rendre le teint nacré, s'inscrivait dans la rigidité de la coiffure à la Sévigné, laquelle dégageait le front, enfermait jusqu'aux tempes le haut de la tête dans des bandeaux plats, qui s'épanouissaient sur les côtés en anglaises symétriques et souples. La finesse des traits, le modelé de la lèvre supérieure, la légère courbe du nez appartenaient bien à Virginie au mieux de sa beauté. Seul le regard aux reflets insaisissables parut à l'intendant d'une luminosité atténuée et plus conciliant qu'il n'était en réalité.

« C'est un excellent portrait, qui dépasse la simple reproduction physique. Je vous vois là telle que vous étiez, telle que vous êtes, telle que vous serez. L'artiste a pu saisir ce qu'il y a d'immuable dans une beauté comme la vôtre. Le temps n'aura pas de prise sur ce tableau parce que toujours il sera votre reflet absolu.

– Vous êtes lyrique, Clarence. Gratianne et son mari me trouvent un peu rigide, figée, et pour tout dire un peu flattée...

– L'effet d'un tableau est aussi fonction du regard qu'on lui porte, reprit Clarence en souriant. Pour moi, vous êtes telle que je vous imaginais quand vous étiez absente de Bagatelle... »

Puis il se hâta d'ajouter, comme pour affaiblir un peu cette confidence :

« Mais cela, je pense, n'a pas grande importance pour vous ! »

Virginie inclina la tête, croisa les mains et sourit avec cette tendresse qu'ont parfois les femmes pour encourager les timides.

« Plus d'importance que vous ne croyez, Clarence, et si je vous dis que, pendant ces séances de poses exténuantes, c'est à Bagatelle... et à vous que je pensais, peut-être comprendrez-vous mieux ce portrait. »

L'intendant s'inclina, un peu confus, et demeura silencieux.

Quand on voulut accrocher le tableau au mur du salon en resserrant un peu les rangs des marquis de Damvilliers, au-dessus du grand canapé, le charpentier de la plantation, convoqué à cet effet, soutint que la cloison de bois ne supporterait pas un pareil poids. On se contenta donc d'appuyer le portrait de Virginie contre le mur en le laissant reposer à même le plancher, en attendant de trouver une solution. Le fait que la représentation de la dame de Bagatelle soit plus grande que nature éclipsait tous les tableaux qui se trouvaient à proximité de celui-ci.

Après une nuit de repos, Virginie raconta à Dandrige son séjour parisien. Gratianne paraissait heureuse et, à coup sûr, comblée par un mari dont la fortune grandissait. Elle possédait des équipages, des valets à livrée bleu et or, un hôtel particulier à Paris, une villa à Enghien et des toilettes qui la classaient, grâce à sa beauté, parmi les femmes les plus élégantes de la cour.

Quant à Charles, qui venait d'avoir dix-sept ans, il mordait au droit avec enthousiasme. Etudiant sérieux, il comptait, ses études terminées, revenir en Louisiane pour ouvrir un cabinet d'avocat.

« Gratianne et Charles m'ont suppliée de rester en France en attendant que cette guerre stupide prenne fin. Mais je ne me suis pas laissé convaincre. J'ai tout connu des plaisirs parisiens. J'avais hâte de retrouver ma maison au bord du fleuve... Je veux vivre le dénouement du conflit.

– Ce n'est peut-être pas pour demain, Virginie, avança Clarence.

– Qu'importe, dit-elle. Le temps désormais ne compte plus pour moi. Seul compte ce qu'il renferme, ce qu'il apportera. Je sais maintenant que les jours qui me restent à vivre ne doivent pas être gaspillés. Or c'est ici seulement que le présent a cette densité que je recherche.

– Votre appétit de la vie n'a pas diminué, semble-t-il.

– Mais mes goûts ont changé. Aujourd'hui, j'ai conscience que la sérénité est à l'intérieur de nous-mêmes et que c'est là, et non dans la satisfaction de nos désirs puérils, qu'il faut la trouver.

Aussi l'absolue valeur que j'attache à votre confiance me dit que je puis encore faillir, mais que vous m'avertiriez si je faisais fausse route...

– Si j'y vois assez clair moi-même, je vous avertirai, mais je suis aussi faillible que tous les hommes; alors...

– Non, vous n'êtes pas comme tous les autres hommes, Clarence. Vous, vous percevez l'essentiel et vous savez être indifférent à ce qui ne l'est pas. C'est comme si vous aviez conscience que chaque existence continue au-delà des formes banales de la vie. Vous ne parlez jamais de Dieu et vous doutez qu'il ressemble à celui des religions, mais vous croyez, j'en suis certaine, à une force équilibrante indéfinie, mais qui nous gouverne. »

Comme souvent, quand il voulait se défendre d'une émotion profonde, Dandrige détourna le cours de la conversation devenue trop intime, en citant Childe Harold :

« – Où que tu aies pris naissance, tu fus une « belle pensée revêtue d'une forme charmante », dit-il un peu ironiquement.

– Qu'importe que vous vous dérobiez, Clarence, par une boutade. Un jour, vous me jugerez digne de partager vos certitudes; un jour, vous devrez me tendre la main... »

Puis elle quitta le salon et l'intendant resta pensif, face au portrait de cette femme étrange, la seule créature vivante qui lui paraisse faite d'autre chose que de l'argile commune!

20

SI les fusils apportés par Virginie firent merveille les 6 et 7 avril à Shiloh, sur les bords du Tennessee, ils ne purent, malgré la bravoure de ceux qui les utilisaient, assurer la victoire de l'armée sudiste. Tandis que le général McClellan fortifiait les abords de Yorktown, en Virginie, pour assiéger les Confédérés, ceux-ci surprenaient l'armée du général Grant. Après deux jours de combats très violents, on devait relever 1735 morts du côté de l'Union. Le total des pertes des Fédéraux atteignit, avec les blessés et les disparus, 13573 hommes, mais les Confédérés avaient de leur côté perdu 10699 soldats, dont 1600 étaient tombés sous les balles nordistes. Grant avait évité de peu la défaite, mais les Sudistes s'étaient vus contraints d'abandonner Yorktown.

A peine se remettait-elle de l'émotion causée par cet échec, que la Louisiane était attaquée directement par les Fédéraux.

Le jeudi 24 avril devait rester comme un souvenir honteux et tragique dans la mémoire de tous les Orléanais. Les navires de l'Union, quatorze frégates et canonnières que l'on savait rassemblées depuis quinze jours à l'embouchure du fleuve, sous les ordres du commodore Farragut, se mirent en mouvement dès l'aube pour remonter le Mississippi. Depuis le 8 avril, les forts Jackson et Saint-Philippe tenaient sous leurs feux les bateaux yankees et, tirant plus de deux cents coups à l'heure, interdisaient le chenal ménagé entre des barrages solides. Ils étaient aidés par le cuirassé *Louisiana,* encore inachevé, mais armé de six grosses pièces. Considérant que ce passage était infranchissable en force, Farragut avait décidé, profitant de la nuit et du brouillard, assez dense en cette saison, de se faufiler sous le nez des batteries et de se glisser avec son escadre à travers les barrages disposés sur le fleuve par les Confédérés. A l'aube, deux frégates confédérées avaient éperonné et coulé la canonnière de haute mer *Varinna,* mais elles avaient péri corps et biens avec elle. Le *Hartford,* à bord duquel se trouvait Farragut, avait réussi à se défaire d'un brûlot poussé sous son flanc par les Confédérés. Finalement, sous le feu des batteries tirant, au jugé, sur les silhouettes sombres qui glissaient sur l'eau, une partie de la flotte fédérale avait réussi à passer. Son objectif, encore inconnu des Orléanais, était de couvrir les troupes du général Butler, prêtes à débarquer à La Quarantaine.

Arrivés à hauteur du camp de Chalmette, à quelques miles de La Nouvelle-Orléans, les envahisseurs, qui croyaient désormais la partie gagnée, se trouvèrent sous le feu des troupes du général Manfield Lowell. A la vue de la flottille nordiste, les Confédérés, qui ne disposaient que de vingt canons, commencèrent à tirer, comptant que la frégate blindée *Louisiana* viendrait par le fleuve attaquer les ennemis. Ils l'attendirent en vain, ignorant sans doute que le cuirassé venait d'être coulé. Depuis leurs bords, les Fédéraux mitraillaient le camp. Pour les arrêter, il eût fallu de puissantes batteries, qui faisaient défaut aux Confédérés.

Le général Lowell, considérant que toute résistance serait inutilement meurtrière, invita ses soldats à se disperser tandis que la nouvelle de l'arrivée des Yankees semait la panique dans une ville où personne ne les attendait.

A midi, les bateaux nordistes apparaissaient rangés en ordre de bataille, dans le croissant que forme le fleuve face à la cité. Sur les quais se pressait une foule angoissée, curieuse, mais redoutant que Farragut ne fasse anéantir la ville sans défense, avant de risquer un débarquement. Ne demeurait dans les rues, autour du Cabildo, que la Légion étrangère, composée en grande partie de Français, dont la mission se limitait au maintien de l'ordre. Le général Lowell et ses trois mille soldats se repliaient sur le camp Noor, les forts du lac Pontchartrain étaient abandonnés. Déjà on avait saboté les steamers naviguant sur le lac, pour ne pas les livrer aux Yankees. De nombreux Orléanais fuyaient vers la campagne, utilisant, à partir de pontons situés au-delà de la ville, les bateaux qu'ils pouvaient trouver pour remonter le fleuve.

Dès le jeudi matin, le général Lowell avait donné l'ordre d'incendier tous les entrepôts de coton et de tabac. Des flammes s'élevaient autour de la ville et des quais, car on brûlait aussi les bateaux avec leurs cargaisons. Une fumée sale et qui piquait les yeux roulait en volutes au-dessus des toits. La ville, devant l'ennemi, semblait prête à mourir sur un bûcher, comme les veuves hindoues se livrant vivantes aux flammes qui dévorent la dépouille de leur époux.

Les Orléanais, atterrés, apprirent peu à peu l'étendue du désastre. Les forts Saint-Philippe et Jackson continuaient de tirer sur une autre flottille nordiste que commandait un certain Porter. Mais c'était là un combat inutile et qui se terminerait par la reddition des forteresses. Le grand cuirassé *Mississippi,* orgueil de la flotte sudiste, avait rompu ses amarres. Le vaisseau inachevé dérivait sans gouvernail. On sut plus tard qu'il avait explosé comme un baril de poudre. Le *Manassas* avait éperonné le *Brooklyn,* mais il venait d'être coulé par les batteries d'un vaisseau yankee. Déjà les fantassins de Butler prenaient pied à La Quarantaine. A travers le delta, ils remontaient vers la ville.

Aussi, quand, le vendredi 25 avril, Farragut avait envoyé à terre son chef d'état-major, le capitaine Bailey, pour demander au maire, M. John Monroe, de livrer la ville, une foule hostile avait accompagné l'officier nordiste jusqu'au Cabildo. Les cris de fureur, les hurlements de la populace n'avaient pas empêché le parlementaire de remarquer la dignité et la tristesse d'une grande partie de la population. John Monroe, un ancien arrimeur, intrigant et compromis avec les militants peu recommandables du parti des « know-nothing », répondit à Bailey qu'il devait prendre contact avec le général Lowell. L'ultimatum de Farragut était clair : restitution immédiate aux forces de l'Union de tous les bâtiments fédéraux : douane, hôtel des monnaies, forts, etc., qui devraient arborer le drapeau fédéral, ainsi que tous les bateaux se trouvant dans le port. Moyennant ces abandons, la propriété serait respectée et les citoyens laissés libres de vaquer à leurs occupations.

Manfield Lowell, en militaire loyal, dit son intention d'évacuer la ville avec ses troupes, en emportant armes et archives, car il n'envisageait pas de se rendre. En regagnant le *Hartford,* le capitaine Bailey, après avoir rendu compte, avait ajouté : « Aucun sentiment unioniste ne se manifeste à La Nouvelle-Orléans. Mais les Orléanais se soumettront en dissimulant leur fureur et leur humiliation. »

En ville, les habitants connaissaient l'amertume d'être livrés à eux-mêmes. Le gouverneur et son équipe s'étaient volatilisés. Sans la Légion étrangère, on aurait déjà vu les pillards profiter de la situation.

Aussi, le jour même, le drapeau fédéral fut-il hissé sur la Monnaie. Il n'y resta que quelques heures, un homme ayant eu, à la nuit tombée, l'audace d'aller l'arracher de son mât. Le samedi, le maire fit savoir à Farragut que la ville ne contenait plus un seul militaire, qu'elle était donc virtuellement rendue, mais qu'il ne trouverait pas un seul citoyen pour abaisser le pavillon de la Louisiane. La situation ne plaisait guère au vainqueur. Cette cité hostile qu'il tenait sous le feu de ses canons faisait preuve d'un orgueil typiquement sudiste. Elle se rendait sans se rendre, se disait sans armes, mais on la sentait prête à se défendre des dents et des ongles, comme une femme.

Le lundi 28, à onze heures, Farragut fit savoir que si les hommes qu'il allait envoyer à terre pour prendre possession des bâtiments fédéraux étaient insultés et si le pavillon de Louisiane ne disparaissait pas de l'hôtel de ville, il prendrait les mesures les plus rigoureuses. Dans le même temps, ayant convié à bord de son bateau les neuf consuls étrangers en résidence à La Nouvelle-Orléans, il les avait informés qu'il pourrait être amené à bombarder la ville. Apprenant par les diplomates cette peu réjouissante nouvelle, le maire aurait bien voulu que les étrangers prissent la responsabilité de faire abaisser les drapeaux de la ville. Ils s'y refusèrent et, pour rassurer les Français, un aviso de la Marine impériale, le *Milan,* sous les ordres du commandant Cloué, vint, pavillon haut, mouiller en face du quai Saint-Pierre.

Vingt-quatre heures plus tard, deux cents marins de l'Union débarquaient avec deux canons, précédant le commodore Farragut qui fit amener, sans incident, tous les drapeaux confédérés. Le 1er mai, les troupes de Butler se répandaient dans la ville sous le regard méprisant des femmes. La défaite paraissait consommée. L'orgueilleuse cité se voyait soumise à la loi du Nord.

Tous les détails de cette « annexion » de La Nouvelle-Orléans par les forces fédérales furent rapportés à Bagatelle par les frères Mertaux. Fuyant la cité où depuis si longtemps leur étude était dépositaire de quantité de petits secrets domestiques, ils rejoignaient une plantation qu'ils possédaient à Morganza, au nord de Pointe-Coupée. La mine déconfite, les jumeaux osaient dire que, La Nouvelle-Orléans tombée, il n'y avait plus de victoire possible pour les Confédérés, maintenant privés du débouché du Mississippi.

« Vous ne connaissez pas cet affreux Butler, disait l'un.

– ... un grossier personnage plein de suffisance...

– ... et capable de pendre les gens pour un oui ou un non...

– ... énorme, jouisseur, couvert de médailles comme un pacha... »

Le portrait que les deux avocats traçaient du gouverneur militaire de La Nouvelle-Orléans était assez juste. Court et trapu, la tête couverte de longs cheveux blonds en désordre, la moustache molle, le regard incertain et le ton dogmatique, Benjamin F. Butler se prenait déjà pour le proconsul du Sud reconquis. A La Nouvelle-Orléans, on l'appelait « la Bête du Mississippi ».

Dès son arrivée, il avait rédigé une proclamation que les journaux s'étaient refusés à reproduire. Pour arriver à ses fins, il s'était aussitôt emparé de l'imprimerie du journal *True Delta* et avait annoncé des restrictions quant à la liberté de la presse. Les Orléanais, qui se souvenaient que Butler avait prôné, lors de la Convention de Baltimore, la candidature de l'esclavagiste Breckenridge, s'étonnaient de retrouver le général fervent abolitionniste et affirmant son intention d'assainir les mœurs d'une cité qu'il n'hésitait pas à comparer à Sodome et Gomorrhe!

Déjà, il menaçait : « Je détruirai de fond en comble toute maison d'où sera parti un coup de feu qui aura tué un soldat fédéral. Une heure après que le crime aura été commis, l'édifice sera effacé! »

Malgré l'hostilité envers les Nordistes, la ville était calme, mais les frères Mertaux, cependant si charitables, ne manquèrent pas d'expliquer que les troupes de Butler commençaient à souffrir de la chaleur et comptaient beaucoup de malades.

« L'habituelle épidémie de fièvre jaune, dit l'un, trouvera son aliment dans cette population militaire faible, maladive et non acclimatée.

– Bien des gens attendent ce moment », ajouta l'autre.

Jusqu'à présent, la seule proclamation de Butler que les Louisianais avaient pu lire paraissait conciliante : « Les armées des Etats-Unis, disait le général, sont venues ici non pour détruire, mais pour le bien, pour rétablir l'ordre sur le chaos et le gouvernement des lois à la place des passions des hommes!... »

Installé confortablement à l'hôtel Saint-Charles, gardé par deux cents hommes et quatre canons, Butler se méfiait des étrangers. Ces derniers, par jeu d'écritures, devenaient propriétaires fictifs des biens des « rebelles » les plus en vue. Aussi le général yankee avait-il, en violation des règlements diplomatiques, envoyé des soldats fouiller les consulats des Pays-Bas, de France et d'Espagne, pour voir si des espèces appartenant aux banques n'y étaient pas cachées!

D'après les frères Mertaux, ce Yankee se

moquait pas mal des intérêts de l'Union. Il pillait pour son compte. Il avait fait saisir chez le consul de Hollande huit cent mille piastres appartenant à M. Hope, un banquier, ainsi qu'une boîte contenant le portefeuille de valeurs de Mme de Pontalba. Il infligeait cent piastres d'amende aux commerçants qui n'ouvraient pas leurs magasins et imposait des emprunts forcés au titre de « contribution de guerre » pour l'entretien de son armée et de son état-major. A la moindre occasion, il faisait fouiller les plus belles maisons, sous le prétexte de rechercher des espions sudistes. Après le départ de ces hommes, les propriétaires constataient toujours la disparition d'objets précieux. Un Orléanais ayant menacé de mettre le feu à la maison d'une femme qui accueillait les Fédéraux s'était vu jeter en prison et condamner aux travaux forcés à perpétuité. On lui avait attaché à la cheville une chaîne de quatre pieds de long, soudée à un boulet de douze pouces. Un négociant ayant fait des affaires avec les Confédérés se retrouvait pour dix mois au fort Jackson parce qu'il se montrait incapable de produire cinquante mille piastres figurant sur ses livres...

Butler semblait avoir l'intention de remplir les forts repris aux Confédérés de prisonniers civils. Il y avait déjà envoyé M. Pierre Soulé et plusieurs conseillers municipaux. Maître chanteur, il extorquait, sous menace d'emprisonnement, des fonds aux négociants qui avaient importé ou exporté des marchandises pendant le blocus. A bord d'un vapeur venant de La Havane, ses hommes avaient trouvé une mine de renseignements commerciaux dans le courrier qu'ils avaient violé. Méthodiquement, Butler et ses officiers exploitaient ces lettres et en tiraient de bons profits. Ils avaient aussi fait fusiller un certain Humford, cet homme qui, le 25 avril, avait enlevé le drapeau fédéral hissé sur l'hôtel des monnaies, et laissé croire jusqu'au dernier moment à six jeunes gens, pris au moment où ils tentaient de rejoindre les troupes sudistes, qu'ils allaient être exécutés.

« Quand on les eut condamnés à mort, expliquèrent les frères Mertaux, on les mit dans une charrette avec six cercueils et on les conduisit, entourés de soldats, hors de la ville. Arrivés au lieu du supplice, on les fit asseoir chacun sur son cercueil..., puis le prévôt annonça que le général Butler commuait leur peine en prison à perpétuité !

– Il y a peu d'honneur à traiter ainsi des hommes qui ont fait le sacrifice de leur vie. Ne se trouvera-t-il donc personne pour débarrasser La Nouvelle-Orléans de ce boucher pervers ? »

Tandis que La Nouvelle-Orléans souffrait le châtiment imposé par les Nordistes, la guerre se poursuivait sur les fronts de l'est et de l'ouest. En Caroline du Sud, un premier régiment de Noirs venait d'être formé et toutes les plantations déléguaient des contingents d'esclaves pour soutenir l'armée dans ses travaux de terrassement et ses transports. On avait été enchanté d'apprendre que, les Sioux du Minnesota s'étant révoltés, Washington avait dû envoyer contre eux des troupes, qui feraient peut-être défaut sur d'autres fronts. C'était l'époque où chaque illusion paraissait la bienvenue pour les Confédérés, qui redoutaient par-dessus tout qu'après avoir fermé le Mississippi au sud, en s'emparant de La Nouvelle-Orléans, les Fédéraux ne le ferment au nord. Ils avaient tenté de le faire sans résultat quand les commandants des flottes de l'Union venues du Nord et du Sud s'étaient rencontrés devant Vicksburg. David Farragut lui-même avait reconnu que les Confédérés tenaient solidement les rives du Mississippi entre Vicksburg et Port Hudson. Les quatre grandes corvettes et les chaloupes canonnières qu'il avait envoyées s'étaient contentées, en descendant le fleuve, de tirer quelques boulets sur Baton Rouge, d'où les sécessionnistes les avaient mitraillées.

Port Hudson, défendu par un minuscule fortin accroupi entre les rochers, sur la rive gauche du Mississippi, ne se trouvait qu'à une dizaine de miles de Bagatelle, située sur la rive droite, à la sortie d'un méandre du fleuve. La guerre se rapprochait donc de la plantation, car il ne faisait aucun doute pour Dandrige qu'un jour ou l'autre Farragut s'en prendrait à Port Hudson, pour tenter de couper les communications des Confédérés entre les deux rives du fleuve.

« Que ferons-nous, Virginie, si les Yankees se présentent? dit Dandrige un soir de mai.

– Nous les recevrons aimablement, Clarence; que voulez-vous que nous fassions d'autre?

– Vous auriez pu conserver quelques-uns des canons que vous avez rapportés d'Europe et nous nous serions battus jusqu'à la mort! fit-il en plaisantant.

– Il y a eu trop de morts déjà, à Bagatelle. J'ai eu assez de mal à convaincre Charles de rester dans son collège. Il voulait rejoindre notre armée. Or il faut voir plus loin que cette guerre, Clarence. Elle finira d'une façon ou d'une autre. Après, la vie reprendra son cours... »

En attendant, on vivait de moins en moins bien. Les provisions seraient bientôt épuisées. On ne buvait plus de porto, sauf dans les occasions exceptionnelles. Le porc salé, les poulets, les œufs, les laitages, le pain de maïs, tous produits fournis par la plantation, faisaient l'ordinaire des repas avec les confitures d'Anna, car le sucre ne manquait pas. La cuisinière s'ingéniait à inventer des plats mais se plaignait que le gombo n'avait plus de goût, les épices faisant défaut.

Quand Dandrige décrochait son fusil pour aller chasser, ce n'était plus simplement pour le plaisir. Le canard, le pigeon sauvage, le chevreuil figuraient au menu. Certains soirs, dans les porcelaines fines, sur la nappe de dentelle, au milieu des cristaux et de l'argenterie, on dégustait les mêmes mets que les « petits Blancs » du poulailler trouvaient dans leurs plats d'étain. Personne, à la campagne, ne manquait de nourriture, mais, par la force des choses, celle-ci devenait plus rustique.

Il en allait de même pour les toilettes. Les couturières des plantations passaient leur temps à ravauder, n'ayant plus l'occasion de tailler et coudre des robes neuves, dans les belles soieries que l'Europe exportait autrefois si généreusement. Les élégantes pestaient de ne pouvoir se faire faire autant de robes à crinoline qu'elles auraient souhaité, pour être à la mode. Les crinolines étaient des gouffres à tissu !

La garde-robe de Virginie paraissait assez riche pour lui permettre de tenir son rang pendant quelques années encore, mais elle avait donné à Isabelle Tampleton toutes les robes de Gratianne, afin qu'elle puisse y trouver de quoi vêtir ses plus jeunes filles.

Souvent, à la veillée, quand Brent avait servi à Clarence son mint-julep – car, Dieu merci, le bourbon du Tennessee ne manquait pas – Virginie venait s'asseoir sur la galerie. Mai triomphait dans la tiédeur. Jamais les fleurs de magnolias n'avaient paru plus belles et le jasmin plus parfumé. La nature – qui prêtait ailleurs ses bosquets, ses champs et ses clairières aux combattants, ses prairies qui accueillaient les morts, ses forêts qui cachaient les guerriers en embuscade – conservait autour de Bagatelle son innocence et sa neutralité. La guerre viendrait peut-être s'en prendre avec ses obus aux chênes énormes, avec sa mitraille aux roseaux des berges, avec ses charrois aux chemins herbeux. Il fallait donc jouir de ces soirées paisibles, où seule l'âme était inquiète, où seuls les mots rappelaient qu'une menace planait sur cet univers tranquille.

« Que ferons-nous, Clarence, si les Nordistes viennent émanciper nos nègres ? dit Virginie.

– Nous leur proposerons de rester avec un salaire qu'il conviendra de calculer... Mais ceux que je connais bien n'ont nulle envie d'être émancipés contre notre gré !

– Isabelle Tampleton tient de son mari qu'en basse Louisiane Butler libère les nègres à tour de bras et que Lincoln a une déclaration d'émancipation toute prête. Qu'il n'attend qu'un succès militaire pour la rendre publique. »

Mme de Vigors n'était pas aussi bien renseignée que Clarence, à qui Murphy et Barthew apportaient souvent des informations. Il avait tu ce qu'il savait de la situation en basse Louisiane pour ne pas inquiéter Virginie. En réalité, Butler faisait de « l'abolition pratique ». Dans toutes les paroisses de la Louisiane où ses troupes accédaient, même momentanément, car il n'avait pas assez d'hommes pour y laisser des garnisons, il donnait la liberté aux esclaves qui voulaient la prendre. On disait, mais c'était invérifiable, que plus de quarante mille esclaves suivaient les troupes de Butler et qu'ils aidaient les Fédéraux à dévaster les plantations; qu'un certain général Weitzel avait formé une troupe de Noirs, laquelle s'était déjà emparée de cent mille boucants de sucre. Butler incorporait dans ses régiments des Noirs vagabonds, qu'il formait en compagnies, et, au mépris des prescriptions du Congrès interdisant d'employer des esclaves libérés à autre chose que des travaux d'utilité publique, il leur donnait des fusils.

« Rendre à la liberté toute une population si peu préparée à en jouir, disait le consul de France, et bien plutôt disposée à en abuser, donner à cet abus un appui, sinon officiel, du moins bien réel, armer des hommes si peu habitués à la discipline, appelés d'hier seulement à la dignité d'homme et n'ayant aucun sentiment des devoirs que cette dignité impose, c'est là susciter volontairement des dangers incalculables et qu'un jour, peut-être, on sera hors d'état de conjurer. »

On citait les noms de gens qui avaient été assassinés par des Noirs pillards : M. Coulon, notamment, qu'un de ses esclaves fidèles avait vengé en tuant deux de ses congénères. On racontait que Weitzel et ses Noirs s'étaient emparés de la riche paroisse de Bayou Lafourche, semant la ruine sur leur passage, enlevant des habitations tout ce qui pouvait être enlevé, puis incendiant les maisons et les hangars.

Barthew, qui constituait des dossiers pour les spoliés, affirmait que tout ce qui avait été pris à Bayou Lafourche était vendu par les militaires, à La Nouvelle-Orléans, à des gens touchant au nouveau pouvoir, qui revendaient et s'enrichissaient de la misère et du pillage des autres.

Tout cela, Dandrige le taisait à Virginie. Il lui avait simplement conseillé de prévoir des cachettes sûres pour son argenterie et ses objets de valeur, en évitant de choisir, comme toutes les femmes de planteurs, un arbre creux ou un carré de terre sous les rosiers. Virginie, un soir où ils étaient seuls, avait désigné les trumeaux au-dessus des portes et des fenêtres.

« Il y a là de belles cachettes derrière les panneaux peints, dit-elle. Si les Yankees s'annoncent, je grimpe sur un escabeau et j'enfourne tout là-haut. »

Sans croire à l'inviolabilité des trumeaux, Clarence avait approuvé. Avant que les Nordistes aient décidé de démonter ou de brûler la maison, il se serait certainement passé des événements où lui, Dandrige, aurait sa part.

Ce que l'intendant ne cacha pas à Mme de Vigors, par contre, ce fut la proclamation du président Jefferson Davis condamnant l'attitude de Butler.

« Le général Butler, disait le président de la Confédération, dans un texte reproduit par le *Journal de Woodville,* est placé hors la loi et les officiers aux mains desquels il tombera sont autorisés à le pendre immédiatement. Les officiers servant sous Butler sont considérés comme des voleurs et des criminels, méritant la peine de mort, et s'ils sont pris on les gardera pour les exécuter. Les soldats et sous-officiers continueront à être traités comme des prisonniers de guerre. Tous les Noirs pris les armes à la main seront immédiatement remis au pouvoir exécutif de l'Etat auquel ils appartiennent, pour être traités suivant les lois de ces Etats. »

Cette attitude du président Jefferson Davis, homme calme, pondéré, charitable et nullement sanguinaire, avait été motivée par la plus scandaleuse des proclamations de Butler. Ce militaire, butor et jouisseur, qui ignorait tout des mœurs du Sud et de l'immense respect dont les femmes faisaient l'objet, notamment en Louisiane, avait osé ordonner : « Si une *female,* par parole, geste ou mouvement, insulte ou montre du mépris pour un officier ou un soldat des Etats-Unis, elle sera considérée comme fille publique et s'exposera à être traitée comme telle. »

S'il eût été moins bien gardé, Butler n'aurait pas survécu à de pareilles phrases. Quand sa proclamation avait été connue à La Nouvelle-Orléans, cent gentilshommes, pères, frères, maris ou fiancés, s'étaient juré de tenir dans les plus brefs délais la bedaine de la « Bête de la Louisiane » au bout de leurs pistolets.

L'année 1862, qui n'avait pas été sans revers pour le Sud, s'acheva cependant sur une éclatante victoire des armées confédérées. A Fredericksburg, le 13 décembre, le général Burnside, commandant les soldats de l'Union, avait reçu une de ces leçons qui mettent fin à la carrière d'un stratège. Le bilan de la bataille était si lourd, 12633 tués au Nord contre 5309 au Sud, que le président Lincoln avait désigné le général Hooker pour remplacer le vaincu. Certes, ce succès, qui endeuillait tant de familles, ne pouvait faire oublier aux Sudistes la défaite que le Nord leur avait infligée le 17 septembre sur les rives de l'Antietam, où le général McClellan s'était pour une fois montré prompt et audacieux. Cette victoire nordiste, la première de quelque importance puisque les Confédérés avaient perdu vingt-cinq mille hommes, tués, blessés ou disparus, alors que les Fédéraux n'en perdaient que douze mille, devait être assortie d'une décision historique de Lincoln. Le 22 septembre, le président de l'Union avait rendu publique la Déclaration d'émancipation qui, à dater du 1er janvier 1863, faisait de tous les esclaves des Etats rebelles des hommes libres.

Si l'indignation fut grande chez les planteurs, les Noirs de Bagatelle, informés en sous-main par ces mystérieux réseaux qui permettaient aux nouvelles de se propager comme portées par le vent dans les villages d'esclaves, ne changèrent pas d'attitude.

Brent et Rosa, porte-parole des domestiques de l'habitation, vinrent trouver Clarence Dandrige.

« On dit, m'sieur Dand'ige, que les nègres vont êt'e tous libres un jour. Qu'est-ce que ça veut dire pour nous ? Qu'il faudra partir ?

– Ça veut dire que vous pourrez partir si vous voulez, qu'on ne pourra plus vous vendre ni vous acheter et que vous aurez droit à un salaire.

– Alors c'est bon aussi pour nous si on reste ? Non ?

– Bien sûr, mais le maître ne sera plus responsable de vous. Il pourra vous demander de partir et ne pourra vous obliger à rester; mais naturellement, quand les esclaves des champs seront malades, on ne s'occupera plus d'eux. Ils devront se nourrir et se loger eux-mêmes, comme tous les hommes libres. On leur donnera de l'argent s'ils travaillent et ils se débrouilleront.

– Mais, nous, on veut pas d'argent, on préfère continuer comme ça, comme si on était de la maison.

– Nous n'en sommes pas là, Brent. Quand le moment sera venu, s'il vient, on parlera de tout ça... »

Les Noirs se retirèrent à demi rassurés. Cette liberté, dont on parlait tant, leur paraissait peu enviable. Ils se voyaient déjà abandonnés, contraints de chercher leur nourriture et un toit. Sans travail, pas d'argent, et sans argent..., rien !

Toutes les nouvelles n'étaient pas mauvaises en cette fin d'année 1862. Il y en avait même une bonne pour les citoyens de la basse Louisiane. Le 17 décembre, le général Nathaniel Banks, débarquant à La Nouvelle-Orléans, s'était aussitôt rendu à l'hôtel Saint-Charles. Porteur d'ordres cachetés, il avait annoncé à Butler que le président Lincoln venait de le relever de son commandement des armées du golfe. Le nouveau chef des Fédéraux s'empressa, avec son état-major, de saisir toutes les archives et tous les dossiers du « boucher », ce qui réjouit fort les Orléanais. Ainsi le gouvernement fédéral allait pouvoir se faire une idée des malversations de Butler. Ce « coup d'Etat » auquel personne ne s'attendait, surtout pas le premier intéressé, fit que l'on trouva aussitôt Banks sympathique et les troupes qu'il amenait avec lui plus dignes et plus disciplinées, que celles de Butler, dont les soldats, ivres et débraillés, causaient chaque nuit des rixes. Les gens se disant informés, les habitués de Absinthe

House notamment, affirmaient tantôt que le gouvernement de Richmond avait sacrifié la Louisiane et que les Fédéraux allaient remonter le Mississippi pour s'emparer de Port Hudson, qui fermait à leurs corvettes la route de Vicksburg, tantôt que les Nordistes allaient marcher sur le Texas où une minorité de citoyens restés fidèles à l'Union les attendait.

A peine en fonction, le général Banks exigeait que toutes les maisons illégalement occupées par les officiers de Butler, qui avaient jeté leur dévolu sur les plus belles, soient évacuées. Il leva aussi le séquestre mis sur les sucres saisis à Bayou Lafourche par Weitzel et les fit restituer à leurs propriétaires. Enfin il se montra courtois, établit dans la ville une police militaire chargée de surveiller les agissements des permissionnaires et accueillit les plaintes des habitants. Son but politique était de rallier à l'Union les gens fatigués de la guerre, mais ses méthodes ne déplaisaient pas.

Les Orléanais rassurés, il se mit en marche vers Baton Rouge avec quinze mille hommes, pendant que Farragut remontait le fleuve à bord du *Hartford* accompagné de la corvette *Pensacola* et d'une flottille de canonnières. Au nord de Vicksburg, le commandant Porter, avec une autre escadre, s'apprêtait à attaquer ce verrou du fleuve, tandis que l'armée de McClellan se préparait à s'en emparer par la terre. Ainsi paraissait déclenchée la grande opération qui, d'après les plans des Nordistes, devait leur assurer la maîtrise du Mississippi de Saint-Louis à la mer.

A ce jour, les habitants de Bagatelle n'avaient entendu qu'une seule fois le canon, le 23 août 1862, quand la canonnière *Essex,* de la Marine fédérale, s'était approchée de Bayou Sara, pour expédier quelques obus sur la ville. Mignette Barthew, qui se trouvait chez elle ce jour-là avec son enfant, avait eu très peur. Quand, à la fin de l'automne, le docteur F. Murford, aidé de quelques citoyens, avait coulé avec une charge de dynamite une autre canonnière amarrée près de la ville, elle s'était, par contre, réjouie.

Dès le début des hostilités, des planteurs de la paroisse de West Feliciana avaient formé une compagnie rattachée au régiment « Louisiana Cavalry ». Eclaireurs prudents et excellents cavaliers, ils surveillaient les allées et venues des unités fédérales, évitant de provoquer les marins et les soldats et faisant parvenir à l'état-major du général Richard Taylor, qui commandait le district de la Louisiane de l'Ouest, de précieux renseignements.

Cet officier, que ses hommes appelaient familièrement Dick, était le fils unique de l'ancien président de l'Union, Zachary Taylor. Colonel du 9e régiment d'infanterie de la Louisiane, il s'était battu en 1860 en Virginie, mais, parvenu trop tard à Manassas, il n'avait pu participer à la bataille de Bull Run. Le président Jefferson l'ayant nommé brigadier-général, il se retrouvait en Louisiane où, fin tacticien, il montait des raids de cavalerie, attaquant par surprise l'ennemi, raflant armes, munitions et médicaments et détruisant des canonnières. Willy Tampleton appartenait à son état-major.

21

A BAGATELLE, on savait maintenant que le printemps de 1863 apporterait la guerre tout près de la plantation. On avait renoncé à faire des labours, la main-d'œuvre servile ayant été confiée à l'armée. Il ne restait dans le village des esclaves qu'une trentaine d'hommes valides, les femmes et les enfants. Les contremaîtres avaient signalé quelques désertions, mais les Noirs comme les Blancs demeuraient dans l'expectative. Tous savaient que l'on se préparait à vivre des journées décisives pour cette région, déjà à demi conquise par les Nordistes.

« Ce sera la première fois depuis un siècle que l'on ne sèmera pas le coton, dit Clarence. Les champs que nous n'avons pas labourés cet hiver sont envahis par les mauvaises herbes. En quelques saisons, la nature est capable de reprendre la terre aux hommes.

– Nous n'allons tout de même pas préparer une récolte pour les Yankees, non ? lança Virginie. Que voulez-vous faire du coton en stock ?

– Nous jetterons les balles dans le lac de Fausse-Rivière – c'est ce que nous avons décidé avec Barrow, Tampleton et les autres planteurs

— et nous mettrons le feu aux cannes à sucre qui poussent bien qu'on ne s'en soit pas beaucoup occupé.

— Je veux que Bagatelle apparaisse aux Yankees nue et vide. Il faut aussi détruire les charrues, les charrettes et donner tous les chevaux, sauf les nôtres, à l'armée.

— J'ai fait démonter la grosse cloche de service, on va la porter à la fonderie de Richmond avec celles de Sainte-Marie et des autres églises; on manque de bronze pour faire les canons.

— Quant aux provisions ?

— Il en reste fort peu, Virginie.

— Je ne veux pas que les abolitionnistes boivent notre vin et notre champagne. Nous allons donner un grand barbecue et faire une fête. Je vais inviter toute la paroisse !

— Gardons quelques bouteilles pour célébrer la victoire, fit Dandrige avec un sourire forcé.

— Y croyez-vous encore, à la victoire, Clarence ?

— La guerre finira le jour où l'une des deux capitales tombera, Richmond ou Washington.

— Vous ne répondez pas à ma question...

— Tout dépendra de ce qui se passera sur le front de l'est. Pour nous, j'ai bien peur qu'il nous faille attendre avec les Yankees sur le dos la décision finale.

— Mais vous savez que les gens de Richmond ont faim, qu'il y a eu des émeutes et que les quinze millions de dollars que l'Europe vient de nous prêter seront vite dépensés par l'armée. »

Chaque soir, la même conversation s'instaurait entre Clarence et Virginie. Barthew ou le docteur Murphy apportaient des nouvelles. On s'étonnait que Banks, qui s'était avancé jusqu'à l'embranchement de Springfield, n'ait pas encore attaqué Port Hudson et que les bateaux de Farragut se soient contentés de reconnaissances circonspectes. Rapidement, la tension devint insupportable à beaucoup. Au moindre ragot, on s'enflammait. Un tel avait vu des cavaliers yankees; un autre affirmait que des bateaux débarquaient des éclaireurs; un troisième disait que Banks utilisait des ballons captifs pour observer la plaine et que des espions venaient, la nuit, inciter les Noirs à tuer leurs maîtres.

« C'est le moment de donner notre barbecue, dit un matin Virginie. Tous ces gens vont devenir fous à attendre comme ça le feu du ciel. »

La fête eut beaucoup de succès. Comme au temps heureux où le Sud vivait dans l'insouciance, on vit les landaus converger vers Bagatelle. On comptait sous les chênes trois fois plus de jeunes filles que de jeunes gens. Les cavaliers de ces demoiselles faisaient la guerre. Plusieurs femmes portaient le deuil d'un mari ou d'un fils et les vieillards offraient des visages fermés de vaincus. Ils durent cependant faire danser leurs filles ou leurs nièces, qui avaient fait des prodiges pour paraître élégantes dans des robes démodées.

Isabelle Tampleton s'était fait tailler une veste dans des rideaux de velours, mais le frac de Percy apparaissait lustré comme la soutane d'un vieux curé. Virginie, pour ne pas humilier ses invités, portait une toilette que Clarence ne lui avait pas vue depuis des années. Elle était belle malgré tout.

« Vous souvenez-vous de cette robe, Clarence ?

– Cette dentelle et ces volants mauves me disent quelque chose, fit-il pour être poli.

– C'est la première que je me suis fait faire à Bagatelle, il y a disons... trente ans ! »

Au cours de cette soirée, Percy Tampleton révéla que Willy venait d'être promu colonel et qu'il se préparait à défendre Port Hudson, menacé par les Yankees, puis il invita Virginie pour une danse.

« Avez-vous le sentiment que nous dansons sur un volcan ? interrogea-t-il.

– Tout à fait et je trouve cela excitant !

– Il s'est passé bien des choses depuis que... nous nous connaissons !

– Tant de choses, oui. Certaines que ma mémoire n'a pas retenues..., pas plus que la vôtre, je suppose. »

Percy Tampleton sourit. La belle Virginie, qui, pour l'heure, pourrait être grand-mère, tenait encore à préserver le secret d'une faiblesse ancienne.

« Ma mémoire est peut-être plus fidèle que la vôtre, dit-il mélancoliquement, mais elle conserve le respect des minutes oubliées par d'autres. Je ne suis plus le même homme qu'il y a trente ans et vous n'êtes plus la même femme. Ce qui s'est passé autrefois entre deux inconnus ne peut plus être évoqué que comme une légende. Une de ces belles légendes du Sud... »

Virginie se décida à sourire. Percy appartenait à ce pays comme elle-même. L'existence quiète et splendide dont elle goûtait peut-être un des ultimes moments lui paraissait soudain enivrante à respirer, comme le gardénia qui ornait la boutonnière de son cavalier. « Les fleurs pourrissent elles aussi, pensa-t-elle, et la douceur de vivre ne sera bientôt plus qu'un amas de souvenirs confus, qu'agiteront des fantômes jacassants. »

Quand Brent, le majordome, délégué par l'orchestre, annonça, suivant la tradition : « La dernière valse, messieurs et mesdames », un grand silence se fit dans le salon illuminé par une profusion coupable de chandelles. A cet instant, tous prirent conscience que cette musique qui appelait encore une fois les couples à se former emporterait dans les mesures finales tout ce qui constituait le bonheur simple de la vie de plantation. Sans un mot, les valseurs se mirent en place. Virginie chercha Clarence. Lui aussi tenait à l'enlacer une fois encore, à s'abandonner au plaisir de tournoyer en sentant sur son épaule la main légère de la dame de Bagatelle. Il sembla à tous que les violons jouaient plus lentement que d'habitude, comme si les musiciens voulaient prolonger un peu cette fête triste. C'est presque avec gravité que les couples s'élancèrent sans un murmure, participant à un rite qui prenait une signification particulière. Quand tombèrent les dernières mesures, les danseurs demeurèrent un instant figés, puis plusieurs femmes éclatèrent en sanglots devant leur cavalier désemparé. Clarence regarda Virginie et vit rouler sur ses joues deux larmes lourdes.

« Allons, dit-elle, la fête est finie! »

Quand les invités eurent pris congé, mélancoliques et reconnaissants, Clarence et Virginie, qui avaient accompagné ces derniers jusqu'au portail, remontèrent à pas lents l'allée des chênes. La fraîcheur de la nuit, les étoiles qui ressemblaient à d'insaisissables fruits suspendus entre les hautes branches, les cris des oiseaux chasseurs, les frôlements soyeux des chauves-souris et, majestueuse de blancheur, la maison illuminée, tout concourait à faire de cet instant un moment que le temps oublierait peut-être de décompter.

Virginie s'arrêta devant le dernier chêne, là où une petite plaque toute moussue indiquait la tombe de Julie.

« Croyez-vous, Clarence, que ce soit moi qui l'aie tuée? demanda-t-elle à voix basse.

– Non, Virginie; peut-être avez-vous été l'instrument, mais sa mort était décidée de toute éternité. Les forces qui nous dépassent l'avaient élue, comme vos fils. Un jour est déjà choisi pour nous... »

Comme il achevait sa phrase, Virginie lui prit brusquement le bras, leva vers lui un visage bouleversé, mais où le regard brillait intense et fixe.

« Clarence, ne me laissez pas seule cette nuit, je vous en prie. »

Doucement, il posa sa main sur la sienne.

« Rentrons. Vous grelottez; Anna nous fera un de ses faux cafés d'orge.

– Vous ne comprenez donc pas ce que je veux dire, Clarence, fit-elle, presque violente et reculant d'un pas. Je veux dire... emmenez-moi chez vous et prenez-moi dans vos bras... J'ai besoin d'amour!

– Taisez-vous, Virginie; là, devant cette tombe, vous ne savez pas ce que vous me demandez... »

Il avait le regard de reptile qu'elle redoutait, à la fois insoutenable et qu'on ne pouvait fuir.

« Ne m'avez-vous jamais désirée, Clarence? Moi, oui, souvent...

– Non, Virginie, je ne puis vous désirer...

– N'êtes-vous pas un homme? »

Elle avait presque crié cette phrase, comme un appel provocant de femelle amoureuse.

En quelques enjambées, il s'éloigna, contourna la maison. Elle se laissa tomber au pied du chêne, moulue, la tête vide, le cœur battant à grands coups. Brent, une lanterne à la main, inquiet de savoir sa maîtresse dehors alors que l'heure était venue de fermer, finit par l'apercevoir.

« Faut rentrer, maîtresse, il fait froid, à présent! »

Elle se leva, monta l'escalier en appuyant à chaque marche ses mains sur ses cuisses comme une vieille femme lasse. Humiliée et découvrant pour la première fois la réalité de la solitude, elle renvoya Rosa, qui l'attendait pour lui brosser les cheveux, et se jeta tout habillée sur son lit pour pleurer.

Le lendemain matin, sur le plateau du petit déjeuner qu'elle se fit monter dans sa chambre, Virginie trouva une lettre.

« C'est m'sieur Dand'ige qui m'a dit de vous la donner, maîtresse, dit Rosa. Il est parti ce matin, que le jour était pas levé, sans dire où il allait ! »

Virginie avait déjà reconnu l'écriture souple de l'intendant; elle ouvrit l'enveloppe et lut :

Très chère Virginie,

Quand vous lirez ces mots, j'aurai quitté Bagatelle. Bien que je répugne à abandonner la plantation en un tel moment, vous comprendrez qu'après notre conversation de la nuit dernière j'ai honte à paraître devant vous.

Ne croyez pas un instant que je puisse vous mépriser, vous êtes l'être auquel je suis, en ce monde, le plus attaché, et votre... suggestion qui, pour tout autre, eût été flatteuse, si l'on met de côté les conventions, n'a été pour moi que cruelle.

Demandez à Murphy de vous livrer le secret de ma personne, que je ne puis moi-même vous divulguer. Je l'y autorise par une lettre qui lui sera remise aujourd'hui.

Tout est en ordre à la plantation. Nulle mieux que vous ne saura recevoir les Yankees s'ils se présentent. Je ne sais si nous nous reverrons jamais. Sachez que je laisse une partie de mon âme à Bagatelle et à vous ces ardentes pensées que d'autres peuvent appeler amour.

CLARENCE DANDRIGE.

Mme de Vigors relut vingt fois la lettre de son intendant, y trouvant assez de confiante tendresse pour être émue comme une jeune fille et assez de mystère pour piquer sa curiosité.

Elle s'était jetée à la tête de Clarence comme une femelle en mal d'amour. Il avait pu mettre cette attitude scandaleuse sur l'absence du général, dont elle n'avait, depuis plusieurs mois, aucune nouvelle, alors que, les troupes françaises ayant débarqué à La Vera Cruz, elle aurait dû normalement en recevoir. Cependant Dandrige ne semblait pas la considérer comme une femme incapable de dominer sa sensualité et elle-même savait qu'une force autrement exigeante que celle des sens l'avait poussée vers cet homme qui avait assisté, impassible, à tous les événements de sa vie.

Elle passa la journée à errer dans la maison et ses dépendances, à cacher l'argenterie et ses bijoux derrière les trumeaux des portes, à dissimuler les dernières bouteilles de vin, de champagne et de porto dans des cachettes, comme s'il se fût agi d'objets précieux.

Puis le soir, n'y tenant plus, elle envoya chercher Murphy.

« Qui est malade ? dit le médecin en arrivant.

– Vous savez pourquoi je vous ai fait venir. N'avez-vous pas reçu une lettre de Clarence, vous aussi ?

– En effet, dit-il, abandonnant toute désinvolture. J'ai trouvé tout à l'heure un petit mot de Dandrige. Je ne sais pas ce qui a pu se passer entre vous, mais c'est une belle mission qu'il me confie là ! Je viens de Port Hudson, où se prépare la bataille. Tout le pays risque d'être d'ici demain à feu et à sang et c'est le moment qu'il choisit pour m'imposer une telle corvée... S'il vous restait par hasard une bouteille de whisky, je ne serais pas mécontent de lui dire deux mots avant de vous exposer le cas Dandrige, chère madame. »

Brent apporta un plateau et le médecin se servit un demi-verre d'alcool, qu'il dégusta tout en lorgnant Virginie qui cachait mal son impatience.

« Bon ! Clarence Dandrige, que j'aime comme un frère, m'a chargé de vous expliquer pourquoi il n'est pas un homme normal, pas un homme complet, si vous préférez. Comme c'est un peu délicat à définir devant une dame, même mariée, je parlerai en médecin en m'efforçant de ne pas vous choquer.

– Je peux tout entendre, fit Virginie excédée. J'ai été mariée deux fois et j'ai eu un certain nombre d'amants, je sais ce qu'est le corps d'un homme et à Paris on ne met pas de jupe aux pieds des pianos, comme chez les quakers !

– Il faut tout d'abord que vous sachiez qu'après avoir terminé ses études au collège de Harvard, devenu depuis la grande université du Nord, Clarence Dandrige décida d'aller étudier les mœurs des Indiens. Après avoir visité plusieurs tribus, il arriva un jour, vers 1822 ou 23, je suppose, sur la Platte River, un affluent du Missouri, chez les Pawnees. C'était alors une puissante nation de guerriers qui avaient l'habitude de se raser la tête, ne réservant qu'une longue mèche de cheveux au milieu du crâne, appelée mèche du scalp, qu'ils entretenaient soigneusement pour ne pas décevoir ceux qui, les ayant vaincus, auraient voulu emporter un trophée.

« Les Pawnees, sont des gens paisibles et hospitaliers. Depuis que Clarence les visita, une bonne moitié d'entre eux a péri au cours d'une épidémie de variole apportée par des marchands de peaux, et l'autre moitié a été chassée par de vaillants militaires de l'Union, comme Willy Tampleton, vers des territoires désertiques. Baste !...

« Le jeune Dandrige se trouvait parfaitement à l'aise et en sécurité au milieu de ces braves gens. Tellement à l'aise qu'il prit une maîtresse, une jeune fille d'une grande beauté, qui n'était autre que la fille de Bison-Gras, le chef de la tribu. Si les mœurs étaient assez libres pour les Indiennes ordinaires, il n'en allait pas de même pour les filles de chefs. Les amours de Clarence et de la belle Menth – c'était son nom – ayant fait scandale, on apprit un peu tard à notre bon jeune homme qu'un Blanc qui avait connu une fille de chef indien ne pouvait plus connaître d'autre femme. La solution habituelle était la mise à mort de l'étalon, mais Bison-Gras, ayant une grande affection pour l'amant de sa fille, commua le châtiment en émasculation majeure.

« Ces Indiens devaient être d'habiles chirurgiens, car ils pratiquaient l'énucléation des testicules au moyen de deux incisions sur le scrotum. Ils compensaient ensuite l'exérèse des gonades par l'implantation dans les bourses vidées de billes de terre cuite. Ce procédé a un avantage esthétique certain, car l'enkystement des corps étrangers remplaçant les testicules assure une conformation externe très satisfaisante.

« Tel est le traitement que subit notre jeune Dandrige, pour avoir inconsidérément forniqué avec une demoiselle indienne de l'aristocratie. Naturellement, après une telle opération, l'instinct de reproduction et même le désir de copulation se trouvent anéantis.

« Dandrige, que j'ai examiné plusieurs fois, quand Adrien l'eut recueilli à demi mort de faim, dans une pirogue qui vint s'échouer au bout de votre allée de chênes, avait bien supporté l'intervention barbare des chirurgiens pawnees, mais il est évident qu'il se trouve à jamais frustré du plaisir le plus commun. La plus belle fille du monde ne saurait l'émouvoir. Il ne peut connaître de l'amour que ce que le psychisme peut encore en retenir. C'est une bien triste histoire! »

Virginie, qui avait écouté le médecin sans l'interrompre, ne chercha même pas à retenir ses larmes quand le récit fut achevé.

« Vous l'aimez, n'est-ce pas? » s'enquit Murphy.

Elle approuva de la tête, comme une petite fille qui avoue un péché véniel à son confesseur.

« Vous auriez pu vous en apercevoir plus tôt. Ce n'est pas à son âge qu'on quitte la maison où l'on a passé sa vie.

– Qu'aurais-je pu lui apporter, Murphy?

– L'occasion de s'éloigner de vous quand il était encore jeune; maintenant il ne lui reste rien, même pas la compassion d'une seule femme.

– Si au moins je ne lui avais rien dit! reprit Virginie. Je me suis conduite comme une idiote...

– Que lui avez-vous dit, qui ait pu le faire fuir?

– Eh bien, hier, je lui ai demandé de passer la nuit avec moi... »

Le médecin leva les yeux vers le plafond, secoua la tête comme s'il apprenait la sottise d'une gamine, puis il se versa un nouveau verre d'alcool.

« Comme ça, tout à trac, vous lui avez ouvert votre lit... Votre santé vous jouera des tours, Virginie...

– Ne plaisantez pas. Je suis affreusement malheureuse et furieuse contre moi-même.

– Si vous lui aviez parlé sentiments, croyez-moi, sa réaction eût été différente, car l'amour pour Dandrige ne peut qu'être une sorte de tendresse désincarnée. Adrien voyait juste quand il disait : « Chez lui, tout se passe dans la tête... » Mais, comme je ne crois pas que vous l'aimiez vraiment, c'est aussi bien comme ça. Les femmes confondent souvent le désir et l'amour. Lui ne peut pas. Il est d'une lucidité prodigieuse!

– Savez-vous où il se cache maintenant ?

– Je l'ignore, mais si je le savais je ne vous le dirais pas. Il doit avoir besoin de paix et de silence. »

Murphy se leva, vida son verre, saisit sa trousse.

« J'ai fait ce qu'il me demandait. Vous êtes maintenant dépositaire de son secret. Si j'étais femme, j'y verrais une sacrée preuve d'amour... »

22

QUELQUES jours plus tard, l'offensive était lancée contre Port Hudson. Tandis que les bateaux de Farragut remontaient le fleuve, les avant-gardes de Banks entraient en contact avec les patrouilles sudistes. On entendait depuis Bagatelle les tirs des batteries confédérées balayant le fleuve et, leur répondant, les canons du *Hartford* et de l'*Albatros.* Pendant six semaines, se repliant chaque fois sur Baton Rouge pour débarquer leurs blessés et réparer leurs bateaux, les Nordistes revinrent à la charge. Sur la rive droite du fleuve, près de Fausse-Rivière, des soldats de Banks ayant réussi à prendre pied se trouvaient face à l'infanterie de West Feliciana. Les domestiques de Bagatelle voyaient passer sur la route des berges des cavaliers gris exténués allant soutenir les fantassins et, dans l'autre sens, des chariots emmenant les blessés à Sainte-Marie où l'église avait été transformée en hôpital. La dame de Bagatelle, comme Mignette, Isabelle Tampleton et les sœurs Barrow, était devenue infirmière. Elles assistaient Murphy, qui secondait lui-même les chirurgiens militaires. Ces femmes, comme toutes celles des planteurs, avaient apporté leurs draps, leurs couvertures, sacrifié leurs somptueuses chemises de nuit et leurs jupons de pilou pour fabriquer de la charpie. Pour elles aussi, la guerre était maintenant intensément présente. Il ne s'agissait plus de récits de batailles, racontés par de joyeux permissionnaires dans les salons, ni de fêtes de bienfaisance où l'on mettait des bijoux aux enchères pour acheter des fusils, ni même de rumeurs inquiétantes.

La guerre était là, couchée sous le parvis de l'église avec ses plaies béantes, ses gémissements de moribonds, ses amputés exsangues, ses morts furtifs du petit matin, ses vases dégoûtants qu'il fallait vider, ses pansements souillés, son odeur fade de sang et de sueurs fiévreuses. Les Noirs dévoués, promus brancardiers, regardaient d'un air hébété ces Blancs qui étaient leurs maîtres vaincus.

Murphy les houspillait, les trouvant trop lents, maladroits et indifférents aux nouvelles des combats.

« Laissez-les aller à leur rythme, lui dit un jour Mignette Barthew. Quand deux chiens se battent pour un os, que voulez-vous que fasse l'os ! »

Alors qu'elle regagnait Bagatelle, au crépuscule, après une journée exténuante, ne rêvant que d'un bain tiède et d'un lit frais, Mme de Vigors trouva dans le salon un homme qui l'attendait. Envoyé du consul de France à La Nouvelle-Orléans, il avait mis cinq jours pour parvenir jusqu'à la plantation, évitant les armées qui se cherchaient dans les marécages des cyprières et les forêts des berges.

« Je suis porteur, madame, dit le messager aux vêtements tachés, au menton gris de barbe, d'une nouvelle qui va vous affliger. Il s'agit de votre mari, le général Charles de Vigors. M. le consul m'a chargé de vous remettre ceci. »

Virginie fit sauter les cachets du pli officiel. Avant même d'avoir lu les premières lignes de la dépêche, elle savait qu'on lui annonçait la mort de son mari. En peu de mots, celle-ci était expliquée. Le général avait succombé lors de l'attaque de Puebla, une forteresse des « terres chaudes », sur la route de Mexico.

Son corps pourrait être transporté soit en France, soit en Louisiane, suivant le vœu qu'exprimerait sa veuve. Il reposait en attendant au milieu des cinq cents Français tués pendant le siège de soixante et onze jours.

Devant l'envoyé du consul, Virginie parvint à maîtriser son chagrin. « Charles, pensa-t-elle, a eu la mort qu'il pouvait souhaiter, une mort de soldat. » Et elle l'imagina sous le grand soleil, couché, comme ces héros des batailles napoléoniennes qu'elle avait vus sur les tableaux de Gros, de Géricault, au Louvre.

« A-t-on des nouvelles de son ordonnance, le maréchal des logis Mallibert ?

— Aucune, madame. »

Après avoir présenté les condoléances d'usage, le messager du consulat demanda :

« Souhaitez-vous que le corps du général soit ramené en Louisiane... quand la situation sera stabilisée dans ce pays ? »

Elle eut un geste évasif de la main.

« Je ne peux pour l'instant, monsieur, réfléchir à ces choses. Nous avons un fils à Paris, au collège. J'aimerais que, disposant de moyens de communications que je n'ai pas, vous puissiez le prévenir. Nous déciderons plus tard de la sépulture définitive. »

Le messager admira le sang-froid de cette femme encore belle, malgré ses traits tirés et sa coiffure en désordre. Il fit mine de se retirer.

« Vous allez pouvoir vous reposer ici, un ou deux jours, et vous restaurer. Les soldats de Banks sont partout. Pris pour espion, vous risqueriez votre vie. Anna va vous donner une chambre et du linge. Nous dînerons à neuf heures, si vous le voulez bien ! »

Quand elle eut regagné sa chambre, pris son bain et que Rosa lui eut longuement brossé les cheveux, en pleurant doucement, car elle portait au général une vive affection, Virginie se laissa aller dans un fauteuil.

Ainsi, désormais, elle se retrouvait seule. Ses enfants à Paris, Clarence disparu, Charles mort, que lui restait-il de cet univers qu'elle avait construit et que le temps effritait, comme un temple de plâtre ? Les yeux secs, elle faisait le désastreux bilan de sa vie écoulée, incapable d'imaginer ce que seraient les jours à venir, consciente d'être suspendue dans le vide au bout d'une corde prête à se rompre.

« Peut-être suis-je maudite, pensa-t-elle; j'apporte le malheur à ceux qui m'aiment. La mort les prend tour à tour quand ils m'ont donné ce que j'en attendais. Adrien, mes fils, Julie et maintenant Charles. » Jamais elle n'avait plus intensément souhaité la présence de Dandrige, éloigné par sa faute. Il ne lui restait que cette vieille maison et ces terres à coton, qui ne produisaient plus rien. Elle avait farouchement désiré autrefois régner sur Bagatelle. Son désir avait été exaucé par un sort ironique qui, en échange de cette ambition satisfaite, lui avait tout repris, l'abandonnant comme ces avares qui succombent, solitaires et méprisés, sur leur trésor inutile.

Son abattement dura peu. Il y avait cet homme qui l'attendait pour dîner et dont elle enviait la jeunesse et les ambitions secrètes, les chances que la vie pourrait lui offrir. Elle choisit une robe de faille noire, se mit de la poudre de riz et le rejoignit à la salle à manger, prête à affronter une conversation banale. La dame de Bagatelle connaissait son devoir.

Les nouvelles de la guerre que lui communiqua

le chancelier prouvaient que l'issue du conflit demeurait encore incertaine. Au début du mois de mai, à Chancellorsville, Jeb Stuart, Lee et Jackson avaient interdit les approches de Richmond aux troupes fédérales du général Hooker, mais Jackson, qu'on appelait familièrement « Mur de Pierre », l'un des meilleurs généraux du Sud, avait été tué. Le 3 juillet, à Gettysburg, les Nordistes venaient de remporter une grande victoire, au lendemain de laquelle la forteresse de Vicksburg, verrou nord du Mississippi, était tombée. Dans peu de jours, les Fédéraux contrôleraient le fleuve.

A La Nouvelle-Orléans, Banks avait dit au consul de France : « Peu importe que la liberté des esclaves soit ou non proclamée, qu'il y ait victoire ou défaite. La guerre a scellé le destin de l'esclavage. »

« Vos esclaves ont l'air de vous demeurer fidèles, madame, observa le visiteur, qui voyait les domestiques aller et venir.

– Que deviendront-ils sans nous, monsieur? Croyez-vous que la liberté leur apportera autant que ce qu'ils vont perdre? Ceux qui réfléchissent un peu s'interrogent. Si les esclaves des champs désertent en croyant que la liberté signifie suppression du travail, ceux des habitations, qui vivent avec nous, savent bien que pour récolter il faut semer et que les Yankees ne les entretiendront pas à ne rien faire. »

L'envoyé du consulat, imbu d'idées libérales, se lança dans une grande tirade sur la liberté, la dignité de la personne humaine, le droit de tout être à disposer de lui-même.

Virginie l'interrompit :

« Jean-Jacques Rousseau, qui est, je suppose, monsieur, un de vos auteurs favoris, a dit : « La « liberté est un aliment de bon suc, mais de « digestion difficile. Il faut donc y préparer lon-

« guement les hommes, avant que de la leur « donner. » Or nos nègres n'y sont pas préparés. Je crains que ceux qui, aujourd'hui, prônent l'abolition de l'esclavage – mot dont les philosophes ont fait un épouvantail – ne soient demain incapables de contrôler les forces qu'ils vont déchaîner.

– Je vous citerai à mon tour un auteur, madame, qui a sans doute plus de crédit à vos yeux que Rousseau, il s'agit de Bossuet disant : « La liberté peut égarer un peuple; mais elle ne « l'avilit pas. »

– A jongler avec les mots, conclut Virginie en se levant à la fin du dîner, on se donne le vertige. Or il faut demeurer réaliste et se méfier des abstractions, si séduisantes qu'elles soient. Déjà vous connaissez en France et en Angleterre les conséquences de la « famine du coton ». Les Anglais s'apprêtent à fermer des manufactures, car les cotons des Antilles, du Brésil, de l'Inde et de l'Egypte ne suffisent pas à alimenter les tissages depuis que le blocus des Nordistes est devenu plus sévère. En France, à Rouen et à Mulhouse, on compte déjà des chômeurs par dizaines de milliers et les armateurs du Havre sont menacés de ruine. Vos philosophes ont, semble-t-il, perdu de vue l'importance du Sud.

– Mais il n'est pas besoin d'esclaves pour cultiver le coton! Des travailleurs libres pourront le faire aussi bien!

– Non, monsieur. A monter la tête des nègres, on les a persuadés que coton et esclavage étaient synonymes. Ils préféreront s'occuper, pour vivre, à d'autres travaux. Le Roi-Coton est mort, monsieur; vos beaux parleurs, qui n'ont jamais mis les pieds dans une plantation, l'ont tué. A eux d'assumer ce deuil. Les peuples, un jour, leur demanderont compte de leurs utopies! »

Mme de Vigors avait achevé son discours d'une

voix forte et assurée. L'envoyé du consul trouva que, pour une femme qui venait de perdre son mari, elle conservait les idées claires. On lui avait parlé de ces épouses de planteurs languides et ignorantes. La veuve du général de hussards n'appartenait pas à cette catégorie.

Quand, au petit matin, après une nuit paisible, le chancelier voulut prendre le chemin du retour vers La Nouvelle-Orléans, Virginie ne chercha pas à l'en dissuader. Tandis qu'il prenait congé sur la galerie de Bagatelle, on entendait au loin, sur le Mississippi, gronder les canons. Il emportait de la dame de Bagatelle l'image d'une femme orgueilleuse et obstinée, qui forçait le respect et semblait même trouver dans sa fidélité à une cause perdue une certaine volupté.

23

A Port Hudson, la situation devenait intenable. Bombardé depuis le fleuve par les canonnières de Farragut, assiégé du côté des champs par les soldats de Banks, le fortin, isolé sur son piton rocheux, vivait les heures difficiles qui précèdent l'alternative de la reddition ou de la résistance jusqu'à la mort certaine. Les Sudistes tiraient leurs derniers obus et leurs dernières cartouches. Les Nordistes, de leur côté, devinaient que l'obstination dont ils avaient fait preuve allait être récompensée.

Le colonel Tampleton, cavalier égaré au milieu des fantassins, faisait le coup de feu comme un simple soldat. Il comptait sur son cheval, à l'abri avec quelques autres, dans une redoute ruinée, pour décrocher, le moment venu, si les assiégeants lui en laissaient le loisir. Tant de raids accomplis dans les lignes ennemies lui donnaient confiance en son étoile.

« Ils ne prendront la batterie qu'en escaladant nos cadavres », avait proclamé emphatiquement le capitaine responsable de la forteresse.

Blessé aux deux bras, ce dernier ne pouvait d'ailleurs qu'encourager ses hommes à bien mourir.

« Ce serait un sacrifice inutile, observa Tampleton. Même si le fort, dernier verrou du Mississippi, est perdu, il est important de conserver à la Confédération le plus grand nombre possible de combattants. Je propose que la nuit prochaine nous fassions partir tous les hommes encore valides et les blessés légers, par la berge du fleuve, à couvert du fort et des rochers.

– Moi, je reste, dit le capitaine, grisé par la perspective de l'offrande suprême.

– Je ne veux pas vous l'interdire, encore que je considère que vous choisissez la facilité. Vos blessures sont guérissables et vous serez plus utile une fois remis, sur d'autres champs de bataille, que héros mort derrière des canons muets. Votre devoir, notre devoir, n'est pas de nous faire tuer, mais de combattre l'ennemi. »

Willy avait parlé assez sèchement, en réaliste, sans se laisser apitoyer par l'officier aux pansements tachés de sang, au teint livide, au regard brillant de fièvre.

« Je ferai sauter le fortin quand vous serez tous partis, proposa encore le capitaine, exalté.

– Avec quelle poudre, s'il vous plaît ? Vous savez bien que la chambre aux munitions est vide et je ne crois pas que, jusque-là, notre poudre et nos balles aient été mal employées. Croyez-moi, capitaine, filez avec les hommes pendant qu'il est temps et laissez-moi m'occuper du reste. »

Quand la nuit fut tombée, le capitaine se laissa convaincre et l'on se prépara à évacuer le petit fort de Port Hudson. Un à un, les hommes se laissèrent glisser dans les anfractuosités des rochers dominant le fleuve, soutenant les blessés capables de marcher, tandis que les canonniers se tenaient prêts à riposter à toute attaque qui viendrait des bateaux des Yankees.

Willy Tampleton, dans son uniforme de cavalier, encore fort présentable malgré une barbe de quatre jours, surveillait l'évacuation. Il savait qu'à l'aube toute la troupe des éclopés serait regroupée dans les bosquets sur la berge, hors de la vue des marins de Farragut et des soldats de Banks. En marchant vers Bayou Sara, que tenait encore l'infanterie de West Feliciana, les défenseurs du fort échapperaient à l'encerclement. Bientôt Tampleton se retrouva seul avec les servants des pièces.

« Il nous reste huit chevaux et vous êtes treize...

– Mauvais chiffre, fit un vétéran barbu.

– Bon chiffre, au contraire, lança un jeune sergent.

– Bon ou mauvais, il faut vous arranger pour me suivre à treize sur sept chevaux, quand le moment sera venu. Naturellement, si certains d'entre vous préfèrent rester avec les blessés pour être faits prisonniers par les Yankees, je les y autorise. Je ne considère pas que ce soit déshonorant..., car la sortie que je vais tenter n'ira pas sans casse. »

Tout en parlant, Tampleton fixait le vieux canonnier qui n'aimait pas le chiffre treize. Le soldat baissa la tête. Après tout, la vie lui avait donné assez de plaisirs et de tourments pour qu'il n'hésite pas à la risquer encore une fois.

Willy le vit aussitôt prendre les choses en main, c'est-à-dire regrouper les soldats deux par deux en fonction de leur poids.

« Vous, sergent, aurez droit à un cheval pour vous tout seul, dit le vieux, puisque nous serons deux sur chacun des six autres chevaux.

– Non, grand-père; mon cheval, je te le laisse. A ton âge, on a besoin de confort. »

Willy Tampleton sourit. C'était exactement, pensa-t-il, ce que le vieux escomptait !

Quand on vit sourdre au-dessus de la brume blanchâtre, qui par chance recouvrait le fleuve et les berges, une vague lueur ocre, le colonel Tampleton appela son ordonnance, un domestique noir « emprunté » à Percy lors de son dernier passage aux Myrtes.

« Pendant que je me rase, tu vas cirer mes bottes, hein, et comme il faut ! Puis tu brosseras mon uniforme et tu prépareras le café pour tout le monde.

– Et après, je vas avec vous ? interrogea le Noir, visiblement inquiet.

– Non, tu restes ici. Les Yankees ne te feront aucun mal. Tu seras libre. Quand nous serons partis, tu prendras ce mouchoir. » Willy tira de sa poche une pièce de batiste d'une blancheur inattendue. « Et tu l'agiteras au bout d'un fusil, par-derrière le rempart, de ce côté-ci, sans montrer ta tête surtout. Alors les Yankees monteront et tu leur diras : « Bienvenue. » Tu as compris ?

– Oui, mais je crois que j'aimerais mieux aller avec vous, colonel.

– Ce n'est pas possible, les nègres n'ont aucune raison de se faire tuer dans cette affaire. C'est une histoire entre Blancs, comprends-tu ?

– Bon, alors, je retournerai aux Myrtes, colonel, et je dirai à m'sieur Tampleton que tout va bien comme ça !

– C'est une bonne idée ! »

La sortie que tenta, une demi-heure plus tard, le colonel, avec le sergent et les douze canonniers, réussit pleinement. Si le domestique noir de Willy Tampleton n'avait pas été aussi pressé d'agiter le mouchoir de son maître au-dessus du rempart, dès qu'il se vit seul au milieu des blessés et des agonisants, les soldats yankees se fussent peut-être davantage intéressés aux fuyards. Le temps que les fantassins préviennent les cavaliers, qui à cette heure-là se reposaient, Willy et ses hommes étaient loin. Les quelques balles que leur tirèrent les sentinelles de Banks, encore engourdies par la fraîcheur humide de l'aube, ne constituèrent qu'une manière de salut hargneux de la part d'un ennemi satisfait d'enlever une place qu'il assiégeait depuis six semaines, mais étonné de la faiblesse de la garnison qui lui avait si longtemps tenu tête.

A bonne distance de Port Hudson, dans une clairière, Willy Tampleton ordonna une halte.

« Je vous conseille à tous de rejoindre, à Bayou Sara, l'infanterie de West Feliciana. Quant à moi, je vais tenter de retrouver le général Taylor, pour lui rendre compte de la chute de Port Hudson... et continuer avec lui jusqu'à... la victoire! »

Le ton manquait un peu de conviction, mais la détermination était réelle. Tout le monde le comprit. Le colonel répondit au salut du sergent et considéra ces hommes fatigués, juchés, par couples, sur des chevaux qui mâchonnaient leur mors avec lassitude.

« Pauvre troupe! pensa Willy. Escadron grotesque de cavaliers jumeaux, figurants recrutés pour une minable apocalypse; où est ton orgueil et ta grandeur, Sud de nos pères? » Puis il se détourna, éperonna son cheval et disparut entre les ormes et les chênes dont les frondaisons, le soleil étant levé, semblaient s'ouvrir à la lumière avec la pudeur et la retenue des vitraux.

Ainsi, le 8 juillet 1863, par une chaude matinée d'été, on apprit à Sainte-Marie que la garnison de Port Hudson, à demi décimée, avait hissé le drapeau blanc sur ses bastions ruinés. Le verrou sud du Mississippi venait de céder. Les troupes de Banks pourchassaient sur les deux rives du fleuve les Confédérés qui résistaient encore.

« Pour nous, la guerre est près de finir, dit Murphy, une guérilla sans gloire va maintenant se dérouler dans nos forêts, mais la Louisiane appartient désormais à l'Union.

– Le moment est venu de brûler nos cannes et

notre coton », ordonna Adèle Barrow à ses amies rassemblées à l'église-hôpital de Sainte-Marie.

Un sergent qu'on venait d'amputer d'une jambe applaudit en entendant cette phrase.

« Faites le désert devant les Yankees, dit-il d'une voix mal assurée, et mettez mon pistolet à portée de ma main; le premier qui entrera dans cette église est mort!

– Allons, dit l'intrépide vieille fille, et que Dieu soutienne notre vengeance. »

Ce jour-là, Virginie regagna Bagatelle plus tôt que de coutume. Rosa lui apprit que des cavaliers bleus étaient passés devant la maison et que l'un d'eux avait paru noter quelque chose sur un carnet, avant de poursuivre vers Sainte-Marie par la route des berges.

« Ils sont là, m'ame! Mon Dieu, qu'est-ce qu'ils vont nous faire!

– Rien, Rosa, vous ne craignez rien. Préparez mon bain. »

A la fin de l'après-midi, il y eut soudain un grand bruit de galopade sous les chênes. Virginie, qui se reposait nue, sur son lit, se leva et vint à la fenêtre ouverte, dont les rideaux de voile étaient tirés.

Il s'agissait d'un groupe d'officiers, aux bottes poussiéreuses, qui, ayant retiré leurs chapeaux noirs, semblaient se concerter avant de s'approcher de la maison. Soudain, ils s'écartèrent respectueusement pour livrer passage à un cavalier plus âgé, d'allure fière, mais visiblement las et préoccupé. A voir les deux rangs de boutons dorés sur la tunique bleue, les parements de velours noir du collet et des manches et les trois étoiles d'argent qui ornaient les épaulettes, elle identifia sans peine un général des armées de l'Union. Il arrêta son cheval au pied de l'escalier, tandis qu'un major mettait pied à terre. Quand le général prit la parole, elle reconnut sans peine l'accent du Massachusetts.

« Nous allons passer la nuit ici, dit-il. Faites garder l'entrée; les hommes bivouaqueront dans le parc. Voyez, major, s'il reste quelqu'un dans cette maison ! »

Comme l'officier gravissait les marches, Anna, attirée par le bruit, poussa un grand cri puis, troussant sa jupe, traversa la maison en courant.

« M'ame, ils sont là ! Oh ! ils sont là !

– Calmez-vous, Anna, cria Virginie à travers la porte, et dites à ces messieurs que votre maîtresse va descendre. »

Avant de passer une robe, Virginie revint à la fenêtre. Le général devait déjà être entré au salon. De jeunes officiers, affalés dans les rocking-chairs de la galerie, leur sabre entre les jambes, bavardaient.

« C'est à qui le tour de mettre le feu demain, quand le général sera parti ? dit une voix.

– C'est mon tour, capitaine... Celle-ci est en bois, ce ne sera pas difficile. »

La dame de Bagatelle en savait assez. Ouvrant sa penderie, elle demeura un instant perplexe, puis, avisant une robe de plumetis qu'elle n'avait pas portée depuis ses fiançailles avec Adrien, elle l'enfila prestement sur sa chemise de dentelles. Elle mit ensuite un peu de rose aux joues, un nuage de poudre, vérifia la symétrie de ses anglaises et descendit au salon.

Le général et les trois officiers, qui, mains au dos comme des touristes, semblaient admirer les tableaux, se retournèrent en entendant son pas. Tous eurent l'impression que le grand portrait de cette belle femme, qu'ils détaillaient la seconde précédente, venait de s'animer comme un reflet.

« Messieurs ? dit Virginie, parfaitement à l'aise.

– Major Coster, dit un des officiers en s'inclinant. Voici le général Banks, madame, de l'armée des Etats-Unis. Bien que ce soit sans doute déplaisant pour vous, nous comptons passer la nuit sous votre toit... C'est la guerre! »

Le général s'était incliné sèchement, tout en appréciant cette toilette plus que légère pour une dame sudiste.

« Comme il est impossible à une femme seule et sans défense de mettre des intrus à la porte, j'imagine que je n'ai qu'à accepter votre présence, comme celle de visiteurs ordinaires. Asseyez-vous. Mon majordome vous désignera les chambres disponibles. Puis-je vous offrir un peu de porto? »

Le général, ceint d'une écharpe jaune, s'assit sur le canapé, imité par le colonel et le lieutenant qui l'encadraient. Le major quitta le salon.

Quand Brent apparut, portant sur un plateau d'argent qui tremblait dans ses mains le vin et les verres de cristal, le général leva les sourcils d'un air étonné.

« Nous n'avons pas l'habitude d'être accueillis ainsi, madame, et croyez bien que votre compréhension me touche.

– Que voulez-vous, général, étant la veuve récente d'un général français qui vient d'être tué au Mexique où il se battait pour son pays, je sais que les soldats sont aussi des hommes et que, vainqueurs ou vaincus, ils apprécient toujours un verre de porto... Si ça ne vous dérange pas, toutefois, d'être servis par un esclave », conclut ironiquement Virginie.

Banks sourit, en homme qui apprécie l'attitude de son hôtesse forcée.

Quand Brent eut rempli les verres, Mme de Vigors s'empressa de porter le sien à la bouche.

« Vous voyez, dit-elle avec un sourire, mon porto n'est pas empoisonné... »

Aussitôt, la discussion prit un ton détendu, amène. Le général s'enquit de la personnalité de

M. de Vigors, posa des questions sur la plantation, sur le coton, la mélasse et l'indigo.

« Je ne me suis jamais occupée de ces choses, dit Virginie. Nous avions un intendant qui a disparu depuis des mois, les nègres se sont dispersés, les terres sont à l'abandon. C'est une pauvre plantation que voilà, général, vous ne trouverez rien, je le crains, qui puisse vous être utile et cette vieille demeure de bois brûlera facilement..., car c'est bien votre habitude, n'est-ce pas, d'incendier les maisons où vous avez passé la nuit ? »

Banks et ses officiers échangèrent des regards gênés.

« Ce n'est pas une règle, croyez-moi, dit le général, mais comprenez que, l'enne..., les troupes adverses étant proches, notre devoir de soldats est de ne leur faciliter en rien la tâche. S'il nous arrive de détruire des demeures comme la vôtre, ce n'est pas pour le plaisir, mais parce que nous ne pouvons laisser debout des abris pour ceux qui sont hostiles à l'armée des Etats-Unis.

– Dans tous les cas, le résultat est le même, général, pour ceux qui les habitent depuis si longtemps. Il est vrai que votre guerre est une guerre civile ! »

Le général réprima une grimace et, charitablement, Virginie passa à un autre sujet.

Quand vint l'heure du dîner, après que les officiers eurent reconnu les chambres qu'ils souhaitaient occuper, on entendit des éclats de voix dans la cuisine. La porte s'ouvrit brusquement et Anna apparut, écumante de colère, un rouleau à pâtisserie à la main.

« Y en a un qui veut me prendre mes fourneaux, maîtresse, pour faire à manger aux Yankees; s'il quitte pas ma cuisine, je l'assomme ! »

Derrière la brave femme se profilait un grand soldat dégingandé, aux mains rouges, qui parut surpris de voir le général occupé à converser avec

« l'esclavagiste ». Comme le général et les officiers, Virginie sourit.

« Il serait peut-être plus simple, Anna, que vous fassiez à manger pour tout le monde ! Si ces messieurs veulent bien me tenir compagnie dans la salle à manger. »

Le colonel esquissa une protestation, mais le général acquiesça, visiblement satisfait par la perspective d'un repas bourgeois. Virginie pria ses hôtes de l'excuser. Elle avait des ordres à donner pour le dîner. Un quart d'heure plus tard, pendant que Banks et ses officiers achevaient la bouteille de porto, le cuisinier du général, sous le regard sévère d'Anna, plumait les deux poulets qui constitueraient le plat de résistance.

Le repas fut agréable, Virginie s'appliquant à faire oublier aux Yankees leur position d'envahisseurs. Mme de Vigors avait cru bon d'extraire de leur cachette quelques bouteilles de vin, qui contribuèrent à faire oublier pour un moment à ces hommes qu'ils faisaient la guerre et se trouvaient attablés, en territoire ennemi, avec une hôtesse en robe transparente, aussi désinvolte que si elle recevait des amis.

Quand Brent se présenta au dessert pour dire qu'il venait de rosser un militaire surpris à fouiller une chambre du rez-de-chaussée, le général éclata de rire, envoya chercher le major et lui dit clairement qu'il interdisait tout pillage... Virginie le remercia d'un de ces sourires dans lesquels les hommes savent lire d'inconcevables promesses.

« Je suis heureuse de voir, général, que l'armée des Etats-Unis n'est pas cette bande de pillards rassemblée par Butler dont on a dit pis que pendre.

– Notre mission, madame, est de gagner une guerre que nous n'avons pas souhaitée, pour reconstruire l'Union, non de voler des citoyens égarés par les marchands d'esclaves ! »

Le café bu, sur un signe discret du général, les officiers prirent congé, laissant leur chef en tête-à-tête avec la maîtresse de céans. Les domestiques noirs ne furent pas moins étonnés que les soldats, qui bivouaquaient non loin de la maison, ni que les sentinelles de voir, à la nuit tombée, le général Banks prendre le frais sur la galerie avec la dame de Bagatelle.

Virginie se montra volubile, enjôleuse, un peu ironique quelquefois, souvent mélancolique, évoquant devant le guerrier fatigué la douce vie du Sud et s'interrogeant sur l'avenir. Peu à peu, les confidences se firent plus confiantes et, quand Brent servit la tisane de sassafras, il vit, horrifié, que la main du général caressait doucement le bras abandonné de sa maîtresse.

Au petit matin, quand le clairon sonna le réveil, provoquant l'envol des cardinaux et des jaseurs endormis dans le feuillage des chênes, le général Banks rejoignit discrètement la chambre qui lui avait été désignée, pour y faire sa toilette. Son ordonnance apportant l'eau chaude remarqua le lit intact, la gaieté inhabituelle de Nathaniel Banks et se dit que le général avait dû passer, quelque part dans cette maison, une de ses meilleures nuits de guerre.

Debout derrière sa fenêtre, Virginie suivit les préparatifs de départ et entendit enfin la phrase qui la rassurait :

« Le général ne veut pas qu'on brûle cette maison, ni qu'on y prélève quoi que ce soit, disait le colonel. Surveillez vos hommes, messieurs, vous répondrez de leurs manquements devant le Conseil de guerre. »

Elle vit le chef de l'armée du golfe sauter en selle, puis se diriger, accompagné de son état-major, vers l'allée des chênes. Avant de s'engager sous les frondaisons, il se retourna vers la maison, espérant peut-être, derrière une fenêtre aux rideaux clos, une silhouette de femme. Virginie, le visage sévère, ne se montra pas.

La troupe se mit enfin en route en chantant le chant exécré par les Sudistes : *John Brown's Body*[1].

John Brown gît dans sa tombe et son corps se décompose
Mais son âme est en marche,
Gloria, Gloria, Alléluia !
Mais son âme est en marche...

« En marche vers l'enfer, oui, comme tous ceux-là », murmura Virginie.

Bagatelle était sauvée. Elle sonna Rosa, fit changer les draps de son lit et se rendormit.

1. Ecrit par Julia Ward Howe, en hommage à John Brown, pendu le 2 décembre 1859 à Charleston. Ce fut le chant de marche des armées de l'Union.

24

PENDANT les jours qui suivirent, Virginie apprit que les hommes de Banks ne s'étaient pas partout conduits aussi bien que chez elle. Au nord de la paroisse de Pointe-Coupée, ils avaient brûlé deux mille barils de mélasse et quinze mille sacs de maïs, qu'ils ne pouvaient emporter. La maison des Tampleton avait été pillée par un groupe de Fédéraux qui savaient Willy colonel de l'armée sudiste. Enfin, celui que Virginie avait convaincu à sa manière d'épargner Bagatelle formait un corps d'armée noir, nommé « Régiment d'Afrique », qui, encadré par des officiers blancs, commençait à faire mouvement pour occuper les forts récemment conquis.

Tout en donnant satisfaction aux Noirs, lesquels, d'après la nouvelle loi, se trouvaient automatiquement émancipés dans les territoires tombés sous l'autorité des armées de l'Union, le général continuait d'accepter l'appellation d'« esclaves » et reconnaissait volontiers que « les nègres répugnent à tout travail avec ou sans salaire ». Sa nouvelle politique, inspirée par Washington, consistait à remettre en culture les plantations. Peut-être s'était-il un peu avancé en disant à Virginie, au cours de leur tête-à-tête : « Dans les trois années à partir du rétablissement de la paix et sous le système du travail volontaire, l'Etat de la Louisiane produira trois fois autant que dans les années les plus prospères du passé. » Car les planteurs, tant que la guerre continuait, ne tenaient pas à apporter au Nord un concours que les combattants confédérés n'eussent pas manqué de considérer comme une trahison.

Cependant, les ressources s'épuisaient, il fallait bien envisager de produire pour subsister. Aussi les contrats proposés aux planteurs pour régulariser leurs rapports avec les Noirs libres n'étaient-ils pas repoussés par tous. Ces contrats, d'ailleurs, n'impliquaient pour le planteur aucune renonciation à ses droits de propriété sur l'esclave. Ainsi, encouragés à retourner sur les plantations, les Noirs devaient s'engager à travailler « avec diligence et fidélité, à observer une conduite respectueuse à l'égard de ceux qui les employaient et une parfaite soumission à leurs devoirs ». Les planteurs ou autres employeurs devaient, de leur côté, s'engager à les nourrir, les vêtir, les traiter convenablement et à leur donner en fin d'année le vingtième de la récolte, qu'ils se partageraient, ou une indemnité mensuelle fixe ainsi déterminée : trois dollars pour les cochers, ouvriers, sucriers; deux dollars pour les travailleurs des champs valides, hommes ou femmes; un dollar pour les domestiques de maison.

Brent remarqua tout de suite que c'était beaucoup moins que ce que Virginie lui donnait chaque mois à titre de cadeau et Iléfet, le valet de Clarence, qui depuis le départ de son maître vivait dans une absolue vacuité, émit aussitôt la prétention de refuser une liberté aussi peu profitable.

Le général Banks avait fait savoir par ordonnance : « Tous les nègres qui n'auront pas d'occupation seront employés aux travaux publics. »

Si les Noirs ayant de bons maîtres retournaient volontiers chez ceux-ci, une fois l'exaltation de l'émancipation retombée, ceux qui avaient eu à souffrir de sévices se gardaient bien de se montrer. On voyait surtout revenir dans les domaines des femmes, des enfants, des vieillards et des infirmes.

Les nouveaux règlements prévoyaient que les Noirs ne seraient pas autorisés à demeurer sur une plantation à laquelle ils n'appartenaient pas et qu'il ne leur serait permis de quitter celle à laquelle ils seraient liés par contrat que munis d'un laissez-passer du propriétaire. Enfin, leurs désobéissances seraient punies. Le général Banks avait également procédé à la nomination d'un « surintendant au travail nègre », après avoir déclaré que « la propriété des esclaves, évaluée en Louisiane à cent soixante millions de piastres, avait cessé d'exister ». Les contradictions flagrantes relevées dans les différents textes réglementant le travail des Noirs prouvaient, d'après les planteurs, l'incapacité dans laquelle les abolitionnistes se trouvaient de décider clairement et sans démagogie de l'avenir du Sud agricole.

Les gens généreux, qui approuvaient les mesures d'émancipation, ne voyaient dans cette attitude qu'un désir de soumettre les Noirs libres à des contraintes à peu près identiques à celles qu'ils connaissaient auparavant, l'insécurité compensant les obligations serviles abolies.

« En fait, dit Clément Barrow, on ne leur a donné qu'un mot comme un hochet : liberté. Le jour prochain où ils s'apercevront que ce vocable est vide de signification, les Yankees auront fort à faire... »

Virginie voyait chaque jour revenir à Bagatelle des travailleurs des champs qui, désertant l'armée confédérée à laquelle on les avait confiés, réclamaient « m'sieur Dand'ige » pour reprendre le travail. La plupart de ces hommes étaient hâves, décharnés, inquiets. Ne pouvant elle-même les remettre au travail, les contremaîtres allemands s'étant enrôlés dans les unités sudistes, elle se contentait de les faire nourrir avec l'aide du vieux Télémaque, en attendant elle ne savait quel miracle.

« Y veulent tous des contrats, maîtresse, disait le chef de la chorale, y veulent planter le coton, y veulent être des esclaves volontaires..., que tout revienne comme avant. »

Elle passait maintenant toutes ses matinées à l'hôpital de la plantation, où avaient échoué quelques blessés.

« C'est pitié, disait-elle à Murphy, de voir ces pauvres bougres auxquels on a donné une pelle en guise d'arme et qui se sont fait tirer dessus par les Nordistes, leurs soi-disant libérateurs. J'ai décidé de tous les émanciper afin de leur laisser le choix de leur avenir.

– Quel choix? Il faut qu'ils mangent, qu'ils dorment, qu'ils aient un toit. Or seule la plantation peut le leur procurer.

– Si seulement Clarence était là, soupirait Virginie, il remettrait les choses en train. Le coton ne demande qu'à pousser! »

De la même façon qu'on avait vu arriver à Bagatelle, au lendemain de la chute de Port Hudson, le général Banks, un soir de novembre on vit arriver le général Richard Taylor.

« C'est les gris, cria Anna. Ils ont dû tuer tous les bleus! »

La cuisinière se faisait des illusions. Le général, entouré de quelques officiers, tous aussi exténués que lui, venait de conduire une attaque sur les arrières de Banks, qui remontait par les rives du Mississippi vers Vicksburg, où l'armée de Grant faisait maintenant la loi.

Virginie, toujours aux aguets derrière sa fenêtre, constata que les Confédérés paraissaient en bien plus piteux état que les Nordistes. Un jeune lieutenant braillard criait sur la galerie que, les Fédéraux ayant fait ripaille dans cette maison, avec l'assentiment de la maîtresse de maison, il convenait d'en faire autant, de pendre la traîtresse et de mettre le feu à la plantation, où Banks, ayant été si bien accueilli, pourrait être tenté de revenir.

« Ce sont les nôtres, pensa Virginie, et ils me paraissent plus dangereux que les Yankees. »

Déjà, depuis sa chambre, elle entendait des bruits de bottes dans la maison, des meubles déplacés. Sans hésiter, elle passa la robe de plumetis dont elle connaissait le pouvoir de séduction et descendit au salon.

« Messieurs, dit-elle, tombant au milieu d'un groupe débraillé, que cherchez-vous ?... Il n'y a pas de Yankees ici.

– S'il n'y en a pas, il y en a eu, hein..., et pour l'heure nous cherchons à boire, dit un lieutenant.

– On vous donnera à boire quand vous aurez sorti de vos poches ce que vous venez d'y mettre et que vous vous serez présentés. Je suis l'épouse du général de Vigors et les militaires surexcités ne me font pas peur ! »

Le général Taylor, affalé sur le sofa, se leva, joignit les talons et se présenta puis, d'un geste de la main, congédia son état-major.

« Excusez cette intrusion, mais nous venons de nous battre pendant deux jours du côté de Mansura. Nous devons nous reposer.

– Vous êtes le bienvenu, mais, de grâce, que vos hommes se conduisent correctement ! Tout ce que j'ai appartient à la Confédération, encore ne faut-il pas traiter cette maison plus mal que ne l'ont fait les Yankees. »

Dick Taylor s'inclina.

« On nous a dit que vous les aviez accueillis

assez aimablement, madame, or ce sont des ennemis...

– Que vouliez-vous que je fasse, seule et sans une arme, que je leur griffe le visage?... Vous n'aviez qu'à être là pour me défendre, mon cher. Je n'ai pensé qu'à sauver ma maison et ma peau.

– De là à les nourrir et à les abreuver somptueusement, il y a une marge.

– Ils se sont servis sans ma permission, croyez-moi..., comme vos hommes s'apprêtaient à le faire tout à l'heure. Mon ami le colonel Tampleton sera heureux d'apprendre comment se conduisent les Confédérés!

– Le colonel Tampleton est devenu général, madame, depuis quelques jours, et je le connais bien.

– Quand vous le rencontrerez, demandez-lui donc ce qu'il pense de Mme de Vigors, général, et vous saurez si je suis capable des vilenies que vous me reprochez. »

Le général, penaud, présenta des excuses.

« C'est la guerre, une mauvaise guerre, madame, et nous avons tendance à oublier les bonnes manières.

– Quand on est le fils d'un président des Etats-Unis, on ne les oublie pas, général..., mais je vous pardonne. Je vais vous faire préparer un bain et Anna trouvera bien le moyen de vous confectionner un repas convenable. J'ai réussi à sauver de la fureur des Yankees une carafe de vieux porto et quelques bouteilles de vin. Je suis certaine que vos officiers se tiendront bien à ma table. »

Le lieutenant réapparut avec deux majors, dont l'un portait un bras en écharpe. Brent passa la porte, cette fois sans trembler. Les gris, dont les uniformes viraient au kaki, après des mois de campagne, n'étaient-ils pas des amis? Anna, de son côté, ne se fit pas prier pour se mettre en cuisine.

« Je suis allé faire un tour jusqu'à votre hôpital, dit le major blessé, pendant que le général prenait son bain; mon sergent a reconnu parmi les nègres qui sont là quelques déserteurs d'une compagnie de terrassement du 3e régiment... On les pendra demain matin! »

Virginie sursauta.

« Comment? Mais vous êtes ici chez moi, major, et ces nègres m'appartiennent. Ils sont revenus ici se faire soigner. Ils rejoindront l'armée dès qu'ils seront guéris... Vous déraisonnez! »

Lavé, brossé, rasé, le général Taylor revint, fort à propos pour imposer silence au zélé major.

« Soyez assez aimable pour envoyer votre sergent chasseur de déserteurs à la cuisine, major, il y a des poulets à plumer! »

Le repas fut paradoxalement moins gai que celui qu'avait présidé quelques jours auparavant le général Banks. Restauré et confiant, le général Taylor, redevenu le parfait gentleman que toute l'armée confédérée appréciait, évita de parler des horreurs des champs de bataille.

« Un jour, nous rendrons à la Louisiane sa splendeur prisonnière », dit-il avec plus de courtoisie que de conviction.

Virginie, qui le savait secrètement abolitionniste, comprenait la tristesse de ce guerrier valeureux. Sa tragédie n'était pas de combattre du côté que sa conscience lui désignait peut-être comme le mauvais camp, mais, loyal et fidèle, de savoir que ses ennemis n'avaient pas complètement tort.

Quand les officiers, qui tombaient de sommeil, se furent retirés, elle convia son hôte à boire une tasse de tisane devant la cheminée du salon, où crépitaient des bûches odorantes. En suivant du regard la danse frénétique des flammes, le général se laissa aller à sa mélancolie, savourant, avec cette halte heureuse entre deux dangers, le bref retour à la paix domestique dont tout homme, même le combattant le plus enthousiaste, a parfois besoin.

« Quand retrouverai-je des soirées comme celle-ci, silencieuses et calmes, près d'une femme douce, dans une maison sûre ? La guerre m'épargnera-t-elle assez longtemps pour que je voie la paix restaurée, les bals, les grands pique-niques sous les magnolias et les promenades en bateau sur le fleuve ?... »

Virginie, qui s'était déplacée pour moucher une chandelle, passa devant le foyer, révélant ainsi, au général méditant, les transparences audacieuses du plumetis. Il ne chercha pas à dissimuler les regards qu'il portait sur cette silhouette. A cinquante ans passés, Virginie conservait un corps exceptionnellement attirant et, les restrictions de l'année écoulée lui ayant fait perdre quelques kilos superflus, il pouvait susciter tous les désirs. Aussi, quand la dernière bûche s'écroula dans un jaillissement d'étincelles, criblant la pénombre du salon d'un feu d'artifice mauve, elle ne fut pas étonnée de sentir se poser sur sa main celle du général. Complice, elle sourit. Le regard profond et doux de l'officier ressemblait à ceux des grands blessés de l'église de Sainte-Marie.

Elle se leva, lui mit un baiser au front et dit dans un souffle :

« Venez, je veux que cette nuit soit pour vous faite de paix... et d'amour ! »

Au matin, Virginie dut réveiller le soldat enfoui près d'elle dans les couvertures.

« Je ne suis pas Calypso, dit-elle doucement. Ulysse doit reprendre son glaive... »

Cette fois-ci, elle écarta les rideaux pour adresser un geste de la main au général, au moment où la petite troupe, s'engageant sous les chênes, quitta la plantation. Un peu honteux de s'être ainsi abandonné à l'étreinte ardente d'une inconnue, il éperonna son cheval, salua en agitant son feutre délavé, puis entonna *Dixie,* le chant du Sud :

J'aimerais retourner au pays du coton,
Car tout y reste comme au bon vieux temps.
Hélas ! comme il est loin, mon pays de Dixie !

Les dernières paroles, reprises en chœur par les cavaliers, furent couvertes par le bruit des sabots des chevaux et étouffées par la voûte verte des branches.

Mme de Vigors se mit à sa toilette, consciente d'avoir une seconde fois convaincu la guerre d'épargner Bagatelle. Quand elle traversa le grand salon, il lui sembla que les marquis de Damvilliers, penchés dans leurs cadres comme des spectateurs accoudés dans leurs loges de théâtre, lui souriaient.

A quelques jours de là, Ed Barthew et Mignette vinrent avec leur enfant demander l'hospitalité. Leur maison de Bayou Sara avait brûlé comme la plupart de celles de la petite ville, après un bombardement yankee qui n'avait d'autre but que de déloger quelques tireurs confédérés embusqués sur la berge et qui, armés de carabines Spencer à répétition, abattaient comme des marionnettes de foire les marins de l'Union sur leurs navires.

Quand elle les eut installés, Virginie questionna l'avocat sur les mouvements de troupes et voulut connaître son opinion sur l'issue du conflit.

« Pour la Louisiane, la guerre se termine, dit-il, mais elle se poursuit au Nord. Les Fédéraux ont battu nos troupes à Chattanooga, dans le Tennessee. Il paraît que Lincoln a promis le pardon à tout Confédéré qui prêterait serment à l'Union. »

Barthew, d'habitude si confiant, paraissait pessimiste.

« Si Beauregard avait marché sur Washington après la victoire de Manassas-Bull Run, le Sud aurait gagné la guerre. Maintenant, tout dépendra des ressources en hommes et en matériel des armées, mais je crains que nos Etats ruinés ne succombent l'un après l'autre et que les Yankees n'amollissent la résistance dans les pays conquis. Ainsi, La Nouvelle-Orléans a retrouvé son visage du temps de paix. Les affaires reprennent et les bateaux venant d'Europe livrent chaque jour ces marchandises dont le blocus nous avait privés. Mme Augé, la marchande de nouveautés, s'est rendue en France et a rapporté, si l'on en croit l'annonce parue dans les journaux, un grand choix d'articles, perruques, parfumerie de Lubin, Violet et Pinaud, gants de Jouvin, peignes d'écailles, blanc de perle, etc. Le cognac, le vermouth, l'absinthe de Pernod ont réapparu sur les comptoirs... M. Périer, de la rue Royale, a reçu des pianos de Pleyel, d'Erard et de Debain. Les Orléanais commencent à dire que la guerre ne les concerne plus. Ils aspirent au retour de la prospérité. Déjà on donne des bals où les officiers yankees ne manquent pas de danseuses. Depuis la destitution de Butler, beaucoup de gens trouvent que la nouvelle administration, qui les protège des exactions des nègres, est satisfaisante. Regardez, Virginie, ce qu'on lit dans *L'Estafette du Sud*, qu'édite M. Lefranc. »

Virginie prit le journal que lui tendait l'avocat et lut, sous le titre « Un secret divulgué » : « Connaissez-vous, madame Beggs, le bruit qui court ? – Non, nullement, j'ignore, dites donc vite ce dont il s'agit. – Oui, mais j'ai promis d'être discrète comme une tombe. – Je vous jure que je vous aiderai à tenir le secret. Si vous me le révélez, je veux mourir à l'instant où je le trahirai. – Eh bien, Mme Fuddy m'a dit hier que Mme Trot lui avait dit que la sœur de son mari était informée par une personne qui l'avait rêvé que la fille aînée de Mme Trouble avait dit à Mme Fickner que sa grand-mère savait, par une lettre venue du frère aîné de la belle-fille de son second mari, que le bruit était accrédité qu'un chaland d'huîtres arrivé des îles Fidji rapportait la nouvelle que les sirènes de ces régions portaient des crinolines. »

« Voilà à quoi s'amusent les journalistes de La Nouvelle-Orléans, tandis que le Sud lutte pour sa survie... Les femmes ne pensent qu'à se procurer des crinolines pour singer les belles de la cour de Napoléon III. Pareille puérilité est une misère dans les circonstances actuelles, ne trouvez-vous pas ?

– Il faut comprendre les femmes, Ed, elles n'aiment pas la guerre, elles s'en lassent vite. Sitôt la frayeur passée, elles veulent vivre, vivre seulement !

– Heureusement que dans les plantations elles se conduisent autrement que les perruches de La Nouvelle-Orléans ! Mais vous, Virginie, que comptez-vous faire ?

– Je suis fatiguée, Ed, terriblement fatiguée. Je me sens si seule dans cette immense maison ! L'argent va bientôt me manquer. Je vendrai mes bijoux, bien sûr, mais cela prolongera de combien de temps l'agonie de la plantation ? Si Clarence était là... »

Souvent le soir, malgré le froid de l'hiver, Virginie, emmitouflée dans ses châles, marchait sous les chênes jusqu'au fleuve. Il lui prenait de soudaines envies de faire ses bagages et, maintenant que la navigation était rétablie sur le Mississippi, de quitter ce pays à jamais, pour aller retrouver une vie facile à Paris, non seulement Gratianne, mais aussi Charles, ce fils longtemps négligé et qui occupait de plus en plus ses pensées.

La race des marquis de Damvilliers était éteinte. Pour qui avait-elle défendu la plantation ? Pourquoi s'était-elle livrée comme une fille à des soldats sevrés de tendresse, sinon pour ce garçon dont elle espérait un jour le retour ?

Sa peine la submergeait, intarissable comme les eaux du fleuve, fidèles et indifférentes. Le Mississippi charriait, en cette saison, des débris de bateaux incendiés, que le courant emportait avec les troncs d'arbres morts et les branches sèches, épaves ajoutées par l'homme aux déchets de la nature. Toujours, en revenant vers la maison, dont la façade perdait de jour en jour son altière blancheur, elle s'arrêtait devant la tombe de Julie.

Et là, chaque fois, elle retrouvait un peu de courage. L'image de sa fille et la présence sous la terre foulée d'un corps déjà putréfié justifiaient qu'elle se cramponnât au domaine, comme à son dernier bien.

Mignette et son mari s'inquiétaient de la voir ainsi errer, douloureuse et muette, comme un spectre noir. Le docteur Murphy l'observait à la dérobée et la voyait glisser doucement vers la renonciation. Elle ne changeait plus de robe, négligeait sa coiffure et répondait à toutes les suggestions qu'on lui faisait : « A quoi bon... maintenant ! »

« La dose de déception infligée à notre Virginie, dit le médecin à Barthew, le soir qu'ils vidèrent la dernière bouteille de bourbon, a été trop forte. Je crains qu'elle ne perde le sens des réalités, ne devienne une douce folle dont l'esprit nous échappera et qu'il faudra surveiller comme une enfant.

– Que peut-on faire pour lui rendre la volonté

de lutter ? N'y a-t-il pas un remède ? A quoi sert votre science, Murphy ?

– Je sais soigner les corps malades, pas les esprits dérangés, mon vieux. Il paraît qu'ils ont maintenant en Europe des médecins pour cela. Mais je ne crois guère aux méthodes de MM. Falret et Baillarget et pas davantage aux théories de Guillaume de Griesinger sur l'inconscient et les traumatismes du moi... Il y a peut-être une chose à tenter..., mais le moment n'est pas encore venu !... »

L'espèce de fausse paix imposée à la paroisse de Pointe-Coupée par l'occupation yankee était troublée, certains jours, par l'apparition de cavaliers sudistes, engagés dans quelque raid contre les Nordistes. En janvier 1864, les canons du *La Fayette*, un cuirassé des Etats-Unis, envoyèrent leurs obus sur Saint-Francisville où se cachaient des Confédérés. Comme toujours, on colportait des bruits suivant lesquels le sous-marin sudiste *Hunley*, qui, lors de la première bataille de l'Histoire entre submersibles, avait coulé le *Housatonic* construit par les Fédéraux, allait remonter le fleuve et envoyer par le fond les bateaux de Farragut.

On ne vit jamais ce squale d'acier réputé invincible.

La résistance sporadique des Louisianais ne se manifestait plus qu'à l'occasion d'entreprises suicidaires ne manquant pas de panache. Celles-ci apportaient aux combattants des forêts des satisfactions d'amour-propre, mais la population et les plantations faisaient ensuite les frais de la colère yankee.

Le printemps s'annonçait librement dans les champs qu'on ne travaillait plus, malgré les objurgations des autorités fédérales. La force d'inertie demeurait la seule arme contre les occupants. « Rendez les prisonniers louisianais que vous détenez, disaient les planteurs, et ramenez nos nègres, sans les uns et les autres nous ne pouvons relancer les cultures. » Les Nordistes se refusaient à renvoyer chez eux des hommes qui, sitôt libérés, eussent repris les armes. Le général Grant s'opposait même à tout échange de prisonniers, sachant que le Sud commençait à manquer de soldats. Quant aux Noirs décidés à travailler, les planteurs les éconduisaient, préférant vendre peu à peu tout ce qu'ils possédaient pour subsister, plutôt que de fournir coton et sucre à l'Union.

« Le Sud occupé se laissera mourir d'inanition, pronostiquait Barthew. C'est une attitude noble, mais vaine. Il pourrait bien arriver que les planteurs soient expropriés et que leurs terres en friche soient livrées à des émigrants moins scrupuleux. Je sais que les gens de Washington envisagent d'employer cette méthode pour anéantir à jamais notre société agraire et aristocratique.

– Il faudrait que, passant outre, dit Murphy, quelques planteurs donnent l'exemple et se décident à voir plus loin que cette guerre, que nous avons manifestement peu de chances de gagner. »

Tirée de sa léthargie, Virginie parut ce jour-là s'intéresser à la discussion.

« " Passer outre ", c'est la devise des Damvilliers. Si je pouvais, je préparerais les semailles, même au risque de me faire traiter de félonne... Mais, hélas ! je suis seule... et à quoi bon !

– Je vais m'absenter quelques jours, annonça Murphy. Il faut que j'aille à La Nouvelle-Orléans chercher des médicaments. Soyez sans inquiétude pour moi. Je tâcherai de ramener aussi quelques caisses de whisky..., remède souverain, à mon avis, à beaucoup de maux ! »

Après le départ du médecin, l'humeur de Mme de Vigors devint encore plus sombre. Seule la présence du petit Clarence Barthew, qui s'essayait à marcher, la distrayait de sa mélancolie.

Malgré les efforts d'imagination d'Anna pour accommoder le maïs et les patates douces, Virginie mangeait du bout des dents. Elle se mettait au clavecin et jouait pendant des heures pour elle-même, le regard vide, un étrange sourire aux lèvres.

C'est la musique qui, par un après-midi de mars, empêcha Mignette, occupée à ravauder une guimpe, d'entendre le pas d'un cheval remontant l'allée. Le grincement des marches, par contre, lui fit lever les yeux de son ouvrage, qui, soudain, lui échappa des mains.

Dans l'encadrement de la porte se découpait la silhouette familière de Clarence Dandrige. Au cri que poussa Mme Barthew, Virginie interrompit son jeu et, pivotant sur son tabouret, découvrit à son tour l'apparition. Elle resta un moment immobile, les yeux écarquillés, puis, glissant de son siège, tomba évanouie sur le parquet. Le docteur Murphy, pénétrant dans le salon sur les talons de l'intendant, se précipita pour la relever.

« Ce n'est rien, dit-il. Je pensais que les choses se passeraient ainsi... »

Une heure plus tard, dans le jour déclinant, Dandrige étant assis seul à son chevet, la dame de Bagatelle parlait d'abondance. Après avoir annoncé à Clarence la mort de Charles de Vigors, elle voulait tout savoir de la façon dont lui-même avait passé son temps pendant les mois écoulés.

« J'étais à Morganza, chez les Mertaux. Nous vivions tant bien que mal en nous efforçant d'aider les hommes de Taylor à se cacher quand on annonçait une offensive yankee...

– Vous avez vu le général Taylor ? demanda Virginie, anxieuse.

– Oui. Il m'a parlé de vous comme d'une très grande dame, supportant dignement l'adversité, fit l'intendant avec douceur.

– Vous êtes revenu, enfin, répétait Virginie

pour la centième fois, vous n'imaginez pas ce que furent ces jours de guerre... Mais je ne vous en veux pas d'être parti... Murphy m'a raconté... Comme j'ai regretté... »

Dandrige baissait la tête, grave et humble. Ses cheveux blancs aux ondulations courtes, son teint hâlé, son visage maigre et sec, aux méplats accusés, les rides fines de son front ne parvenaient pas à altérer l'air de jeunesse qui émanait encore de sa personne. Son regard conservait cette impassibilité redoutable qu'on voit dans l'œil des grands fauves. Il osait à peine le laisser s'appesantir sur Virginie, craignant qu'elle n'y lise une appréciation décevante. En quelques mois, la dame de Bagatelle s'était flétrie. Sa beauté demeurait perceptible, mais comme affadie. Ses cheveux, devenus ternes, viraient au gris-roux. La chair de son visage avait perdu son éclat. Les pulsations de la vie semblaient ne se manifester qu'en sourdine dans ce corps las. Ce qui impressionnait le plus l'intendant, c'était la façon dont Virginie guettait, de ces pupilles inquiètes et mobiles, un signe de compassion, un mouvement de générosité, chez son interlocuteur.

Pour la première fois, la dame de Bagatelle lui parut pitoyable comme une naufragée. Il savait qu'elle espérait un appui, que lui seul pouvait offrir, une promesse qui dissiperait son angoisse, un démenti à sa conviction que tout était perdu.

Clarence hésitait à prononcer les mots qui lui venaient à l'esprit et qu'elle souhaitait entendre, se demandant à quel point Virginie était parvenue, si elle ne se méprendrait pas encore une fois sur l'importance et la qualité du défi qui devenait la seule issue encore ouverte sur la vie.

« Demain, finit-il par dire, nous parlerons de choses sérieuses. Reposez-vous, évitez de vous tourmenter avec des questions qui trouveront tout naturellement leurs réponses. »

Il se leva avec précaution, comme lorsqu'on prend congé d'un malade.

« Mais vous restez, n'est-ce pas... Oh ! dites-le-moi, Clarence, vous restez avec moi ?...

– Oui, je reste, Virginie...

– Vous ne restez pas par pitié, au moins ! »

Ses lèvres tremblaient et des larmes d'humiliation se répandirent sur ses joues. Avec elles s'épanchait son orgueil. Elle lui prit la main nerveusement.

« Non, je ne reste pas par pitié. Reposez-vous. »

Avant de rejoindre les autres au salon, il sortit sur la galerie, aspira à pleins poumons l'air frais, chargé de toutes les senteurs familières de Bagatelle, fit sauter avec l'ongle du pouce une lamelle de peinture au flanc d'une colonne, tendit l'oreille au frôlement lointain du fleuve, contre les roseaux des berges. Une chauve-souris vint survoler cette silhouette figée dans la nuit et, ayant reconnu l'odeur de l'homme, s'en fut plonger dans le feuillage d'un chêne, où elle se suspendit, attentive, dans les plis de ses ailes de soie.

Quand Virginie s'éveilla, Dandrige avait déjà inspecté le village des esclaves, où les Noirs l'accueillirent avec de grandes démonstrations d'amitié et où Télémaque lui offrit son imbuvable liqueur d'écorce.

« On va travailler, m'sieur Dand'ige ?

– C'est vous qui déciderez maintenant, vous êtes des hommes libres, à ce qu'on m'a dit.

– On peut travailler quand vous voulez, m'sieur Dand'ige.

– Je reviendrai, Télémaque, dis aux autres qu'il me faut un peu réfléchir à tout ça. »

Mme de Vigors, ayant confié sa chevelure à Rosa et passé une robe claire, apparut au petit déjeuner, qu'elle ne prenait plus en commun depuis longtemps.

« C'est une résurrection », fit joyeusement Mignette.

Virginie eut un geste évasif de la main qui voulait traduire ce que pouvait avoir de provisoire cette métamorphose. Anna, devinant peut-être que cette journée serait différente des autres, produisit un pot de confiture de noix de pécan. Sitôt le repas achevé, Mignette et son mari s'éclipsèrent, laissant Dandrige en tête-à-tête avec Virginie.

« J'ai fait atteler le cabriolet, dit l'intendant. Nous pourrions peut-être faire un tour du propriétaire, pour voir l'état de la plantation. »

Mme de Vigors acquiesça docilement.

« Prenez un châle, dit Clarence. Il fait frais ce matin. »

Sous les chênes, un jeune palefrenier noir, inconnu de Dandrige, tenait la bride de la vieille jument à la robe pommelée.

« Où est Bobo ?

– A l'hôpital. Des rhumatismes ou je ne sais quoi. Il est vieux maintenant, comme moi..., comme vous..., comme tout ! »

Son panama incliné sur les yeux, car ils allaient face au soleil, Dandrige mit la jument au trot pour sortir de la propriété, mais, dès que le cabriolet eut tourné à gauche sur le chemin longeant le fleuve, il lui rendit son allure normale, qui était le pas.

Virginie se tenait silencieuse et droite sur le siège capitonné, les yeux mi-clos à cause de la lumière vive. Maintenant, toute décision ne pouvait venir que de l'homme assis à côté d'elle. Les coudes appuyés sur les genoux, il tenait les rênes d'une main molle, laissant la jument à sa cadence de promenade, le regard sur l'horizon.

« Voilà, finit-il par dire. Nous allons remettre Bagatelle en exploitation. Il y a du travail, beaucoup de travail..., mais, si nous nous dépêchons, nous pourrons tout de même faire une récolte de coton cette année. J'ai assez d'argent pour acheter de nouvelles charrues à soc de fer et nous possédons assez de graines pour ensemencer. Nous proposerons aux esclaves, je veux dire aux nègres, de bons contrats et nous les intéresserons à la récolte... pour les encourager... »

Puis il se tourna du côté de Virginie, dont le châle avait glissé, découvrant les épaules. Avec soin, d'un geste naturel, il remit le lainage en place et reprit :

« Le Sud que nous avons connu est mort, Virginie, quelle que soit l'issue de la guerre. Je ne pense pas que les sécessionnistes l'emporteront et rien ne sera jamais plus comme avant. L'esclavage ne sera pas rétabli. Il faut nous préparer à une autre existence. Nous allons devoir faire un grand pas dans le temps pour nous rapprocher de cette société que nous avons méprisée. L'aristocratie terrienne a cessé de faire la loi. Ce sont les goûts et les besoins de la masse – une entité que j'exècre – qui, demain, commanderont les choix économiques. En échange de la docilité démocratique et matérialiste, nous laissera-t-on, sans doute, la liberté de l'esprit. C'est par lui que le Sud survivra. »

Il se tut, puis devant le mutisme de Virginie, qui semblait encore attendre d'autres mots, il reprit :

« Peut-être vous êtes-vous demandé pourquoi je ne me suis pas engagé dans cette guerre, née au plein midi des jours heureux et que beaucoup croyaient inévitable et juste. Je ne me suis pas battu parce que le droit des hommes est du côté des Yankees hypocrites que nous tenons pour barbares. Nous, Cavaliers du Sud, dépositaires de l'honneur des pionniers, avons commis le grand péché de maintenir en esclavage des êtres dont la peau est noire et l'esprit inculte. Nous leur avons ravi ce qui est donné à tout homme dès sa naissance : la propriété de lui-même. Pierre-Adrien avait compris cela. Nous payons aujourd'hui le prix de notre entêtement, de nos justifications spécieuses, de l'égoïsme atavique de notre race. Le Dieu auquel croyait Adrien, Virginie, et qui recrute ses mercenaires où bon lui semble, est du côté des Yankees. A nous maintenant d'être les Justes... »

Timidement, Virginie passa son bras sous celui de Clarence.

« Je sais que vous avez raison, que notre cause n'était pas la meilleure et que le vrai courage consiste parfois à passer pour lâche, alors que ceux mêmes qui vous accusent savent que vous ne l'êtes pas. »

Ils s'étaient arrêtés devant un champ immense, sorte de brousse naine au milieu de laquelle des arbustes, déjà, dressaient leurs têtes. Libérée du contrôle des hommes, la terre exsudait toute sa force végétale, anarchique et superbe.

« Quelle misère ! » dit Virginie, se souvenant de l'alignement discipliné des cotonniers.

Dandrige descendit du cabriolet, tendit la main à sa compagne et, côte à côte, ils s'avancèrent vers cette savane dense et fraîche. Spontanément, il passa son bras autour des épaules de Virginie, l'attira contre lui, ôta son chapeau, se pencha vers le visage de cette femme, sur ses yeux bleus pailletés de noir où il ne put lire que de la vénération.

Dès lors, elle sut ce qu'elle désirait si intensément savoir : quoi qu'il arrive, quelles que soient l'issue de la guerre et la couleur du ciel de demain, ils étaient liés l'un à l'autre et Bagatelle serait leur territoire jusqu'à la mort.

Avec autorité, il l'entraîna dans les hautes herbes, toutes bruissantes d'insectes neufs. Parmi les touffes drues, un surgeon de cotonnier à demi étouffé dardait sa fleur jaune. Clarence la cueillit avec respect, puis la glissa dans la dentelle de la guimpe, sur la poitrine de Virginie.

« Voilà, dit-il, mon présent de ce jour et mon engagement à jamais. »

Lentement, ils revinrent vers le fleuve. Le cheval, que Dandrige avait négligé d'attacher, s'était éloigné, retournant à l'écurie en tirant le cabriolet vide.

« Savez-vous, dit Virginie, que le général Tampleton – Willy, veux-je dire – m'a de nouveau adressé une demande en mariage?... Je ne lui ai pas encore répondu!

– Et qu'allez-vous lui répondre?

– Qu'il est bien tard, et qu'il n'est pas de plus beau spectacle au monde qu'un champ de coton blanc, sous le soleil, quand c'est l'homme auquel on a donné son âme qui l'a fait éclore! »

Dandrige, avec la vraie tendresse de ceux qui ont dépassé la simple impétuosité des désirs charnels, sourit à Virginie.

Et, main dans la main, comme s'ils allaient vers un monde à découvrir, ils prirent l'étroit chemin de la berge, au bout duquel était leur maison.

OUVRAGES CONSULTÉS

ARNAUD (Achille), *Abraham Lincoln*, Charlieu Frères et Huillery, Libraires-Editeurs, Paris, 1865.

BELPERRON (Pierre), *La Guerre de Sécession*, Librairie Académique Perrin, Paris, 1973.

Cahiers de politique étrangère, dirigés par Gabriel-Louis Jaray, *Louisiane et Texas*, ouvrage collectif. Paul Hartmann Editeur, Paris, 1938.

CALHOUN (Nancy Harris and James), *Plantation Homes of Louisiana*, Pelican Publishing Company Gretna. LA, 1974.

CATLIN (Georges), *Les Indiens de la Prairie*, Club des Libraires, Paris, 1959.

CHARDON (Louis de), *Damvilliers et son canton*, Cogere à Verdun, 1973.

CIBA (les Cahiers), *La Nouvelle-Orléans, Marché du Coton*, n° 49, vol. V, Bâle, septembre 1953.

CRUCHET (René), *En Louisiane*, Delmas, Paris, 1937.

DAVID (Jean), *Le Coton et l'industrie cotonnière*, P.U.F., Paris, 1971.

GARNIER (Paul), *Charles X*, Fayard, Paris, 1967.

GIRAUD (Marcel), *Histoire de la Louisiane française*, cinq volumes, Presses Universitaires de France, Paris, 1946-1953-1958-1966-1974.

GRANDMAISON, *Histoire pathétique du peuple acadien,* Etudes, Paris, avril 1922.
HURET (Jules), *En Amérique : de New York à La Nouvelle-Orléans,* Eugène Fasquelle, Paris, 1906.
LACOUR-GAYET (Robert), *La Vie quotidienne aux Etats-Unis,* Hachette, Paris, 1952.
LANUX (Pierre de), *Sud,* Plon, Paris, 1932.
LEBLANC (Joyce Yeldell), *Gardens of Louisiana,* Pelican Publishing Co. Gretna. LA, 1974.
LEMAÎTRE (Renée), *La Guerre de Sécession en photos,* Elsevier-Sequoia, Paris/Bruxelles, 1975.
Louisiana Review, été 1974, vol. III, Lafayette. LA.
MARÉCHAL (Lucien), *L'Or blanc,* Marabout-Université, Bruxelles, 1959.
MARTIN (Dr Paul), *Le Rendez-vous américain* (Correspondance et journal inédits de Jacques Martin, 1853-1868), Plon, Paris, 1975.
Le Mississippi, Collection des grands fleuves, Editions Atlas, Paris, 1975.
NÉRÉ (Jacques), *La Guerre de Sécession,* P.U.F., Paris, 1961.
OUDARD (Georges), *Vieille Amérique,* Plon, Paris, 1931.
PRICE (William H.), *Civil War.* Hand/book Prince Lithograph Co., Fairfax, Virginie, 1961.
ROUJOUX (baron de), *Histoire pittoresque de l'Angleterre et de ses possessions dans les Indes,* Imprimerie de A. Everat, Paris, 1834.
RUDE (Fernand), *Voyage en Icarie, deux ouvriers viennois aux Etats-Unis en 1855,* Presses Universitaires de France, Paris, 1952.
Le Sud au temps de Scarlett, ouvrage collectif, Hachette, Paris, 1966.
VANDAL (Marion) et LESOURD (Paul), *La Fayette ou le Sortilège de l'Amérique,* Editions France-Empire, Paris, 1976.
WAGNER (Charles), *Vers le cœur de l'Amérique,* Librairie Fischbacher, Paris, 1906.

The Bicentennial Almanac, Edited by Calvin Linton-Thomas Nelson Inc./Publishers, Nashville Tennessee, New York, 1976.
250 years of Life in New Orleans, Edition : Friends of the Cabildo-Louisiana State Museum, New Orleans.

ARCHIVES ET SOURCES D'INFORMATION

Archives familiales, Louisiane.
Correspondance des consuls de France à La Nouvelle-Orléans de 1830 à 1865. Archives du ministère des Affaires étrangères, Paris.
Musée du Cabildo à La Nouvelle-Orléans. Musée militaire de Baton Rouge (Louisiane). Musée de Saint-Francisville (Louisiane).
Institut international du coton, Paris.
Collection des journaux *Courrier de la Louisiane* et *L'Abeille*, La Nouvelle-Orléans, Louisiane.

DU MÊME AUTEUR

Aux Éditions Jean-Claude Lattès :

COMME UN HIBOU AU SOLEIL.
LETTRES DE L'ÉTRANGER.
ENQUÊTE SUR LA FRAUDE FISCALE.
LOUISIANE.
FAUSSE-RIVIÉRE.
UN CHIEN DE SAISON.
BAGATELLE.
POUR AMUSER LES COCCINELLES.

Composition réalisée en ordinateur par IOTA

IMPRIMÉ EN FRANCE PAR BRODARD ET TAUPIN
58, rue Jean Bleuzen - Vanves - Usine de La Flèche.
LIBRAIRIE GÉNÉRALE FRANÇAISE - 14, rue de l'Ancienne-Comédie - Paris.
ISBN : 2 - 253 - 03567 - X